FERENC MÁTÉ

WZGÓRZA TOSKANII

Przełożył
Zbigniew Kordylewski

Prószyński i S-ka

Tytuł oryginału
THE HILLS OF TUSCANY

Projekt okładki
Maciej Trzebiecki

Ilustracja na okładce
© Grand Tour/Corbis

Redaktor prowadzący
Renata Smolińska

Redakcja
Magdalena Koziej

Korekta
Grażyna Nawrocka

Łamanie
Ewa Wójcik

ISBN 978–83–7648-153-1

Warszawa 2009

Wydawca
Prószyński Media Sp. z o.o.
ul. Garażowa 7, 02-651 Warszawa
www.proszynski.pl

Druk i oprawa
Drukarnia Naukowo-Techniczna
Oddział Polskiej agencji Prasowej
03-828 Warszawa, ul. Mińska 65

Mojej ukochanej Candace

PODZIĘKOWANIA

Chciałbym wyrazić wdzięczność mojej najdroższej żonie Candace za pomoc w stworzeniu tej książki oraz złożyć najgłębsze podziękowania Starlingowi Lawrence'owi, redaktorowi naczelnemu wydawnictwa W.W. Norton, za mistrzowską redakcję. Z całego serca dziękuję także wszystkim ludziom wymienionym w książce, ponieważ bez ich życzliwości nie miałbym o czym pisać.

Część I

1

SŁOŃCE W TOSKANII

Toskania, wrzesień 1987 r.

Wyszliśmy z cienistego, sklepionego przejścia i poczuliśmy na twarzach ciepłe promienie słońca. Ledwie chwilę po południu wąskie, brukowane uliczki świeciły pustkami, a sklepy były pozamykane; Toskania siadała do stołów. Szliśmy obok siebie, skąpani w jesiennym świetle, wyciszeni i rozgrzani słońcem oraz czerwonym winem podanym do obiadu. W zupełnej ciszy, spokojnym krokiem wspinaliśmy się na wzgórze w kierunku *piazza* z katedrą, której mozaikowa fasada lśniła niczym miliony maleńkich gwiazd.

Dygotaliśmy z zimna, kiedy zbieraliśmy materiały do książki w deszczowej Szwecji, zimnej Finlandii i wilgotnej Bretanii. Wreszcie, po raz pierwszy od miesiąca, poczuliśmy ciepło. Oślepieni blaskiem mozaiki i podchmieleni winem, obeszliśmy budynek dookoła i trafiliśmy do przykościelnego ogrodu. Usiedliśmy na niskim, kamiennym murku i niczym marzyciele sprzed wieków wpatrywaliśmy się w otaczający nas krajobraz.

Przed nami, aż do linii horyzontu, rozciągało się morze wzgórz otoczonych pielęgnowanymi z czułością winnicami, gajami oliwnymi, sadami i polami o dziwacznych kształtach: tutaj świeżo zaorane pole, tam poletko kukurydzy, gdzie indziej snopki siana, trochę drzew, pastwisk, wszystkie różnych wielkości, wszystkie otwarte i nieogrodzone. Obrzeża działek wyznaczały krzywizny strumienia, linie wzgórza czy zagłębienia kotliny, granice określały też rzędy topoli albo rowy. Czasem brakowało nawet tego. Stare kamienne domy przycupnięte na pagórkach były otoczone przez cyprysy, drzewa owocowe i ogrody warzywne. Na jednej z grani, między drzewami, stał klasztor z kwadratową wieżą, a za nim, na szczycie wzgórza, leżała mała osada. Wszystko było małe – na ludzką miarę. Nad tym wszystkim królowało łagodne toskańskie słońce, cisza i spokój.

Candace odpłynęła myślami, wzrok skupiła na czymś w oddali, jej kasztanowe włosy lśniły w zachodzącym słońcu. Powietrze zagęściło się od promieni. Usiedliśmy.

Po chwili zaproponowałem, by ruszyć dalej. Candace spojrzała mi głęboko w oczy. W końcu się odezwała.

– Wiesz co? Mam już dość przeprowadzek. I „ruszania dalej" od piętnastu lat. Mieszkanie na barce, na żaglówce, w domku w górach, w warsztacie w Laguna Beach, na poddaszu w Paryżu, w klitce w Nowym Jorku i w tym czymś, no wiesz w czym, na Bahamach. Właściwie to jak nazywało się to miejsce z ośmioma ścianami?

Powietrze zadrgało, w klasztorze zaczęły bić dzwony. Grały powoli i dźwięcznie, ich muzyka przenosiła się ponad cichymi wzgórzami niczym melancholijny welon.

– Pewnie kogoś chowają – powiedziała cicho Candace. Wyglądała tak, jakby chodziło o kogoś, kogo znała. Kiedy dzwony zamilkły, a echo wybrzmiało, świat ponownie pogrążył się w pełnej szacunku ciszy. Słońce skryło się za strzępami chmur, powietrze roziskrzyło się rozproszonym światłem. Po chwili, od strony miasteczka, dobiegł dźwięk rąbania drewna. Następnie rozległ się kobiecy głos, głos nawykły do krzyku.

– *Mario! Non troppo grosso! Per la Madonna!*

Roześmiałem się.

– Co ona powiedziała? – zapytałem Candace.

– Powiedziała, że ma już po dziurki w nosie przenoszenia się z miejsca na miejsce, i jeśli będzie zmuszona zrobić to jeszcze raz, to się wyniesie na dobre i zostawi cię samego, tak jak wielbłąd zostawia za sobą łajno na środku pustyni.

Mario bez pośpiechu rytmicznie rąbał drewno przez dłuższą chwilę. Podpałka musiała być *„non troppo grosso"*, ponieważ nikt już nie zawracał mu głowy. Mario postanowił się pilnować.

– Chcę wreszcie osiedlić się gdzieś na stałe. Wystarczy mały domek, kilka drzew owocowych i ogród warzywny – oświadczyła Candace.

– Brzmi nieźle. A gdzie dokładnie?

– Gdziekolwiek – odparła podniesionym głosem, którego echo odbiło się od ścian kościoła. Stary człowiek w kapeluszu z rondem, który przechadzał się po cmentarzu, odwrócił się i spojrzał na nas, jakby dokładnie wiedział, o czym rozmawiamy. Zwróciłem głowę ku wzgórzom, skupiłem się na otaczającym nas cieple i spokoju.

– To może tutaj? – zapytałem, równocześnie wyciągając rękę w kierunku leżącej poniżej doliny.

– Tutaj?

– Dużo miejsca do uprawy warzyw. Moglibyśmy znaleźć stare gospodarstwo i je odnowić. Dobrze byłoby mieć trochę ziemi, jakiś zagajnik, kilka rzędów winorośli, piwniczkę na wina. Moglibyśmy sami zająć się jego wytwarzaniem. Wyobraź sobie stare drewniane beczki i wydobywający się z nich zapach. A ponad głowami latają gołębie. Na stercie gnoju stoi kogut. Nieopodal rosną oliwki. Moglibyśmy tłoczyć własną oliwę, a potem polewać nią kawałki świeżo wypieczonego chleba z dużą ilością czosnku.

– Chyba zwariowałeś – roześmiała się Candace.

– No dobrze, z odrobiną czosnku.

– Zwariowałeś, mówiąc o osiedleniu się tutaj.

– A to czemu? Okolica jest przepiękna, jedzenie wyśmienite, ludzie wspaniali, a sztuka jeszcze lepsza. Koncerty w kościołach i zamkach. Ja zajmę się pisaniem, a ty malowaniem. Nawet klimat jest idealny. Czego nam trzeba więcej? Moglibyśmy mieć małe gospodarstwo. Choćby tam.

Wskazałem mały, rozpadający się domek, obok którego pasło się w cieniu stadko białych zwierząt.

– Mówisz o gospodarstwie? Przecież nie masz zielonego pojęcia o życiu na wsi.

– Mogę się nauczyć.

– Nie jesteś w stanie powiedzieć choćby słowa po włosku!

– Pójdę na kurs językowy.

– Przecież nawet nie wiesz, gdzie jesteś. – Uśmiechnęła się.

– To się kogoś zapytam.

Patrzyła na mnie w ciszy. Patrzył też stary człowiek, na jego twarzy malowało się oczekiwanie. Spojrzenie Candace złagodniało.

– Jesteś fajnym facetem – powiedziała jak pielęgniarka uspokajająca pacjenta w szpitalu psychiatrycznym. – Problem w tym, że rzeczywistość i ty po prostu nie idziecie razem w parze.

Pokręciła głową. Stary człowiek wydawał się tym usatysfakcjonowany. Poprawił kapelusz i się oddalił. Bloczki przy dzwonach na wieży zaczęły się poruszać, zaskrzypiały kołki mocujące liny, olbrzymi dzwon z potężnym świstem wychylił się na chwilę i, jeszcze raz, tym razem mocniej, usłyszeliśmy ogłuszające uderzenie, „bim", a potem „bom". Dzwon huczał i grzmiał tak mocno, że powietrze i ziemia pod stopami wokół nas zaczęły drżeć. Niski ksiądz o wielkich dłoniach wszedł do kościoła, szurając nogami, za nim pojedynczo lub dwójkami szły starsze kobiety.

Candace się podniosła. Wydawała się pogrążona w zadumie.

– Wiesz co, w sumie to jest więcej strasznych rzeczy od przeprowadzki do obcego kraju – oświadczyła.

– Podaj chociaż jedną.

2
SKRĘĆ W LEWO PRZY MADONNIE

Cały następny rok spędziliśmy zamurowani w betonowej dżungli Nowego Jorku. Candace poświęcała kolejne długie godziny, by uzyskać tytuł magistra sztuk pięknych, a ja dokończyłem książkę o jachtach żaglowych, a następnie zmagałem się z powieścią o biednym żeglarzu poszukującym zmarłej żony. Candace zdobyła swój tytuł, a mnie udało się ukończyć książkę, którą z należytą ostrożnością odłożyłem na dno drewnianego kufra, licząc, że być może, tak jak w wypadku win, czas podziała na jej korzyść i dzieło ujrzy światło dzienne kilka lat później, dojrzałe i wyszukane.

W każdym razie minął rok.

Większość normalnych ludzi po takim czasie wybiłaby sobie z głowy pomysł na idylliczne życie w Toskanii, postarałaby się o pracę i zadowoliłaby się telewizją kablową i wycieczkami do siłowni. Ale nie ja. Ja planowałem. Postanowiłem znaleźć jakieś miejsce do wynajęcia na miesiąc, skąd mógłbym rozpocząć polowanie na wymarzony toskański domek na wsi. Dzwoniłem wszędzie: do Włoskiej Izby Turystycznej, włoskich biur podróży, na amerykański uniwersytet w Toskanii, do zakonu benedyktynów niedaleko Florencji, pizzerii na rogu ulicy, której właściciel był co prawda Koreańczykiem, ale zauważyłem pocztówki ze Sieny przylepione taśmą klejącą do kasy, skontaktowałem się nawet z miejscowym włoskim klubem Golden Age, gdzie wszyscy okazali się głusi. Wszystko na próżno. Nikt nic nie wiedział. A nawet jeśli wiedzieli, to nic nie mówili. A jeśli już mówili, to po włosku, przez co nie rozumiałem ani słowa. W końcu, przypadkowo, trafiłem na kontakt – w pralni.

Planowanie z wyprzedzeniem stanowiło dla mnie zupełną nowość. Zazwyczaj oddaję się w ręce Losu, i to nie dlatego, że jestem specjalnie żądny przygód, raczej z lenistwa. Czasem to działa. Piętnaście lat wcześniej razem z Candace włóczyliśmy się po Ameryce Środkowej w samochodzie kempingowym marki Volkswagen, utrzymując się za siedem dolarów dziennie, i przypadkowo „odkryliśmy" ruiny Tikalu, miasta Majów, o którym słyszeli wszyscy, tylko nie my. Oto znaleźliśmy się głęboko w gwatemalskiej dżungli, ślizgając się po wodzie w trakcie ulewnych burz, zakopani aż po wały osiowe w błocie, uciekając przed nakrytą brezentem ciężarówką, w której mógł czaić się szwadron śmierci lub skrzynki z melonami. W końcu normalny człowiek zagubiony w dżungli w kraju ogarniętym rewolucją nie zatrzymuje się, by sprawdzić, co też ciekawego znajduje się w podejrzanych ciężarówkach.

Kiedy wreszcie ciężarówka zniknęła w strugach deszczu, ponieważ utknęła gdzieś na poboczu – Panie Boże, pobłogosław Panu Volkswagenowi, kimkolwiek jest – Candace szturchnęła mnie i powiedziała.

– Co to za pagórki w dżungli przed nami?

Moją pierwszą myślą było „wrogowie!", jednak pagórki okazały się bardzo duże, nieruchome, zarośnięte i spiczaste – niczym wyprostowane stopy pod kocem – różnica polegała na tym, że było ich dwanaście, do tego wielkich i stromych jak piramidy, którymi zresztą się okazały ku naszemu olbrzymiemu zdziwieniu.

Podróżowanie w samochodzie kempingowym to jedna rzecz: można przecież jechać przed siebie, dopóki się nie trafi w jakieś ciekawe miejsce. Niestety, nie da się po prostu przylecieć do Toskanii i wrzasnąć „Czy ktoś w okolicy ma mieszkanie do wynajęcia?!".

Dlatego musiałem wszystko zaplanować. I to podziałało.

Jechaliśmy wśród toskańskich wzgórz. Jesienne słońce wisiało nisko na nieboskłonie. Matra, mały samochód sportowy kupiony wiele lat temu, kiedy jeszcze mieszkaliśmy w Paryżu, miękko wchodziła w zakręty. Mijaliśmy tarasy z powykręcanymi drzewkami oliwnymi i winorośle, których liście mieniły się żółcią i czerwienią w piekącym słońcu. Średniowieczne mury i wieżyce Monte San Savino zniknęły za nami, w miarę jak wjeżdżaliśmy coraz wyżej. W końcu winnice ustąpiły miejsca sosnom. Przejechaliśmy przez kilka osad z rozpadającymi się kamiennymi domami oraz wiekowymi drzewkami oliwnymi i trafiliśmy prosto na złożone z sześciu domów *borgo*[1] Palazuolo. Candace krzyknęła:

– Skręć tutaj!

Wbiłem biedną matrę w wąską drogę obok przekrzywionego kościoła z odpadającą sztukaterią oraz długą kamienną stajnią z dużą kapliczką poświęconą Madonnie. Przemknęliśmy między rzędami cyprysów rosnących na cmentarzu, gdzie na każdym z grobów palił się wieczny ogień zasilany elektrycznością. Następnie minęliśmy zbitą na poczekaniu, drewnianą tablicę z ręcznie wykaligrafowanym napisem *Podere Bastardino*[2] – niezła nazwa dla domu, prawda? Wtedy Candace wydała mi ostatnią komendę:

– Skręć w lewo przy Madonnie!

Biorąc pod uwagę, że w Toskanii spotyka się całe plejady podobizn Madonny, niemal trącających się łokciami, jej polecenie można by porównać do wydanej żeglarzowi komendy: „Skręć w lewo przy następnej fali!". A jednak ta konkretna Madonna – niech błogosławione będzie jej poczciwe spojrzenie – stała dokładnie w miejscu, w którym droga się rozgałęziała. Na prawo prowadził błotnisty szlak wyznaczony przez furmanki i prowadzący gdzieś w mrok, tymczasem kamienista dróżka na lewo wznosiła się do góry, prosto w stronę czerwonego słońca.

Robiłem się nerwowy. Prowadziłem cały dzień z Chambéry na pogórzu francuskich Alp – należy pamiętać, że cała droga poza odcinkiem z Turynu do Pizy to zakręty i boczne drogi – i byłem wykończony. Droga poprowadziła nas do lasu pełnego wielkich dębów, gałęzie drzew sklepiły się nad nami. Na końcu tunelu, w blasku słońca, zobaczyłem – a przynajmniej tak mi się zdawało – dwie groteskowe głowy mitycznych bestii biegnących prosto

[1] *Borgo* (wł.) – wioska, osada (przypisy pochodzą od tłumacza).
[2] *Podere bastardino* (wł.) – gospodarstwo bękarta.

15

na nas. Gwałtownie zahamowałem. Przód matry obniżył się i uderzył w kamieniste podłoże. Bestie przebiegły obok nas i skręciły do lasu, za nimi podążało makabryczne widmo – miało małą głowę ze zmierzwionymi wiatrem włosami, zawieszoną na tyczce od fasoli, z której wystawały kończyny.

– Osiemnastowieczna sielanka – zauważyła Candace z rozmarzeniem. – Jesienne liście, świnie biegnące w cieniu starych dębów i świniarka na tle zachodzącego słońca.

Otworzyłem szerzej znużone oczy. Faktycznie, majaki okazały się tym, o czym mówiła moja żona.

– Cholerne, głupie świnie. Co, u diabła, tutaj robiły? – jęknąłem.

– Wcinały żołędzie, przyszły gospodarzu – odparła Candace. – A co, myślałeś, że świnie rodzą się na styropianowych tackach, jako porcje wieprzowiny?

Opuściła szybę i zaczęła przyjaźnie gawędzić ze starą kobietą, tak chudą, że tylko pergaminowa skóra wydawała się trzymać ją w pionie.

– Dwieście metrów na lewo – powiedziała w końcu Candace. – Może chcesz, żebym poprowadziła?

Zostałem za kierownicą. Candace zajęła się czesaniem włosów i doprowadzaniem do porządku przed spotkaniem z wyrafinowanymi właścicielami naszej wynajętej willi, którzy, jak nam powiedziano, mieli z otwartymi ramionami czekać na nas w ogrodzie.

Naturalnie na miejscu nie zastaliśmy nikogo.

Dom był zamknięty na cztery spusty. Słońce zachodziło. Robiło się chłodno. Las dookoła stawał się coraz ciemniejszy. Niezły początek. Myślałem już, żeby zostawić grzeczną wiadomość o tym, gdzie mogą sobie wsadzić swój chylący się ku ruinie stary dom, kiedy w ostatnim blasku dnia pojawiła się stara świniarka i zapytała o coś Candace, na co ta odpowiedziała „Non c'è nessuno". – Nikogo tutaj nie ma. Stara kobieta powiedziała coś jeszcze i wskazała na wielką ceramiczną donicę z szałwią. Candace podeszła do niej, przechyliła i wyciągnęła nasze wybawienie, klucz do drzwi wejściowych.

Kiedy weszliśmy do środka nieskazitelnego kamiennego domu, pełnego starych drewnianych mebli, z lśniącym, ale wytartym stołem kuchennym i kominkiem tak dużym, że można by w nim upiec kozę, widok płonącego słońca ponad zamglonymi wzgórzami zaparł mi dech w piersiach.

– Co prawda o tym wspominałem, ale powiem to jeszcze raz – oświadczyłem. – Jesteśmy w raju.

Byliśmy oszołomieni. Biegaliśmy po domu jak wariaci. Potem zabraliśmy z samochodu butelkę francuskiego wina trzymaną tam w razie nagłej potrzeby, co prawda ciepłego, ale co z tego. Chwyciliśmy też ser brie i chleb przeznaczone na takie okazje i usiedliśmy okrakiem na kamiennym murku wyznaczającym granicę jednego z tarasów. Słońce opadało, niebo się rozogniło, olbrzymie snopy światła przebijały się przez chmury. Podawaliśmy sobie butelkę, świat wokół nas zaczął tryskać kolorami. Oliwki nabrały srebrzystej poświaty, pelargonie się zaczerwieniły, stare mury i wytarte ceglane chodniki nabierały barw minionych stuleci. Powietrze przesycone było zapachem lasu, szałwii, lawendy, rozmarynu, jesiennej gleby i rozgrzanego słońcem kamienia. Jedliśmy, sączyliśmy wino, zakręciło nam się w głowach, objęliśmy się, potem zapadł mrok.

– Zaraz zamykają trattorię. Lepiej chodźmy coś zjeść – powiedziałem.

– I wypić – dodała Candace.

Boże, błogosław Irlandczyków.

Wzięliśmy prysznic, wysuszyliśmy włosy przy kominku i wyszliśmy zanurzyć się w jesienną noc. Ponad nami gwiazdy tworzyły migoczącą kopułę. W ciemnym lesie tętniło życie: coś w nim szeleściło, kumkały żaby, słychać było przeraźliwy, urywany skowyt zwierzęcia przedzierającego się przez żywopłot. Wjechaliśmy pomiędzy pogrążone w mroku drzewa, światło reflektorów tworzyło wszędzie cienie, minęliśmy malutką osadę z ciepłą poświatą bijącą z okien oraz dom, obok którego płonął ogień, zapach dobiegający z kurnika mieszał się z dymem, a stary mężczyzna grzebał widłami w żarzących się węglach i wzbijał w powietrze fontanny iskier.

Niecałe dwa kilometry dalej, w odosobnionym domostwie, znajdowała się Trattoria del Cacciatore. W środku paliło się światło, a dym z komina płynął na pola. Weszliśmy pod pergolę. Stara kobieta z igłą i nitką szyła coś za malutkim barem, wokół niej leżały sterty przypraw, mydła i warzyw. Przywitała nas cichym *buonasera* i wskazała ruchem dłoni na większe pomieszczenie obok. Było to schludne miejsce z wybielonymi ścianami, drewnianymi belkami i terakotą na podłodze. Na stołach leżały nienagannie czyste obrusy, z tyłu, za łukowatym przejściem, na wysokości pasa stał kominek, w którym igrał ogień. Zwróciliśmy uwagę na około trzyletnią dziewczynkę trzymającą w ręku lalkę i wołającą: *Mamma, Mamma, c'è gente.* Z całą pewnością mogli to uznać za dobrą wiadomość, ponieważ chociaż było dobrze po ósmej, to okazaliśmy się jedynymi *gente* o tej porze, a może w ogóle tamtego dnia. Przyszła Mamma, nieśmiała kobieta w wieku około trzydziestu lat, powiedziała coś i wskazała na stół koło kominka, przy którym zaraz usiedliśmy. Na blacie stała butelka czerwonego wina bez etykiety. Ogień w kominku migotał. Dziewczynka położyła lalkę na krześle obok nas i zaczęła do niej łagodnie przemawiać. Spoglądała na nas, potem na lalkę, pouczając ją o czymś, czasem kiwała palcem, żeby lalka grzecznie się zachowywała. Candace zadała dziewczynce jakieś pytanie, a ta odpowiedziała na nie ze śmiertelną powagą, wyszeptała coś do lalki i poszła sobie. Wyciągnąłem korek z butelki i nalałem wina. Candace wzniosła kieliszek i powiedziała:
– Witamy w domu.

Jedzenie nie należało do wyszukanych, tak jak miejsce, w którym zostało przygotowane. Jako przystawkę dostaliśmy *crostini* – grzanki pieczone nad ogniem, niektóre posmarowane wątróbką z kurczaka, a inne z podsmażonymi grzybami. Potem naturalnie pojawił się makaron. Oboje dostaliśmy *pici* – domowej roboty, ręcznie zawijane, różnej grubości spaghetti – Candace z sosem z pieczeni z dzika, a ja z grzybowym. Jedliśmy powoli, delektując się każdym kęsem, podnosząc głowę tylko wtedy, kiedy pojawiła się Mamma małej dziewczynki z pytaniem, czy aby sosy nam smakują. Candace pochwaliła ją za jedzenie i przeprosiła, że jemy tak wolno. Na jej twarzy pojawił się uśmiech. *„Piano, piano, con calma"* – powiedziała. Powoli, powoli, ze spokojem. Potem zaserwowano nam mięso: przed Candace postawiono pieczonego bażanta z przyrumienioną, przypominającą pergamin skórką, dla mnie przyniesiono boską w smaku pieczeń z dzika duszonego w czerwonym winie z jagodami jałowca. Podano nam także talerz toskańskiej fasoli zanurzonej w oliwie i rozdrobnionym czosnku oraz sałatkę. Wypijaliśmy kieliszek za kieliszkiem, za zdrowie małej dziewczynki, jej mamy, Toskanii, dzika, fasoli i grzanek.

Jedliśmy z *calma* i piliśmy z zapałem, mała dziewczynka z lalką już dawno powiedziała nam „dobranoc", odprowadzona na górę przez *Nonna*, babcię, zza baru. Mamma także poszła na górę położyć córkę, my tymczasem omdlewaliśmy z gorąca bijącego od otwartego ognia i wina, dzięki Bogu *Nonna* wróciła i przyniosła dwie filiżanki espresso, żeby postawić nas na nogi, potem, po krótkiej chwili zastanowienia przyniosła po kieliszku grappy, by pogrążyć nas jeszcze bardziej.

Kiedy zbieraliśmy się do wyjścia, obie kobiety zeszły na dół się pożegnać – wymieniliśmy uściski dłoni i uśmiechy, jakbyśmy się znali od lat. Wyszliśmy na zewnątrz, prosto w srebrną księżycową toń.

Zadowoleni, pełną piersią wdychaliśmy nocne powietrze. Nie chodziło tylko o jedzenie i wino, ale także o rodzinę. Było coś podnoszącego na duchu w trzech pokoleniach żyjących pod jednym dachem. Czuliśmy się tak, jakbyśmy zjedli kolację w czyimś domu. Odwiedzone przez nas miejsce promieniowało szczerością, bezpretensjonalnością, tak jakby dla mieszkańców nie liczyły się mury i podłogi, ale to, że przynieśli pociechę swoim gościom. Czuliśmy się lepiej, wiedząc, że warzywa pochodzą z ich ogrodu, wino z małej winnicy z naprzeciwka, a bażant i dzik zostały upolowane przez dziadka. Rozprawialiśmy o tym, spacerując w świetle księżyca, w końcu Candace powiedziała:

– Czy wypiliśmy całe to wino tylko po to, żeby rozmawiać o naukach społecznych?

Jak najszybciej ruszyliśmy do domu.

Pościel była biała i chłodna, przez okno wpadały promienie księżyca, gałęzie drzew rzucały cienie na ściany.

3
TRZYSTA MILIONÓW!?

Następnego dnia wyskoczyliśmy z łóżka, by otworzyć okiennice i rzucić okiem na otaczający nas świat. Parapet był już ciepły od słońca. Strzępy mgły zalegały jeszcze w dolinie, a miasteczka na wzgórzach jaśniały w dali w porannym słońcu. Liście wielkich dębów drżały na wietrze, gdzieś w lesie Anioł z kluczem do otchłani krzyczał na swoich podopiecznych. Dookoła słychać było ptaki. Zięby wydziobywały ziarna z szyszek leżących na ziemi, sójki dziurawiły dojrzałe jabłka, a nad grzbietem wzgórz, skąd dochodził dźwięk pracy traktora, krążył sokół, wypatrując myszy wychylających się ze swoich norek. Coś poruszyło się w lesie obok domu. Chwilę później wychynął z niego stary mężczyzna prawie tak kościsty, jak Anioł z kluczem. Napotkał nasz wzrok, na wychudzonej twarzy pojawił się szelmowski uśmiech. Przedarł się przez krzaki, wyszarpnął z nich wiklinowy koszyk, wyciągnął w naszą stronę i krzyknął, ciągle się uśmiechając.

– *Funghi!*[3]

Candace zbladła. Zniknęły nawet jej piegi. Odparła łamliwym, ochrypłym głosem:

– *Porcini*[4].

I już jej nie było. Skakała po pokoju na jednej nodze, naciągając dżinsy, narzuciła skórzaną kurtkę na nagie ramiona i zbiegła po schodach w słoneczny poranek. Zaczęła rozmawiać z obcym

[3] *Funghi* (wł.) – grzyby.
[4] *Porcini* (wł.) – borowiki.

mężczyzną, oboje pochylali się nad *funghi* jak wiedźmy nad kotłem, wyjmując i podziwiając poszczególne okazy. Candace odwróciła się i wyciągnęła do mnie dwie duże, bulwiaste rzeczy z ciemną skórką, które z pewnością były replikami grzybów z książek dla dzieci.

– Dzisiaj dopiero sobie podjemy – powiedziała rozpromieniona.

Stary człowiek wyrzucił z siebie potok niezrozumiałych słów, na które odparłem, wyczerpując większość swojego włoskiego słownictwa:

– *Stupendo. Grazie.* – Mężczyzna skinął głową. Obrócił się na pięcie, ruszył z powrotem do lasu i po chwili już go nie było.

– Powąchaj je, powąchaj! – doszedł mnie głos mojej żony. Znalazłem Candace w kuchni, trzymała grzyby w rękach jak świętego Graala. Pomieszczenie wypełniło się cierpkim, słodkawym i wilgotnym zapachem.

– Upieczemy je wieczorem – oświadczyła tonem zwycięzcy.

Śniadanie zjedliśmy na tarasie, rozkoszując się słońcem. Niewidzialni właściciele willi zostawili zapas cukru i kawy na czarną godzinę, zrobiliśmy cappuccino, zjedliśmy resztkę bagietki oraz sera brie i zagryźliśmy to jabłkami zerwanymi z drzewa obok. Słońce wspięło się wysoko na nieboskłonie. Nadszedł czas na rozpoczęcie naszej przygody. Candace musiała namalować jeszcze dwa obrazy do pokazu, ale ja nie miałem żadnych zobowiązań. Mogłem zająć się wyszukaniem dla nas domu w Toskanii.

Przed wyjściem pomogłem jej przygotować wolny pokój przy ogrodzie. Poprzestawialiśmy meble, z desek zbudowaliśmy prowizoryczną sztalugę, a na dwóch ramach przywiezionych z Nowego Jorku rozpięliśmy płótno. Wreszcie Candace uznała, że w pomieszczeniu jest zbyt duszno, i postanowiła otworzyć szklane drzwi oraz okiennice.

Rozpętało się piekło. W mgnieniu oka w cichym pokoju rozegrała się scena, którą Alfred Hitchcock mógłby umieścić w filmie pod tytułem „Owady". Szeroka na dłoń przestrzeń pomiędzy szybą a drewnianymi okiennicami była schronieniem wszystkich paskudnych i przyprawiających o gęsią skórkę insektów świata. Kiedy obcy wdarli się do ich raju, chmara robali, brzęcząc, bzycząc i bucząc, poderwała się, wypełzła i wyskoczyła na wszystkie strony, zakłócając tym samym nasz święty spokój. Wszędzie było ich pełno, podłoga zmieniła się w żywy dywan mrówek, stonóg, pluskiew i larw, zaroiło się od os, much i ciem, które skutecznie przesłoniły słońce. Kontratakowaliśmy. Chwyciłem za miotłę, a Candace za miotełkę do kurzu. Przypuściliśmy atak, deptaliśmy i przeganialiśmy insekty w kierunku drzwi, wielu śmiałków zawracało i ponownie szarżowało prosto na nas.

Tonęliśmy we własnym pocie i trupach wroga niczym zawodowi tępiciele robali. Candace wyszła na jaśniejący zielenią trawnik i splunęła. Wytrząsnęła parę trupów z włosów i ponownie splunęła. Pozbyła się kolejnych ofiar z ubrania. Wreszcie powiedziała do mnie z rozbrajającą szczerością:

– Tak jak obiecałeś, kochanie. Jak w raju.

Pojechałem do miasta. Ciche winnice płonęły kolorami. W gajach oliwnych mężczyźni targali ze sobą drabiny i składane sieci, przygotowując się do zbiorów. Po niebie płynęła czarna chmura, obramowana promieniami słońca sączącymi się na pola. Zaparkowałem przy średniowiecznym murze i, stąpając po nierównym bruku, przeszedłem przez sklepioną bramę wiodącą do miasta, minąłem gigantyczne, nabijane żelaznymi guzami, skrzypiące drzwi z drewna tak starego, że zmieniło kolor na szary. Zagrzmiało. Echo burzy rozniosło się wzdłuż ulicy i po chwili lunął deszcz. Otworzyłem parasol. Między kamieniami natychmiast utworzyły się kałuże. Handlarze uciekli sprzed swoich sklepów, gdzie jeszcze przed chwilą stali i gawędzili ze sobą oraz przechodniami. Przygnębieni ulewą skryli się za szyby, na których pojawiały się kolejne krople deszczu.

Niewiele sklepów miało szyldy, zresztą po co, przecież przez witryny można było się łatwo zorientować, co w nich oferowano. Poza tym, wszyscy w miasteczku dobrze wiedzieli, gdzie mogli się zaopatrzyć w potrzebne produkty. Szedłem powoli, oceniając po kolei każdą wystawę, ponieważ nasz kalifornijski pośrednik polecił mi szukać takiej z zaniedbanymi antykami oraz napisem *Assicurazione*, Ubezpieczenia, na drzwiach. Miał tam urzędować signor Neri zajmujący się w istocie sprzedażą domów. Pośredniczył również w handlu świniami i krowami, gdy prosili go o to sąsiedzi. W razie potrzeby organizował też pogrzeby.

Udało się. Stałem w deszczu i wpatrywałem się w sklepową witrynę ze starym olejnym obrazem tkwiącym pomiędzy lustrem a niskim stołeczkiem do dojenia krów. Przedstawiał smutnego świętego przyglądającego się czaszce. Wewnątrz, w obłokach papierosowego dymu, za nadgryzionym zębem czasu stołem siedział signor Neri. Rozmawiał przez telefon, niczym dyrygent wymachując równocześnie ręką. Zamarłem w bezruchu. Nie potrafiłem zebrać się w sobie i wejść do środka. Opuściłem parasol, żeby ukryć twarz, i ruszyłem dalej w deszcz. Nie widziałem żadnego problemu w czterech zawodach Neriego, jednak piąty przyprawiał mnie o gęsią skórkę. Wiem, że czterdziestoletni mężczyzna powinien zdawać sobie sprawę z istnienia w życiu pewnych etapów, pogodzić się z tym, że młodość przeminęła i koniec końców przeminie też jego życie. Mimo to stanięcie twarzą w twarz z człowiekiem, który, dosłownie i w przenośni, przybije kiedyś gwóźdź do mojej trumny, było jeszcze ponad moje siły. Potrzebowałem więcej czasu, by stawić czoło rzeczy nieuchronnej: że pewnego dnia, nie tak wcale odległego, może nie jutro, ale z pewnością prędzej niż później, nadejdzie chwila, w której skończy się moje życie wypełnione codziennie innymi cudami, będę musiał kupić dom i się ustatkować.

Deszcz przestał padać. Sklepikarze ponownie wylegli na ulicę, podnosząc głosy, zanim jeszcze ich stopy zdążyły dotknąć bruku. Ludzie bez pośpiechu zaczęli wychodzić z domów i kawiarni. Złożyłem parasol. Dotarłem do zewnętrznych fortyfikacji miasta – przede mną piętrzył się mur. Nie miałem już dokąd iść. Zawróciłem. Poza tym zdążyłem się przygotować na nieuniknione, ucząc się wszystkich słów i zwrotów, które wydawały się niezbędne na taką sposobność: *rudere* – ruina, *casa colonica* – stary dom na wsi, *muri* – ściany, *tetto* – dach, *trave* – belka, *pavimento* – podłoga, *inedificabile* – niemożliwe do zbudowania, a także kilku innych kluczowych słów w rodzaju *si*, *no* oraz co najważniejsze – *quanto costa*[5]. Uniosłem

---

[5] *Quanto costa* (wł.) – ile to kosztuje.

w górę parasol i zdecydowanym krokiem ruszyłem z powrotem, mamrocząc pod nosem słowa *trave, muri, rudere* i *casa*.

Na ulicy zaroiło się od ludzi. Były to przeważnie kobiety, czasem pojawiał się jakiś pan w wieku emerytalnym. Kobiety uginały się pod ciężarem porannych zakupów: świeżo wypieczonego chleba, mięsa od rzeźnika, owoców i warzyw, podczas gdy starzy mężczyźni sapali, taszcząc ze sobą poranne gazety. Dookoła otwierały się okna, z których dobiegały zapachy gotujących się na wolnym ogniu sosów i pieczonego ciasta, wychyliło się także kilka osób, aby dołączyć do rozmów toczonych na ulicy. Maszerowałem zdecydowanym krokiem.

Byłem w miarę zadowolony ze swojego włoskiego. Powiedziałem do kompletnie obcej osoby *„Buongiorno, che bella giornata"*[6]. Z pewnością wystarczy to na signora Neriego. Znałem kilka słów i wyrażeń, u diabła, a nawet całe teksty po włosku. Na początek pokażę mu, że ma do czynienia z kimś, kto jest nie w ciemię bity. *„Buongiorno. Che bella giornata. Mi chiamo Ferenc Máté, sono uno scrittore da New York, cerco una bella casa colonica"*[7] i tak dalej.

Wyrzuciłem z pamięci upokorzenie z zeszłego lata. Kiedy przyjechaliśmy do Niemiec, Candace zaproponowała, byśmy nauczyli się kilku podstawowych zwrotów. Poczerwieniałem z oburzenia. JA?! Uczyć się niemieckiego?! Czyż nie udało mi się uciec z Węgier do Austrii? Chodzić tam do szkoły? Mówić po niemiecku jak Niemiec? Candace delikatnie przypomniała mi, że od tamtego czasu minęło już trzydzieści lat, ale byłem zbyt urażony, aby jej posłuchać. Wpadłem do bawarskiego zajazdu, pewny siebie stanąłem przed uroczą *Frau*, uśmiechnąłem się i bez wysiłku rozpocząłem moją zwyczajową, przyjacielską gadkę od serdecznego *Guten Abend*[8]. Następnie zamierzałem pochwalić krajobraz, miasto, miejscowe jedzenie i wino. Dlatego rozmowę zacząłem od niechcenia i z pewnością siebie od *Guten Abend* i wtedy, zupełnie bez ostrzeżenia,

---

[6] *Buongiorno, che bella giornata* (wł.) – dzień dobry, piękny dzień.

[7] *Mi chiamo Ferenc Máté, sono uno scrittore da New York, cerco una bella casa colonica* (wł.) – nazywam się Ferenc Máté, jestem pisarzem z Nowego Jorku, szukam pięknego starego domu na wsi.

[8] *Guten Abend* (niem.) – dobry wieczór.

kompletnie ogłuchłem. Musiało tak być, bo jakoś nie usłyszałem ani słowa o sznapsie czy winie Liebfraumilch, Alpach Bawarskich ani tych wszystkich poetyckich zdań, które zapewne wypowiadałem. Nic, tylko cisza.

Ale przecież to było dawno temu, w innym kraju. Tym razem ćwiczyłem. Umiałem wszystko na wyrywki, każde słowo, każde wyrażenie, każdy niuans, opanowałem nawet intonację i typowo włoską gestykulację rękami. Byłem gotów.

Otworzyłem na oścież drzwi do biura, zdecydowanym krokiem wszedłem do środka i stanąłem przed signorem Nerim, który akurat skończył rozmawiać przez telefon, uśmiechnąłem się do niego uspokajająco, aby uśpić jego czujność, i wyrecytowałem: *„Buongiorno. Che bella giornata. Mi chiamo Ferenc Máté, sono uno scrittore da New York, cerco una bella casa colonica"* i tak dalej. Szło mi naprawdę dobrze. Moje usta i umysł przestawiły się na tryb automatyczny, do moich uszu dochodził melodyjny ton, nawet ręce poruszały się tak, jak powinny. Bezbłędnie. Signor Neri słuchał z wyrazem twarzy, który wydawał się pełen aprobaty, kiwał głową i czasem rzucał *„Ho capito"*, a kiedy wplatałem w swój wywód długie słowa w rodzaju *preferibilmente*, sprawiał wrażenie zachwyconego. Skończyłem mówić. Udało się. Podbiłem język włoski. Toskania leżała u moich stóp. Signor Neri podniósł się. Nie jestem pewien, czego właściwie się spodziewałem, może oklasków, uścisku dłoni i gratulacji, może krótkiego pokazu jego ulubionych trumien, ale zamiast tego zrobił najgorszą możliwą rzecz – odpowiedział.

Długimi zdaniami.

Które trwały wieczność.

Zrobiło mi się słabo. Stałem z rozdziawionymi ustami, próbując wychwycić z huraganu dźwięków znane słówko. Neri był bezlitosny. Nie przerywał. Wtedy naszła mnie przerażająca myśl, że być może w ogóle mnie nie zrozumiał i może nie mówił teraz o starych domach, tylko o ubezpieczeniach, krzesłach, mlecznej krowie albo trumnie.

Na ratunek przyszło mi słońce, najpierw rozjaśniło ulicę, potem promienie odbiły się od starego lustra opartego o świętego i oświetliły zdjęcie starego toskańskiego domu zawieszone na ścianie obok mnie. Prowadziły do niego zewnętrzne schody w połowie zarośnięte krzakami, przylegał do niego ładny budynek gospodarczy.

– *In vendita?* – usłyszałem swój zachrypnięty głos. Na sprzedaż?

Neri przerwał niekończącą się orację, spojrzał na zdjęcie, potem na mnie, jakby sprawdzając, czy aby zasługuję na taki dom, i wreszcie odparł poważnie:

– *Forse.* – Być może.

Osłupiałem. „Być może?" Wyobrażacie sobie tak nieprofesjonalne zachowanie? Do ciężkiej cholery, tak nie mówi się w Ameryce. U nas dzwoni się do agenta, ustala cenę i podpisuje umowę. I tyle. Czarno na białym. Wszystko jasne jak słońce. W Toskanii jest inaczej. Miałem się o tym osobiście przekonać jeszcze przed zachodem słońca. Tutaj spraw nie załatwia się zgodnie z prawem i zasadami, ale raczej rozpuszczając wieści, które potrafią przebrzmieć zaraz po tym, jak się pojawiły. Pierwszym przykazaniem w Toskanii wydaje się powiedzenie „Nie będziesz ustalał niczego na piśmie, bo jak inaczej, u diabła, będziesz mógł zmienić później zdanie?". Z oczywistych powodów nie znajdziemy tego przykazania w Biblii. Przejawia się tutaj poprzez brak tabliczek z napisem „na sprzedaż". Sprzedający, który przecież oficjalnie nie istnieje, nie kontaktuje się osobiście z pośrednikiem, którego z całą pewnością też oficjalnie nie ma. Kontakt odbywa się przez ledwo znaną obu stronom osobę trzecią, którą z pewnością zgodnie uznałyby za niegodnego zaufania drania. Przez następną godzinę signor Neri prezentował mi sposób działania tego systemu. Zasygnalizował, żebyśmy wyszli, zamknął za nami drzwi biura tak szybko, jakby nie chciał, by z pomieszczenia uciekł dym papierosowy, psując jednocześnie panującą tam atmosferę.

Słońce przygrzewało, bruk szybko wysychał. Ludzie spacerowali, oddychając pełną piersią jesiennym powietrzem. Drzwi i okna były szeroko otwarte, zapachy pieczonego mięsa i rozmarynu wydobywały się z nich na ulicę. Toskania przygotowywała się do *pranzo*[9]. Obiad składał się z co najmniej czterech dań, pod względem obfi-

---

[9] *Pranzo* (wł.) – obiad.

tości przypominając uroczysty posiłek w trakcie amerykańskiego Święta Dziękczynienia. Uczta zaczyna się około trzynastej, a kończy wraz z ostatnim gościem spadającym pod stół. Tymczasem było dopiero po jedenastej i sosy miały jeszcze sporo czasu, żeby dojść na wolnym ogniu, a mięsiwa, żeby się dopiec, dlatego ludzie tłoczyli się na ulicach w dwu-, trzy- lub czteroosobowych grupkach, gawędzili i się przechadzali, starzy ze starymi, starzy z młodymi, każdy z każdym, nawet koty z psami, wszyscy rozmawiali na sobie tylko znane tematy.

Piękno wynikające z niezrozumienia, o czym rozmawiają przechodnie, polega na tym – naturalnie o ile jest się takim optymistą jak ja – że w głowie zawsze upiększa się takie rozmowy. Wydaje się wówczas, że melodyjny głos starszej pani sprzedającej jaja z dwukołowego wozu stojącego w jednej z łukowatych bram opowiada jakąś przejmującą historię z jej młodości, podczas gdy tak naprawdę staruszka obrzuca stekiem przekleństw kurze odchody uparcie przylegające do skorupek. Może się wydawać, że młoda matka szepcze przepełnione miłością i mądrością słowa do swego *tesoro*[10] w wózku, a w rzeczywistości mówi z uśmiechem: „Zamknij się albo cię uduszę, ty nic nieznacząca wpadko z młodości".

Skręciliśmy gwałtownie i odwróciliśmy się plecami do wszystkich widoków i opowiadanych historii. Uliczka była tak wąska, że bez trudu mogłem dotknąć stojących po obu stronach budynków. Po kilku krokach w górę znaleźliśmy się w maleńkiej pizzerii z kilkoma nakrytymi obrusami stołami oraz olbrzymim ceglanym piecem, z którego bił niemal saharyjski żar. Fale gorąca uderzały ponad niskim, łysiejącym i chudym *pizzaiolo* grzebiącym w płonącym przed nim ogniu. Był ubrany zgodnie z obowiązującym *pizzaiolo* stylem – miał na sobie tylko spodnie – a na bosych stopach lakierki. *Pizzaiolo* nie wydawał się obezwładniony tym, co Neri miał mu do powiedzenia, na początku oponował, machając najpierw jedną, a potem drugą spoconą ręką, w końcu wyciągnął obie dłonie w kierunku ognia i powiedział błagalnym tonem:

– *Porca Madonna. Che fo'con il fuoco? Dio cieco.*

---

[10] *Tesoro* (wł.) – dzieciątko, szkrab, brzdąc.

Uważam, że takie wyrażenia w obcym języku najlepiej zapadają w pamięć i przyczyniają się do nauki języka obcego. Dzieje się tak, bo po pierwsze, są wypowiedziane w emocjonujących chwilach, więc ich wymowa jest bardzo jasna. Po drugie, obrazy związane z miejscami, ludźmi i sytuacjami zapisują się w mojej głowie, dlatego mogę potem przypomnieć sobie szczegóły w rodzaju tego, że rzeczownik rodzaju żeńskiego *Madonna* idzie w parze z przymiotnikiem *porca*, oznaczającym „świnię" i kończącym się z tego powodu literą „a", podczas gdy rzeczownik rodzaju męskiego *Dio*, Bóg, uzgadnia się z literą „o", z czego powstaje *cieco*, ślepy. Środkowe, bardziej przyziemne zdanie tłumaczy się po prostu „Co ja pocznę z ogniem?".

Neri dotknął mojego ramienia, uśmiechnął się zwycięsko i powiedział:

– *Un attimo.*

Następnie *pizzaiolo* zadzwonił do kogoś, włożył koszulę i krzyknął:

– Elena!

Po chwili pojawiła się zjawiskowa, olśniewająca, dwudziestoparoletnia, czarnowłosa toskańska piękność. *Pizzaiolo* wydał jej kilka poleceń. Zostałem wyprowadzony z powrotem na ulicę. Oślepiło mnie słońce, którego promienie odbijały się od gołych kostek *pizzaiolo*.

Signor Neri musiał robić z nim dobre interesy, jeśli chodzi o zwierzęta lub ludzi, żywych i martwych, ponieważ właściciel zaprosił nas do swojej lancii i popędziliśmy przed siebie, śmigając pomiędzy malutkimi fiatami cinquecento i trzykołowymi ape. Z rykiem silnika pokonywaliśmy kolejne wzgórza. Zatrzymaliśmy się przy zadbanym lasku. Ruszyliśmy pomiędzy drzewa, minęliśmy soczyście zielone pastwisko i po minucie znaleźliśmy się przed domem. Poczułem, jak uginają się pode mną kolana. Stare kamienne ściany były grube na sześćdziesiąt centymetrów, otwory drzwiowe zwieńczone łukami, a dach pokryty terakotą o stu kolorach. Budynek gospodarczy w kształcie litery „L" tworzył podwórko, na którym stała rozpadająca się studnia. Cóż innego można sobie wymarzyć? To, że budynek nie miał drzwi i okien, że niektóre ściany się rozsypywały, i że promienie słoneczne wpadały przez dziury w dachu, nie było w stanie sprowadzić mnie na ziemię. Candace, głos rozsądku, była daleko stąd. Wszedłem do środka, by się rozejrzeć.

Doznałem szoku. Brakowało miejsca do mieszkania. Na parterze znajdowały się stajnie. Było tutaj tylko kilka niewielkich i do tego wysoko umieszczonych okien, przy ścianach wisiały poidła i żłoby, popękane i wytarte płyty podłogowe położono w taki sposób, aby tworzyły koryta dla strumieni uryny. Chociaż od lat nie było tutaj żadnych zwierząt, smród moczu, który wgryzł się głęboko w zaprawę i cegły, ciągle się unosił w ciepłym i wilgotnym powietrzu. Wymarzony dom w Toskanii okazał się chlewem.

Odwróciłem się do signora Neriego, ale nigdzie go nie zauważyłem. Wyszedłem na zewnątrz i okrążyłem gospodarstwo, nie było tam żywej duszy, łąka świeciła pustką aż do lasu leżącego poniżej. Cholernie miły początek, jak można zostawić potencjalnego klienta na pustkowiu? Dlaczego zniknł? Dlaczego nie próbuje wcisnąć mi nieruchomości, nie opowiada o jej zaletach, udogodnieniach, jadalni wychodzącej na korytarz, pokoju sypialnym z łazienką? Słyszałem, że niektórzy pośrednicy próbują zgrywać twardzieli, ale to, co zaprezentował Neri, było grubą przesadą. Gdzie, u diabła, podziała się jego ambicja? Czyżby nie chciał większej lancii? A może jeszcze jednej? Ani elektrycznego wózka golfowego? Z kierowcą? Ani apartamentu w Kenii? Czy do jasnej cholery nie chciał wspinać się dalej po szczeblach kariery?

Zacząłem w gniewie młócić kijem cierniste krzewy, pomiędzy którymi zauważyłem zarys pozostałości długich, zewnętrznych schodów, które widziałem na zdjęciu. Wycinałem przejście w gęstwinie krzaków, kolców i cierni, dorobiłem się zadraśnięć, ukłuć i ranek, stopami rozgniatałem coś miękkiego. W końcu dopatrzyłem się śladów ludzkiej bytności. Na szczycie schodów znajdowały się olbrzymie, podwójne drzwi na wielkich sworzniach. Otworzyłem je szeroko. Ze środka wyleciały nietoperze. Znalazłem się w małej, paskudnej kuchni z rozpadającym się kominkiem i dziurą w dachu, przepuszczającą przez lata deszcz do środka, przez co butwiały belki, niszczał tynk, a zaprawa wiążąca cegły powoli zmieniała się w papkę. Najbardziej przygnębiające były jednak drzwi. Dokładnie cztery pary drzwi. Kuchnia znajdowała się w holu prowadzącym do trzech ciemnych pokoików, niegdyś pewnie o przeznaczeniu gospodarczym, z tycimi okienkami, przez które wpadało niezbędne minimum światła słonecznego.

Kiedy tak stałem pozbawiony złudzeń, usłyszałem dochodzące z oddali głosy. To był Pan Bezskarpetnik i Neri. Nadchodzili od strony drzew, ramię w ramię przemierzali łąkę, wymachiwali rękami, tembr ich głosów wznosił się i opadał. Myślałem, że uzgadniają granicę działki, albo którędy będzie w przyszłości przebiegała droga dojazdowa czy coś w tym rodzaju, ale kiedy mnie zobaczyli, ich twarze rozjaśnił uśmiech. W zwycięskim geście podnieśli do góry papierowe torby i niemal równocześnie wykrzyknęli:

– *Funghi*!

Dużo później dowiedziałem się, że *funghi* oznaczają dla Toskańczyka tyle, ile naładowane emocjami słowo „mama", z tą różnicą, że mam nie zbiera się w lesie wczesną jesienią i nie je pieczonych z odrobiną soli oraz oliwy. Polowanie na *funghi* – zwłaszcza na *porcini*, które w sklepie Balduciego na nowojorskiej Szóstej Alei kosztują zwyczajową dniówkę (za sztukę!) – nie ogranicza się tylko do ludzi ze wsi, ale stanowi narodową rozrywkę. Powszechnie można zauważyć mercedesy i maserati najwytworniejszych rzymian parkujące na błotnistych, jesiennych poboczach, mężczyzn w kurtkach oraz kobiety w futrach i w butach na wysokich obcasach, pogrążonych po kolana w rowach, zaglądających między krzaki i pod liście w poszukiwaniu blasku aksamitnych kapeluszy. Najspokojniejsi i rozsądni doktorzy i profesorowie bez wahania wstaną o nieludzkiej porze przed wschodem słońca, a następnie w pośpiechu ruszą do sekretnego miejsca, które zdradził im wcześniej informator, przed innymi, zanim tamci zdążą oskubać je z grzybów do cna. W każdym razie pan Bezskarpetnik i Neri nadciągali w moim kierunku. Byli już prawie przed domem, kiedy omal nie umarłem ze strachu, bo w pobliżu rozległ się wystrzał armatni, który poderwał do lotu stada nietoperzy i gołębi. Zza krzaków wyłonił się uśmiechnięty człowiek o okrągłej twarzy i miłej aparycji. Wszedł na łąkę, pochylił się między wysoką trawę i podniósł bażanta.

– *Porco Dio*, Duillio. *Che bel fagiano*[11] – krzyknął Bezskarpetnik w jego kierunku i żeby nie wyjść na gorszego, zademonstrował torbę z grzybami i ryknął: – *Funghi!*

Cała trójka stłoczyła się na chwilę, porównując trofea, i wtedy, bez mojej wiedzy, na poważnie rozpoczęła się sprzedaż domu.

Neri nachylił się do mnie, chwycił za ramię, wyszeptał *Padrone*, co o ile dobrze zrozumiałem, oznaczało właściciela, i odciągnął mnie kawałek dalej. Po czasie, który wydawał się wiecznością, Bezskarpetnik odwrócił się i podszedł do nas, podnosząc niczym koń swoje alabastrowe kostki wysoko ponad trawę. Zbliżył się do Neriego. Po czym pośrednik ponownie odezwał się do mnie jednym słowem – nie był głupcem, nauczył się w życiu niejednego: – *Forse*. Być może.

Przez dłuższą chwilę Bezskarpetnik kursował w tę i z powrotem pomiędzy signorem Funghim a signorem Fagianim, za każdym razem panowie pochylali się ku sobie i machali rękami. Bezskarpetnik przerywał rozmowę, gdy Neri nurkował pod najbliższy z krzaków w poszukiwaniu kolejnych *funghi*. Kiedy negocjacje sięgnęły punktu kulminacyjnego, Neri nagle się rozemocjonował, podbiegł do pnia martwego drzewa oliwnego, obok którego rosła różnorodna kolonia bladobrązowych grzybów, i wykrzyknął:

– Duillio! *Sei cieco? So' famiglioli!*

Bez względu na to, czy był to podstęp czy też nie, jego słowa zadziałały, Duillio został wytrącony z równowagi. Nie mógł równocześnie sprostać negocjacjom w sprawie sprzedaży swej nędznej chałupy oraz ciągłej utracie grzybów.

Wreszcie Bezskarpetnik przyszedł i oświadczył:

– Taniutki. *Trecento milioni*.

Zabrakło mi tchu. Próbowałem przeliczyć wszystkie cholerne zera, ale nie byłem pewien, czy chciał trzy tysiące, czy też trzy miliony dolarów.

Neri wiedział. Podbiegł do Duillio, a ja przez chwilę myślałem, że chce go przewrócić. Wyzywał go od najgorszych, łącząc Madonnę z szerokim wachlarzem dzikich i domowych zwierząt, odwrócił się gwałtownie i podbiegł do innego pnia drzewa oliwnego, przy którym

---

[11] *Che bel fagiano* (wł.) – jaki piękny bażant.

zebrał naręcze *famiglioli*. Następnie, tak by usłyszał go cały świat, cicho powiedział tylko jedno słowo – *stronzo* – oznaczające, jak się dowiedziałem później tego samego wieczoru, małe gówienko, które jest efektem niewspółmiernie wielkiego wysiłku.

O ile dobrze zrozumiałem, to była nasza kontroferta.

Od strony doliny dobiegł nas dźwięk dzwonów kościelnych. Wybiła trzynasta. Neri wydobył z siebie smętne westchnienie, po gniewie nie było śladu, gdy wziął mnie i Bezskarpetnika pod ramię i powiedział.

– *Ragazzi, mangiamo*. Chłopaki, chodźmy coś jeść.

Obaj Toskańczycy odwrócili się do Duillio, który stał opuszczony z bażantem w ręce, i krzyknęli:

– *Buon appetito!*

– *Aspettate!*[12] – odkrzyknął Duillio, wtoczył się na górę i podał Neriemu upolowanego ptaka. – *Un po' d'arrosto*. – Mała pieczeń.

Uznałem, że musiała to być kontra w stosunku do naszej kontroferty.

W drodze powrotnej do miasta Toskańczycy nie zamienili ze sobą ani słowa o domu ani o Duillio. Z tego co zrozumiałem, cała rozmowa dotyczyła setek sposobów na przyrządzenie *funghi* oraz bażanta. Zatrzymaliśmy się w mieście. Na ulicach nie było żywej duszy. Z domów dochodził tylko szczęk sztućców, naczyń i odgłosy rozmów. Toskania biesiadowała. Neri zaprosił mnie na *pranzo*. Potem Bezskarpetnik zaprosił nas obu do swojej restauracji na *pranzo*. Zaczęli się kłócić. Wtrąciłem się do dyskusji. Plątanina włoskiego, francuskiego, angielskiego, a nawet węgierskich przekleństw pozostała bez większego zrozumienia. Tłumaczyłem, że czeka na mnie żona, że jest ruda i kiedy się spóźniam, to rzuca we mnie wszystkim, co nawinie jej się pod rękę.

Nie mieli problemów ze zrozumieniem tego.

W końcu Neri powiedział coś, co przetłumaczyłem sobie jako: „Nie martw się, jutro zobaczymy dużo domów", i podał mi wizytówkę z imieniem, nazwiskiem i numerem telefonicznym, skrzętnie unikając podania wszystkich swoich zajęć. Na koniec usłyszałem:

– *Arrivederci, arrivederci*.

I się rozstaliśmy.

[12] *Aspettate* (wł.) – zaczekajcie.

4

OSADA

Promienie jesiennego słońca tworzyły aureole wokół cyprysów. Na drodze i polach panował bezruch. Kiedy przejeżdżałem przez osadę, uwiązana na postronku i stojąca na małym podwórku przy kaplicy krowa podniosła głowę, potrząsając dzwoneczkiem. Ponad glinianymi dachówkami porośniętymi glonami unosił się dym ze spalonego drewna. Od strony lasu nie dochodziły żadne dźwięki. Matra przemknęła gruntową drogą w dół, prosto do domu. Okna były otwarte na oścież, proste bawełniane zasłony trzepotały na lekkim wietrze, który niósł również śpiew Candace. Słowa piosenki ułożyły się w zdanie *„If I ever lose my head"*[13]. Usiadłem na starym, ogrodowym krześle z kutego żelaza, zamknąłem oczy i wygrzewałem się na słońcu. Czułem zapachy dobiegające z kuchni, chyba pieczonego mięsa i jeszcze czegoś bardziej aromatycznego. Kiedy skończyła śpiewać i zaczęła nucić, zawołałem:

– Candace! Możesz tutaj spojrzeć? Czy umarłem? Czy umarłem, poszedłem do nieba i jeszcze o tym nie wiem?

W oknie pojawiła się potargana ruda czupryna. Candace miała twarz zarumienioną od ciepła bijącego z paleniska, cała promieniała.

– Nawet jeszcze nie zacząłeś umierać, kochanie! Poczekaj, aż spróbujesz tego, co tutaj pichcę!

Stół był nakryty obrusem w kratkę, stała na nim biała, prosta porcelana. Nie wiadomo skąd Candace zdobyła też płaski bochenek świeżego

[13] *If I ever lose my head* (ang.) – jeśli kiedyś stracę głowę. Chodzi zapewne o fragment piosenki Cata Stevensa pt. „Moon Shadow".

toskańskiego chleba, pomidory, które pokroiła w ćwiartki i położyła na talerzu, butelkę wina, butelkę nieprzyzwoicie zielonej i mętnej oliwy oraz makaron, który właśnie wrzuciła do gotującej się wody.

– Skąd to wszystko wytrzasnęłaś? – zapytałem zdumiony.

– Ze sklepu, najdroższy. W osadzie przy zjeździe jest sklep.

– Ale to ponad trzy kilometry. Poszłaś tam na piechotę?

– Mój kumpel, łowca *porcini*, zawiózł mnie tam i z powrotem swoim trzykołowcem. Mam nadzieję, że nie jesteś zazdrosny, myślę, że trafiłam na wielbiciela.

Nie byłem zazdrosny. Facet miał chyba z osiemdziesiąt pięć lat. Poza tym przyzwyczaiłem się do tego, że Candace podróżuje autostopem. W ten sposób się poznaliśmy. Była słoneczna majowa niedziela w Vancouver, drzewa owocowe kwitły w najlepsze. Siedziałem za kierownicą zabytkowego i rozklekotanego kabrioletu porsche, modelu o krągłych kształtach, który kupiłem za osiemset dolarów. Dach miałem opuszczony, wnętrze zalane było słońcem. Candace jechała starym rowerem z trzema przerzutkami, zarumieniona od wysiłku, odpoczywała akurat przed wjazdem na wysokie wzgórze. Dzięki Bogu przy drodze widniał znak stopu, dzięki czemu nie musiałem wymyślać powodu, by się zatrzymać. Ona patrzyła, a ja wytrzeszczałem gały. Uśmiechnęła się. Wstrzymałem oddech. Wreszcie postanowiła uratować mi życie i zapytała:

– Chcesz podwieźć mnie na wzgórze?

– Jasne – odparłem resztką tchu. Zapakowaliśmy rower za siedzenia samochodu. Potem nie mogłem zasnąć przez wiele dni.

Na rok przed naszym spotkaniem była jeszcze bardziej zuchwała. Kiedy skończyła semestr na uniwersytecie na Hawajach, pojechała na przystań, w której cumowały wszystkie jachty biorące udział w regatach Trans-Pac, podeszła do załogi zwijającej żagiel na dziobie kutra i powiedziała:

– Czy możecie podrzucić mnie do San Francisco?

– *Tagliatelle con porcini* – oznajmiła.

Kiedy rozpoczynałem spisywanie wspomnień, przysięgałem, że nie będę zaśmiecał ich rozprawami na temat jedzenia, jednak szybko zdałem sobie sprawę, że pisanie o Toskanii bez opisywania jedzenia jest jak pisanie o Titanicu z pominięciem faktu jego zatonięcia. W nabożnej ciszy nabijaliśmy porcini na widelce i popijaliśmy czerwonym winem. Grzyby eksplodowały smakiem w ustach, cierpkie, ostre, słodkie, pachnące lasem i dymem. Niebywale dobre. A wino... Dzięki ci, Bachusie! I podziękowania dla Candace, ponieważ poprosiła w sklepie o wino idące w parze z porcini i sprzedawca podał jej butelkę Brunello z okolic Montalcino – obie nazwy były nam równie znajome, jak baseball Marsjanom – wino kosztowało ją siedem dolarów i okazało się jednym z najlepszych włoskich win. Jedliśmy, piliśmy, a w kominku płonął ogień. Słońce opadało w kierunku horyzontu, a my coraz mocniej pogrążaliśmy się w miłości do Toskanii i do życia, byłem gotów dać trzy tryliony czegokolwiek, co chciał Duillio za swoją rozpadającą się ruderę, z tym że tyle nie miałem. Nie ruszyliśmy pomidorów, zjedliśmy rozgniecioną resztkę sera brie i napiliśmy się więcej wina. Następnie, jeszcze przed zachodem, wyszliśmy z domu na spacer po Toskanii.

Szliśmy obok siebie pod rozłożystymi gałęziami dębów. Wiatr wiał raz słabiej, raz mocniej, przynosił to odrobinę ciepła z pól, to rześki chłodek z lasu. Opowiadałem Candace o mojej porannej przygodzie i o tym, że być może będziemy musieli pogodzić się z koniecznością zakupu przyczepy kempingowej pod Turynem. Candace ciągle nie mogła się napatrzeć na drzewa i pełną piersią wdychała leśne powietrze. W końcu skręciła w kierunku ściany lasu. Wróciła, trzymając jedną rękę za plecami. Pomyślałem: „Boże, tylko nie kolejne funghi!". Wtedy kazała mi zamknąć oczy i wyciągnąć rękę. Zrobiłem, jak powiedziała.

– A teraz zaciśnij ją.

Tak też zrobiłem. Poczułem w dłoni coś przyjemnego w dotyku, aksamitnego, kruszącego się i sypkiego.

– Powąchaj – poleciła.

Zapach przejmował smutkiem, przyprawiał o dreszcze, był naładowany emocjami, dodawał otuchy. Zapach kompletny, jakby zawierał wszystkie kwitnienia i więdnięcia roślin w historii. W ręku trzymałem garść ziemi z lasu.

Kamienne mury osady złociły się w zachodzącym słońcu. Krowa nie była już uwiązana na podwórku przy kaplicy, słyszeliśmy, jak parskała i uderzała kopytami w posadzkę. Drewniane drzwi wiodące do niewielkiej stajni były otwarte, z niewielkiego otworu na stryszku, do którego ktoś przystawił ręcznie zbitą drabinę, prosto na ulicę wylatywały wiązki siana. Zatrzymaliśmy się, żeby popatrzeć. Kiedy siano ułożyło się w zgrabny stosik, w otworze pojawił się starszy mężczyzna, którego widzieliśmy wczorajszej nocy, gdy rozgrzebywał tlące się ognisko, i zaczął schodzić w dół po nierównych szczeblach, trzymając w ręce widły, *piano, piano*[14]. Zauważył nas i się uśmiechnął. Na jego twarzy nie malowało się ani zaskoczenie, ani najmniejszy ślad zakłopotania, uśmiech nie był też nic nieznaczącym, pustym grymasem, który tak dobrze znamy z dużych miast, ale raczej głębokim, szczerym uśmiechem, pełnym oczekiwania, podobnym do czarujących uśmiechów dzieci szarpiących się z zapakowanymi prezentami. Był to uśmiech, z którym mieliśmy często się spotykać w wiejskiej Toskanii przez następne lata, uśmiech mężczyzn i kobiet, którzy odnaleźli największą przyjemność płynącą z życia w towarzystwie innych ludzi: rodziny, przyjaciół, sąsiadów i przechodniów. Stary mężczyzna z widłami wyszedł nam na spotkanie, a jego twarz jaśniała w oczekiwaniu kolejnej przygody.

– *Buongiorno* – powiedziała razem ze mną Candace, jak w chórze.

– *Buonasera* – odparł Toskańczyk. Uśmiech nie schodził mu z twarzy.

– *Che animali ha Lei?* – zapytała moja żona, wskazując równocześnie na mrok płynący ze stajni. Starszy pan rozpromienił się na myśl o tym, że może pokazać komuś swoje królestwo.

– *Prego, prego. Venite.* – Szerokim gestem zapraszał nas do środka.

Stajnia była malutka. Wyglądała na taką z zewnątrz, ale w środku, ze względu na grube kamienne mury, które zabierały jeszcze więcej miejsca, okazała się niczym piaskownica. Gdy Candace rozmawiała przyciszonym głosem z gospodarzem, zostałem skazany na wygnanie do świata głuchoniemych i postanowiłem się rozejrzeć. Przy żłobie stała tylko jedna krowa, rozdrażniona opóźnieniem w dostawie

[14] *Piano* (wł.) – ostrożnie, powoli.

siana tupała i szurała wielkimi kopytami po źdźbłach słomy. Obok niej znajdowała się koza ze zwisającymi aż do ziemi wymionami. W przeciwnym rogu, oddzielona snopami zboża, umościła się kwoka, powieki opadały jej na zaspane oczy, a pod skrzydłami widać było jajka. Scena wydawała się ponadczasowa. Panowała prawie nabożna atmosfera. Gdybyśmy mieli grudzień, chyba rozglądałbym się za małym Jezusem.

Szuranie po żwirze i pełne animuszu dziecięce wrzaski sprawiły, że czar prysł. Wyszedłem na zewnątrz. Mały, może pięcioletni chłopiec jeździł z dużą werwą na trzykołowym rowerze, do tylnej osi miał zamocowaną skrzynkę z karmą dla kur, których cała chmara gorączkowo uganiała się za obiadem. Jego starsza siostra goniła go z grabiami w rękach i krzyczała „Ti ammazzo! Ti ammazzo! Zabiję cię, zabiję cię", i równocześnie próbowała zahaczyć je o koła roweru. Chłopak jednak ciągle gwałtownie skręcał, a ona ciągle pudłowała, zamiast w koło, raz za razem trafiała w biedne, zdesperowane kury. Zawołałem Candace. Oboje wyszli ze stajni.

– Nonno! Aiuto! Prendilo!15 – zawołała dziewczynka.

Jednak dziadek nie zamierzał jej pomóc. Za żadne skarby świata. Na jego twarzy zamiast oczekiwania pojawił się figlarny uśmiech. Wyglądał tak, jakby z przyjemnością wymienił kilka dni ze swojego życia na ostatnią przejażdżkę trójkołowym rowerem ściganym przez gromadę szalonych kur.

Słońce opadało. Szturchnąłem Candace i wskazałem jej horyzont. Stary mężczyzna zrozumiał mój gest i się pożegnaliśmy. Zaczęliśmy odtwarzać drogę, którą przyjechaliśmy tutaj dzień wcześniej – wieki temu. Minęliśmy Madonnę i jej słoik po konfiturach pełen kwiatów, minęliśmy Bastardino, przejechaliśmy obok cmentarza, na którym rosły cyprysy. Ich sylwetki odznaczały się na tle nieba ciemnym konturem.

– Pamiętasz, co Dawid powiedział o Irlandczykach, kiedy przeniósł się z powrotem do hrabstwa Limerick? – zadumała się Candace.

– Powiedział, że jeśli nowoczesny świat wokół nas miałby się skończyć, to ludzie mieszkający w okolicy mogliby się cofnąć w czasie

---

15 *Nonno! Aiuto! Prendilo!* (wł.) – Dziadku! Pomocy! Łap go!

o trzysta lat bez mrugnięcia okiem. To miejsce jest takie samo, nie sądzisz?

Słońce zsunęło się tuż nad horyzont.

W naszym kierunku, ramię w ramię, twardo stąpając, zmierzały dwie barczyste starsze panie, ubrane w spódnice, płaszcze i chusty jak na wizytę na cmentarzu. Powitały nas grzecznymi *„Buonasera"*, ale przyglądały się z ciekawością. Z oddali dobiegały nas krzyki *„Ti ammazzo! Ti ammazzo!"*.

Zwolniliśmy po dojściu do cmentarza otoczonego murem wysokości przeciętnego człowieka z zardzewiałą, żelazną bramą zamkniętą na łańcuch. Kiedy go poluzowałem, waga skrzydeł, które zamontowano pod lekkim kątem w kierunku cmentarza, pociągnęła mnie do środka, jakby witając lub przypominając o tym, że jestem śmiertelnikiem. Niemal na wszystkich grobach leżały kwiaty i migotające elektryczne światełka – niektóre ukryte za matowymi szybkami w kształcie płomienia, inne w małych lampionach z brązu, a jeszcze inne w miniaturowych wersjach kopuł.

Nagrobki wykonano z prostych trawertynowych płyt – pionowa tkwiła na mniejszym kawałku tego bladego, porowatego kamienia, na ziemi leżała płyta o długości około stu dwudziestu centymetrów. Płyty były cienkie, miały nie więcej niż dwa i pół centymetra grubości, pewnie też niezbyt ciężkie – dzięki czemu duch w dobrej formie mógłby odsunąć je cicho i pod osłoną nocy udać się na spacer. Zapadał zmierzch. Ciekawość Candace rosła. Ruszyła w kierunku kaplicy wyrastającej z tylnego muru. Nie chciałem zostać sam, więc poszedłem za nią. Na starszych kamieniach wyryte były imiona i nazwiska, nowsze nagrobki szczyciły się już literami wytłoczonymi w brązie, na niemal wszystkich umieszczono małe fotografie pochowanych ludzi. Spoglądał na mnie Giuseppe Zamperini, rolnik z wielkimi wąsiskami. 1860–1939: długo pożył. Angelo Magi, 1866–1944. Wielkie uszy, olbrzymie zapadnięte oczy, długi prosty nos, bardzo krótko przystrzyżone włosy, podbródek równie wyraźnie zarysowany jak gigantyczne kości policzkowe, długa szyja, biały kołnierzyk i krawat. Obok leży jego żona, która zmarła rok później. Kilka starych krzyży kutych z żelaza leży opartych w rogu o mur. Giuseppe Brogi. Prosta, wiejska twarz, poniżej widnieje napis: *Uomo buono e laborioso*. Kawałek dalej „*Qui riposa* Agaliano Lucatti 1923–1987". Szczera twarz, gęste brwi, rozchełstany kołnierzyk, trochę zmarszczone czoło. Pod owalnym zdjęciem dedykacja: *Amico di tutti*. Przyjaciel wszystkich. W oczach zbierają mi się łzy, Bóg raczy wiedzieć dlaczego. Cyprysy rzucają cienie dużo dłuższe od ich konarów.

Bardzo stary człowiek, którego wcześniej nie zauważyłem, porusza się pod arkadą, na jej tylnej ścianie znajdują się kwadratowe nagrobki. Jeden z nich jest jeszcze otwarty i zieje pustką. Mężczyzna próbuje przesunąć stalową drabinę opartą o ścianę, ale ta jest zbyt ciężka. Porzuca ją i wolnym krokiem podchodzi do nagrobka, podnosi wzrok i zaczyna się rozglądać. To grób pięknej kobiety o siwych włosach i inteligentnym spojrzeniu. Stary mężczyzna słyszy moje kroki i odwraca się z charakterystycznym uśmiechem.

– Czy mogę w czymś pomóc? – pytam po angielsku, mając na myśli drabinę.

– *No, no, va bene cosi* – odpowiada i od razu sam zadaje pytanie: – Anglia?

– Nie, Ameryka.

– Ameryka bardzo dobra – odpowiada z płonącym wzrokiem. – Byłem ranny w wojnie. Ameryka pomóc dwa lata.

Nie wiemy do końca, co ma na myśli, i nie możemy spytać. Stary mężczyzna spogląda na grób kobiety i mówi ze spokojem:

– *Mia moglie*. Moja żona. Umarła cztery lata temu.

Następnie wskazuje na pustą dziurę obok jej płyty nagrobnej.

– *Questo è per me*. To dla mnie.

Uśmiecha się. Ktoś, pewnie krewny, zostawił doniczkę z kwiatami. Candace dotyka ramienia mężczyzny.

– *Ha già portato fiori per se stesso?*

Stary człowiek wybucha śmiechem, słysząc jej słowa, wcześniej zgarbiony, teraz prostuje się ze śmiechu. Pytam Candace, co, u diabła, mu powiedziała.

– Zapytałam, czy przyniósł te kwiaty dla siebie.

– Ameryka bardzo dobra – mówi mężczyzna.

Malutkie płomienie migoczą bardzo jasno – słońce już zaszło. Żegnamy się i odchodzimy. Mijamy bramę i będąc już za murem, znów słyszymy śmiech. Ściemniło się, więc przyspieszamy kroku. Słowa „*Ti ammazzo! Ti ammazzo!*" rozbrzmiewają w nieruchomym powietrzu.

– Toskania bardzo dobra – oświadcza Candace.

Tak zakończył się nasz pierwszy dzień cały spędzony w Toskanii.

5
O so-le mi-i-o

Następnego ranka obudziłem się pełen obaw. Wpatrywałem się w sufit oparty na masywnych dębowych belkach, w dębowe dźwigary oraz nierówne płytki terakoty pomiędzy nimi, chociaż ich prostota i siła dodawały otuchy, równocześnie uosabiały obcość: dziwny kraj, dziwnych ludzi i jedną wielką niewiadomą. O tej wczesnej porze niewiele rzeczy wydawało się bardziej przerażające od utopienia oszczędności całego życia w domu w pobliżu miasta, o którego istnieniu nie mieliśmy najmniejszego pojęcia jeszcze dwa tygodnie temu. Jak mogłem być tak naiwny? Niepraktyczny. Kiedy tak leżałem, do głowy przychodziły mi same nieprzyjemne myśli. Miejsce obok mnie było puste – głos rozsądku nie mógł mnie uspokoić.

Wstałem i otworzyłem okiennice. Toskania zaatakowała pełną siłą swego piękna. W nocy świeży północny wiatr przewiał całą wilgoć z otoczenia. Powietrze było kryształowo czyste, dzięki temu ponad sosnami rysowały się kolejne linie wzgórz, które zapraszały i uspokajały, jakby nie miało się stać nic złego. Ktoś przyprowadził dwie krowy na nieogrodzone pole i przywiązał je na długich linach. W miarę jak spokojnym krokiem obchodziły wbite w ziemię kołki, liny tworzyły na łące idealne kręgi. Poranną ciszę zmącił szelest dochodzący z lasu po drugiej stronie drogi. Nagle z cienia drzew wypadła rozpromieniona Candace, podniosła do góry prawą rękę, jak Statua Wolności, i zawołała:

– *Porcini*! Znalazłam własne *porcini*.

Wysłuchałem radosnych opowieści Candace o polowaniu na *porcini* przy parującym cappuccino i świeżym chlebie z dżemem śliwkowym gęstym jak muł. Potem zeszła malować do owadziarni, a ja ruszyłem na poszukiwania domu.

Monte San Savino tonęła jeszcze w ciszy. Brama miasta stała otworem. Było wcześnie, sklepy pozostawały jeszcze zamknięte. Poza zamiataczem ulic wywijającym długą, mocno zużytą miotłą, na ulicach nie dostrzegłem nikogo. Mężczyzna pracował bez pośpiechu, gałązki miotły wyginały się i równymi zakolami przemykały ze świstem po bruku. Od czasu do czasu przystawał, ładował kawałki papieru do wózka, spychał kota leżącego na murku albo pozdrawiał dziecko spóźnione do szkoły. Kiedy dotarł do kawiarni, porzucił sprzęt i zaczął szykować się do wejścia. Powiew wiatru wyrzucił papierzyska z wózka z powrotem na ulicę. Przygotowałem się na soczystą wiązankę Madonn i świętych w kompromitujących sytuacjach. Warto wiedzieć, że toskańskie przekleństwa potrafią zawstydzić każdego Włocha. A jednak zamiatacz rozłożył tylko ręce, spojrzał w niebo i poskarżył się: *È una cosa bella questa?*, co oznaczało mniej więcej: No proszę, czy to było konieczne? Następnie spokojnie pozbierał papiery, uwięził z powrotem w wózku, umył ręce przy pobliskim kranie i zniknął we wnętrzu kawiarni. Cała scena wyglądała jak wyjęta żywcem z dobrego teatru ulicznego, przez lata mojego pobytu we Włoszech zrozumiałem, że dokładnie o to chodziło. Włosi w jakiś sposób stali się mistrzami w przemianie gniewu w śmiech lub przynajmniej żart, a w najgorszym wypadku różaniec wymyślnych przekleństw.

Niezapomniany przykład tego zjawiska zaobserwowaliśmy rok wcześniej na wybrzeżu Amalfi. Droga wykuta w klifach ponad miasteczkiem Positano jest prawdopodobnie najwęższą, najbardziej przerażającą i zapierającą dech w piersiach trasą w całych Włoszech. Ze względu na ostre zakręty i mosty przerzucane nad wąwozami, które przecinają zbocza gór aż do morza, dwa samochody osobowe rzadko kiedy mogą minąć się bez cofania. W wypadku autobusów jeden zawsze musi się cofnąć. Czasem, kiedy jest większy ruch, nie da rady pojechać dalej bez wycofania nawet dwudziestu samochodów. Trafiliśmy na taki korek. Wszelki ruch był niemożliwy. Porzuciliśmy nadzieję. Sfrustrowani ludzie za nami machali rękami i krzyczeli. Taksówkarz, który utknął zaraz za nami, wyskoczył gwałtownie z samochodu i zatrzasnął za sobą drzwi tak mocno, że całe nadwozie się zatrzęsło. Twarz wykrzywiał mu grymas wściekłości. Ciągle nie mogę uwierzyć w to, co się potem stało. Mężczyzna zdarł z głowy czapkę z daszkiem i – przysięgam, że piszę prawdę – jako rodowity mieszkaniec Sorrento rozpoczął pełną pasji interpretację piosenki „O sole mio".

Śmialiśmy się z Candace aż do łez. Od tamtej pory, jeśli tylko mieliśmy wątpliwości związane z kupowaniem domu we Włoszech, wspomnienie tamtej chwili zawsze przeważało szalę na tak.

– *Buongiorno, scrittore* – zawołał ktoś obok mnie. Tym kimś okazał się Neri. Upodobanie do używania różnych tytułów jest ciągle żywe w niektórych częściach Toskanii. Dlatego zamiast mówić do siebie po nazwisku, ludzie często witają się słowami *professore, architetto, avvocato* lub bardziej zwyczajnie *dottore*, do czego kwalifikuje się każdy, kto przebrnął przez cztery lata na uniwersytecie. Do mnie przylgnęło *scrittore*, i tyle.

– *Prendiamo un caffè?* – zaproponował Neri. Nie mogłem odmówić, Toskańczyk wziął mnie pod ramię i poprowadził.

Trzeba wam wiedzieć, że przywykłem do popijania kawy w paryskich bistro, gdzie spotkania zazwyczaj ciągnęły się w nieskończoność i były przepełnione lamentami nad utraconą miłością, obecnym lub przyszłym związkiem, w który mogli być uwikłani ludzie, ptaki i inne zwierzęta w granicach miasta. We Włoszech jest inaczej. Tutaj kawa nie jest traktowana jako pretekst do spotkania towarzyskiego, ale jak narkotyk. Kawy się nie pije, kawę się wstrzykuje. Ledwie spodek pod malutką filiżanką espresso dotyka blatu i ziut, do środka wpada z dziesięć deko cukru i ziut, zawartość zostaje przełknięta za jednym zamachem, kofeina zaczyna krążyć we krwi, jesteś gotów do wzięcia się za bary z – dosłownie – całym światem. Dlatego, kiedy jeszcze rozglądałem się za cukrem, Neri zdążył go już wsypać, zamieszać, przełknąć kawę, zapłacić i czekał na mnie przy drzwiach. Ponieważ nie obdarzono mnie przełykiem z azbestu, uśmiechnąłem się do niego i niewinnie popijałem świeżo zaparzony napój.

Poszliśmy do jego biura, w którym ciągle czuć było dym papierosowy z poprzedniego dnia. Ze starej komody wyjął pudełko po butach, którego zawartość wyglądała na plik listów niezamężnej ciotki, a nie na rzetelną dokumentację pośrednika handlu nieruchomościami. W środku znajdowały się karty o dziwnych kształtach, skrawki papieru, zdjęcia, mapy, kawałki kartonu, klucze z przyczepionymi notkami, podręczny słownik włosko-niemiecki oraz wielka fioletowa kostka do gry. Neri wyglądał na przygotowanego na wszelkie okoliczności. Przetrząsnął swoje rupiecie, wyciągnął kilka rzeczy i zadzwonił do kogoś. Mówił tak szybko, że nie mogłem zrozumieć ani słowa. W końcu podniósł słownik włosko-niemiecki i ponownie nakazał mi wyjść z nim na ulicę.

– Dzisiaj. Jeden przyjaciela rozmawiać anielski – powiedział w języku, który w jego przekonaniu był angielskim, i machnął mi przed nosem słownikiem.

Neri nie był głupcem, wiedział, jak dobierać sojuszników. Zanurzyliśmy się pod uniesioną do połowy zasłonę w drzwiach pizzerii. Przyszykowałem się na oślepiający widok alabastrowych kostek. Zamiast nich zobaczyłem parę długich, zgrabnych nóg w butach na wysokich obcasach i w ciemnych pończochach, nad nimi wyrastała Elena, ubrana tak, jakby wybierała się na tańce. Poczułem się niepewnie. Wziąłem głęboki oddech. To był błąd: Elena musiała całą noc marynować się w perfumach. Wyszliśmy na zewnątrz. Wsiedliśmy do lancii i pomknęliśmy pomiędzy spiralnymi tarasami porośniętymi drzewami oliwnymi i winoroślami. Oto, w pełnym blasku słońca, miałem okazję podziwiać najpiękniejszą część Toskanii. Neri wyjął kartę atutową: podał mi czarno--białe zdjęcie najpiękniejszego toskańskiego domu, jaki można sobie wyobrazić.

– Jedziema – oświadczył.

Niemal wszystkie toskańskie domy na początku wyglądały jakby żywcem wzięte z rysunku dziecka: masywny budynek z drzwiami, oknami i kominem. Długie zewnętrzne schody przy murze stanowiły zazwyczaj jedyną rzecz przerywającą monotonię. Do niektórych domów dodawano przez wieki różne różności, ze względu na powiększające się rodziny lub rosnące bogactwo właścicieli ziemskich – system feudalny mający na dwóch biegunach właścicieli ziemskich i chłopstwo utrzymywał się we Włoszech aż do późnych lat czterdziestych dwudziestego wieku – i to właśnie te dodatki czyniły domy interesującymi i jedynymi w swoim rodzaju. Dobudówką mogła być konstrukcja na dachu niezbędna do hodowli gołębi lub dojrzewającej w zimie szynki *prosciutto* i wina *vinsanto*[16] przez cały rok. Na parterze pojawiały się szopy na siano, wielkie zewnętrzne ceglane piece chlebowe lub stajnie dla krów ozdobione łukowatymi sklepieniami. W niebezpiecznych wojennych czasach dobudowywano wieżyczki obronne – to rzadki klejnot. W czasach dobrobytu pojawiało się skrzydło przeznaczone wyłącznie dla dzieci. Pobożni dodawali kapliczkę. Ci, którzy pożądali spokoju ducha, zakładali ogrodzone murem ogrody. Z rzadka kamienne budowle różnych wielkości i z różnymi dachami tworzyły wyjątkowe formy sprawiające wrażenie, jakby powstawały przez wieki. Należały one do najbardziej tajemniczych i przynoszących pociechę miejsc. Mowa o podwórzach. Połączenie architektonicznych cech przyczyniało się do powstawania niezwykłych domów z *movimento*. Duszą. Gospodarstwo na zdjęciu miało w sobie *movimento* w nadmiarze.

Zrobiłem się podwójnie niespokojny. Otworzyłem okno i głęboko odetchnąłem, by uspokoić zmysły, ale zapach jesieni spotęgował tylko uczucie zachwytu. Ciągle spoglądałem na zdjęcie, aby upewnić się, że to nie sen. Dom nigdzie nie zniknął, *movimento* też nie. Po przejechaniu wielu ostrych zakrętów zatrzymaliśmy się, wysiedliśmy z samochodu i na piechotę ruszyliśmy pod górę ścieżką, po której nie chodził chyba nikt od czasów opuszczenia Elby przez Napoleona. Szlak urozmaicały kamienie i kępy krzaków, ale Elena – która jak do tej pory nie powiedziała ani słowa w żadnym języku – nie miała nic przeciwko temu. Z dużą wprawą poruszała się po trudnym terenie w butach na wysokich obcasach i zręcznie omijała wszystkie wyboje.

[16] *Vinsanto* (wł.) – słynne deserowe, mocne toskańskie wino. Oleiste i gęste o bursztynowobrunatnej poszacie.

Dotarliśmy na miejsce. Stanęliśmy na wypiętrzeniu, z którego mogliśmy podziwiać połowę Toskanii. Otaczały nas stare drzewa owocowe, w pobliżu znajdował się też kamienny mur i staw, wzgórze opadało gwałtownie, na horyzoncie po drugiej stronie szerokiej doliny majaczyły ośnieżone szczyty Apeninów. Za stawem leniwie opadał w dół zbocza las, tarasy drzewek oliwnych rozciągały się tam, gdzie nie dosięgał już wzrok. Na szczycie wzgórza można byłoby przez dziesięciolecie przetrwać oblężenie, miejsce doskonale nadawało się na wzniesienie zamku. W każdym razie, coś zdecydowanie powinno się tam znajdować – cokolwiek. A jednak dookoła widziałem tylko drzewa, krzaki i pustą przestrzeń.

Neri rozmawiał z dziewczyną, dla podkreślenia swoich słów od czasu do czasu wymachując przed jej nosem słownikiem włosko-niemieckim. Oboje uparcie wskazywali przed siebie, w miejsce, w którym znajdował się olbrzymi pagórek porośnięty krzakami. Wpatrywałem się w to miejsce tak długo, aż zaczęły piec mnie oczy. Wreszcie, pomiędzy krzewami udało mi się dojrzeć najbardziej okazały dom, jaki widziałem w Toskanii. Ruszyłem w kierunku chaszczy. Obszedłem budowlę, zajrzałem między pnącza, porównałem ze zdjęciem, by sprawdzić zgodność ze stanem faktycznym. Wszystko było rozplanowane tak jak na zdjęciu, łukowaty pasaż, stajnie, kaplica, nawet podwórze, na środku którego rosło w najlepsze bardzo stare drzewo oliwne. Wszystko się zgadzało. No, może poza jedną rzeczą. Najpiękniejszy dom w całej Toskanii sięgał zaledwie do kolan, reszty nie było. Stałem jak wryty.

Poczułem czyjąś obecność i się odwróciłem. To była Elena. Musiała wyczuć moje rozczarowanie z powodu tego, że dom z marzeń okazał się stertą gruzu. Spojrzała na mnie życzliwie. Następnie powoli, ale bardzo zrozumiale, wyjaśniła mi po angielsku, że właściciel rozebrał stary dom kamień po kamieniu i zbudował swoim krowom nową oborę przy drodze. Prawie się rozpłakałem, spoglądając na zdjęcie architektonicznego majersztyku, który harmonijnie ewoluował przez wieki. Zerknąłem z góry na pozostałości budowli: jakiś ignorant rozwalił sześćset lat historii, by stado krów miało gdzie robić pod siebie. Wymamrotałem, że powinni postawić straże przy bazylice Świętego Piotra, w przeciwnym razie ktoś rozbierze ją, żeby rozbudować garaż.

Elena wyjaśniła, że dwadzieścia lat temu wszyscy mieli takie domy w nosie. Niektóre zostały rozebrane, by zapewnić budulec, inne po prostu się rozpadły, jeszcze inne zostały zrównane z ziemią przez rolników, którzy nie chcieli mieć ruin na polach – woleli zebrać jeden worek ziarna więcej. To była niegdyś biedna okolica, zwłaszcza na wzgórzach, i ludzie chwytali się wszystkich sposobów, by przeżyć kolejny dzień.

Rozchmurzyła się i dodała, że sytuacja się w końcu zmieniła, i to diametralnie. Stare domy są teraz pod ochroną, nie można ich już ruszać, tylko odbudowywać. W sposób dokładnie taki, jak kiedyś wyglądały. Nowe domy na ziemiach uprawnych mogą być wznoszone tylko w wyjątkowych wypadkach. Nie pozwala się na żadne zmiany. Mogłem teraz pozbierać kamienie z okolicznych pól, drewno z okolicznych lasów, znaleźć stare *tegole*[17] oraz *coppe*[18] na dach i w ten sposób stworzyć coś, co wyglądałoby dokładnie tak jak stare gospodarstwo.

Zadrżałem.

Nie chodziło tylko o sam koszt – trudno było mi sobie wyobrazić, ile królewskich okupów trzeba by oddać, żeby odbudować coś, co w istocie przypominało mały zamek. Zadrżałem, ponieważ poruszyła mnie utrata starego miejsca. Rzeczy, których było świadkiem, ludzi, których poznało. Nie wierzę w duchy i dusze, ale po wejściu do starego domu, ręcznie wymurowanego, wymierzonego na oko, nachodzi mnie uczucie, którego nie potrafię dokładnie opisać. Być może sobie to wyobrażam, a nie odczuwam, sam nie wiem, ale ogarnia mnie wewnętrzny spokój, a przed oczami pojawiają się sceny z żyjącymi tutaj niegdyś ludźmi, słyszę ich śmiech, widzę łzy, czuję zmartwienie z powodu suszy, chorego dziecka, starzejącej się matki lub słabych zbiorów. Do tego dochodzą marzenia. O czym marzyli w chwili odpoczynku od ciągłej pracy? Na co liczyli, gdy opierali się o ten łuk, patrząc przez bramę? Za czym tęsknili? Czego bali się najbardziej w trakcie zimowych wieczorów, siedząc na ławeczkach

[17] *Tegole* (wł.) – charakterystyczne dla Włoch półokrągłe dachówki.
[18] *Coppa* (wł.) – gąsior – dachówka kładziona na kalenicy dachu.

blisko leniwie palącego się ognia w kominku? Co ich najbardziej śmieszyło? Jakie malutkie, drogocenne skarby z namaszczeniem chowali we wnękach wydrążonych w ścianach surowych toskańskich wnętrz, w których nierzadko znajdował się tylko stół z dwiema ławami i kilkoma łóżkami. A co z czarną otchłanią nocy? Otchłanią bezkresnych, ciemnych jak smoła, bezksiężycowych nocy ze zgaszonymi świecami i wypalonymi polanami w kominku, kiedy jedyne światło w okolicy pochodziło z gwiazd, kiedy cała ziemia, wszystkie pola i lasy tonęły w mroku? Co czuli? O czym myśleli? O mroku. Albo o gwiazdach. O sobie samych. A wszędzie cisza i spokój. Wszystkie te uczucia i chwile stracone. Na zawsze.

Kiedy podniosłem głowę, Elena zbierała małe rośliny rosnące w szczelinach kamiennego muru. Podszedłem do niej. Spojrzała na mnie ze szczerym wyrazem twarzy, jaki maluje się na twarzy dzieci, i pokazała mi małe, okrągłe zielone pączki.

– *Capperi* – powiedziała. Kapary. – Nie znam nazwy tego drugiego, ale dobrze działa na ludzi cierpiących na *bronchite*.

Dowiedziałem się potem, że większość Toskańczyków posiada niemal magiczną wiedzę o ziołach. Kochają naturę nie tylko dlatego, że uspokaja ich dusze, ale także ze względu na lecznicze właściwości i zbawienny wpływ na ciało. Dlatego na wsi czują się jak w domu, wśród przyjaciół. I wśród *funghi*. No właśnie. Zza plątaniny krzaków wyszedł signor Neri, trzymając w ramionach papierową torbę.

– *Funghi* – powiedział płochliwie.

Dziewczyna zaczęła tłumaczyć moje słowa. Przyznałem, że wzgórze jest wspaniałe, ale nie mam zamiaru budować nowego starego domu. Mamy takie w Disneylandzie. Roześmiali się.

– *Al prossimo*. Zatem jedziemy do następnego – oświadczył Neri pogodnym i ochoczym tonem. – *Qui, non ce n'è più di funghi.*

Pojechaliśmy na wschód. Usiadłem za Nerim i od czasu do czasu spoglądałem na dziewczynę. Jej spokój poprawił mi humor. Tym razem rozmawialiśmy. Neri zadawał pytania, a dziewczyna tłumaczyła. Pojawiły się pytania o to, czego tak naprawdę chcę. Jaki dom, jak duży, ile ziemi, ilu sąsiadów. Odparłem, że przez dwa lata mieszkaliśmy na dziesięciometrowej łodzi, więc rozmiar nie ma znaczenia. Zależało nam jednak na prywatności, działce dwulub trzyhektarowej z drzewami oliwnymi, winoroślami, zagajnikiem i co najważniejsze, koniecznie chciałem mieć widok na płomienne toskańskie zachody słońca. No i dom musiał być wiekowy, ale gotowy do zamieszkania. Chciałem, by warunki były choć odrobinę lepsze niż trzy pokoje na piętrze i obora na parterze w domu Duillio.

Ciągle znajdowaliśmy się na wyżynach, krajobraz wciąż się zmieniał, w miarę jak droga wznosiła się i opadała, przejeżdżaliśmy przez lasy, pola, gaje oliwne i znów lasy. Minęliśmy małe, wiekowe gospodarstwo przycupnięte przy drodze. Ciągle zamieszkane. W oknach wisiały zasłony, na schodach przechadzały się kury, na sznurku suszyło się pranie, tu i ówdzie rosły kwiaty, a przy domu znajdował się wspaniały ogród warzywny. Ziemia dookoła domu wyglądała na mocno ubitą. Gospodarstwo było w dobrym stanie, ale remontu nie zaznało od dziesięcioleci.

– Coś w tym guście byłoby doskonałe – oświadczyłem.

– *Ideale.* – Signor Neri natychmiast się ze mną zgodził. – *Tante piante di castagne.*

– Dużo czego? – zapytałem dziewczyny.

– *Castagne* – powtórzyła, wskazując równocześnie na wielkie drzewa ze spiczastymi liśćmi, które otaczały dom. – Nie wiem, jak nazywają się po angielsku.

Próbowałem przypomnieć sobie nazwy wszystkich jadalnych owoców po francusku i angielsku, ale nie kojarzyłem niczego, co brzmiałoby podobnie, wtedy przypomniało mi się stare węgierskie słowo: *gesztenye*, ulubiony deserowy przysmak z mojego dzieciństwa. Purée z kasztanów z rumem i bitą śmietaną. W każde urodziny mój ojciec zabierał mnie do małego bistro przy Népiget Park, gdzie siedziałem z godzinę i zjadałem cały puchar tego specjału, maleńkimi porcjami, tyle co nic, by wystarczyło na jak najdłużej, łącząc na łyżeczce odpowiednią ilość bitej śmietany i purée. *Gesztenye.* Tutaj! Całe drzewa! Puchar wielki jak diabli! W ciągu jednego posiedzenia zjem wielką michę. Humor znowu mi się poprawił. Serce zaczęło bić szybciej. Z każdą godziną nabierałem do signora Neriego coraz więcej sympatii. Czy można nie lubić człowieka, który ocenia domy nie po wielkości, wykończeniu czy miejscu, w którym się znajdują, lecz po tym, jakie jadalne rzeczy rosną w okolicy?

– *A vendere questa casa?* – zapytałem, oglądając się za siebie.

– Niemożliwe – odparła dziewczyna, nie czekając na Neriego.

– To są *contadini*. Rolnicy. Oni nie opuszczają swojej ziemi; tak jak trupy. – Zaśmiała się.

Nagle, kiedy minęliśmy jeden z zakrętów, wyrosło przed nami stado owiec blokujących ulicę. Przyhamowaliśmy. Owce zaczęły podskakiwać. Wpadliśmy w poślizg. Owce się rozbeczały. Neri wyrzucił z siebie szybką wiązankę Madonn, wyskoczył z samochodu i wrzasnął.

– Bindi! Bindi!

– *Che c'è?* – ktoś odkrzyknął.

Z chaty wyszedł bardzo niski i zezowaty pasterz. Neri stał przed nim, wrzeszcząc dłuższą chwilę. Pasterz gapił się na Neriego jednym okiem, drugie liczyło owce. Następnie zanurzył się w chacie i wyniósł z niej trzy małe szare kule, które wręczył Neriemu. Ten dał mu trochę pieniędzy. Pożegnali się. Neri wrócił do samochodu, Bindi przepędził owce z szosy i ruszyliśmy w dalszą drogę. Neri odwrócił się do mnie na chwilę i podał mi jedną z kul.

– *Pecorino* – podpowiedziała dziewczyna. – Owczy ser. Dojrzewa cztery miesiące w jaskini.

Gorąco podziękowałem za podarunek.

Zjechaliśmy do szerokiej doliny Valdichiana, która rozciąga się na wschód, aż po zaśnieżone szczyty Apeninów. Aż do osiemnastego wieku dolina przypominała raczej bagno i mokradła. Wtedy Austriacy osuszyli ją, dzięki czemu okolica stała się jedną z najżyźniejszych dolin we Włoszech. Czułem się, jakbyśmy wkraczali do innego świata. Drzewa oliwne, lasy i winorośle oddały miejsce sadom owocowym i polom uprawnym. Zamiast osad napotykaliśmy olbrzymie, bryłowate i wymurowane z cegieł gospodarstwa. Zapytałem, czemu domy są tak duże w porównaniu z tymi na wzgórzach.

– Ziemia jest tutaj bogata. Może wyżywić więcej ludzi. Ludzie ze wzgórz są bardzo biedni – odparła Elena.

Bez entuzjazmu zapytałem, czy dom, który jedziemy zobaczyć, leży w dolinie. Moi przewodnicy zaprzeczyli. Kolejna propozycja czekała na mnie na pogórzu nieopodal miejscowości Cortona. Rozchmurzyłem się. Zapamiętałem tę nazwę, kiedy szukałem informacji o Toskanii.

Cortona to wspaniałe średniowieczne miasteczko wykute w zboczu wzgórza. Miasto sztuki, miejsce urodzenia Luki Signorellego. Założone przez Etrusków, zniszczone w średniowieczu przez wolne miasto Arezzo. Przede wszystkim zapamiętałem zdjęcie *piazza* o nieregularnym kształcie z monumentalnymi kamiennymi schodami, na których cisnęli się mieszkańcy Cortony, wygrzewając się na słońcu i ciesząc towarzystwem innych. Pamiętam uczucie zazdrości na ich widok. Beztroska. Poczucie przynależności do wspólnoty. A teraz Cortona zbliżała się coraz bardziej, pełna splendoru. Dostojna i pełna godności. Tymczasem ciągle jechaliśmy w górę. Mijaliśmy małe, łagodne wzgórza, miniaturowe kopie tych otaczających Monte San Savino.

Neri zaczął mówić, a dziewczyna tłumaczyć. Działka miała sześć hektarów. Na czterdziestu arach rosły winorośle, na osiemdziesięciu arach drzewa oliwne, do tego trochę drzewek owocowych, pól i zagajników. Brzmiało to zbyt dobrze. Lękałem się koszmaru, który przyjdzie mi zobaczyć. Oczekiwałem najgorszego: albo same fundamenty, albo ruchoma buda oparta na pustakach. Neri musiał to chyba wyczuć, bo powiedział, że dom został wyremontowany rok temu z *gusto perfecto*. Dobrym smakiem. Cena znajdowała się na granicy naszych możliwości, zakładając, że sprzedalibyśmy matrę i kupili muła oraz jeśli dostałbym zaliczkę za następną książkę – Bóg raczy wiedzieć o czym. Robiło się coraz goręcej. Wjechaliśmy na drogę gruntową, kilka minut potem przemknęliśmy między kamiennymi kolumnami bramy.

Wtedy zobaczyłem dom.

Myślałem, że umarłem. To był, bez wątpienia, drugi co do piękności dom w Toskanii. I rzeczywiście stał tam, gdzie powinien! Sięgał dużo wyżej niż do kolan! Piął się w górę aż do wspaniałego, starego dachu z terakoty! Zabudowania otaczał bujny ogród. Dom miał dwie kondygnacje i małą wieżę. Na parterze dwa szerokie łuki stanowiły fasadę *loggia*, gdzie stały wielkie wazy z terakoty wypełnione pomarańczami i cytrynami. Wchodziło się przez podwójne drzwi, na oko mające grubo ponad sto lat, wytarte w miejscach, w których znajdowała się zasuwa. Weszliśmy do środka.

Wnętrze wyglądało jak w średniowiecznym zamku. Dom wzniesiono na łagodnym wzgórzu, dlatego podłogi różnych pomieszczeń znajdowały się na różnych poziomach. Masywne łukowate sklepienia oraz kolumny wykonane z cegieł podtrzymywały strop. Światło słoneczne wlewało się do środka przez nieregularne okna i formowało na posadzce przedziwne kształty. Poziom po prawej stronie przeznaczono na czytelnię, znajdowały się tam duże wyściełane fotele, dywan perski i wnęka w ścianie z półkami uginającymi się pod książkami. Po lewej stał długi średniowieczny stół obiadowy wykonany z drewna grubego jak krokwie na dachu oraz masywne drewniane ławy. Kuchnia znajdowała się przed nami. Na tylnej ścianie ulokowano piec, ławy i różne żelazne narzędzia do podtrzymywania garnków i pieczeni. Stała tam też mała ceglana konstrukcja, o wysokości kuchenki, z otworami po obu stronach do wrzucania rozpalonych węgielków i okrągłymi dziurami na garnki w górnej części. Ogień był wygaszony. Zapytałem Neriego, czy właściciele tutaj mieszkają. Odparł, że nie. Dom został wynajęty szwajcarskiemu *industrialista* na czas wakacji.

Szerokie schody wykonane z desek prowadziły na piętro. Znajdujący się tam pokój musiał kiedyś być kuchnią, ponieważ miał piec tak duży jak nasz w Palazzuolo Alto oraz drzwi otwarte na ładnie odnowione sypialnie i nowe łazienki. Wszystko było doskonałe. Wszystko wyglądało na urządzone z *gusto perfecto*, dokładnie tak jak powiedział Neri.

Następnie zeszliśmy na dół do ogrodu. W połowie schodów zwróciłem uwagę na dziwny zapach. Poczułem go ponownie za drzewkami cytrynowymi i pomarańczowymi, uderzyły mnie także promienie słoneczne odbite od stalowej powierzchni. Niecały kilometr dalej, z sielankowego toskańskiego krajobrazu, w samym środku otaczającej nas doskonałości, wystawał ropiejący wrzód. Najbardziej widoczny był wysoki fabryczny komin ze stalowymi obręczami odbijającymi światło. Przed moimi oczami znajdowała się gigantyczna fabryka nawozów. Znowu umarłem. Tym razem moja śmierć okazała się wyjątkowo bolesna.

Przez rok marzyłem o idealnym domu w Toskanii i bez względu na to, jak mocno się starałem, nie potrafiłem wpasować fabryki nawozów do swoich wyobrażeń. Neri i dziewczyna podeszli do mnie z nietęgimi minami. Nie byłem pewien, czy chodziło o wyraz mojej twarzy, czy brak *funghi* w pobliżu domu. Pośrednik zapytał, co sądzę o nieruchomości. Odparłem, wskazując równocześnie na komin.

– *Troppo industriale.*

– *La nostra zona è molto più bella. Torniamo a casa.* – Neri przyznał mi rację. Nasze okolice są ładniejsze. Zbierajmy się stąd.

Szwajcarski przemysłowiec wjechał na podjazd mercedesem wielkości barki rzecznej. Przywitał nas grzecznie, nienagannie mówiąc po angielsku. Powiedziałem, że to najpiękniejszy z domów na sprzedaż, jakie widziałem. Potem wyjechaliśmy. Następnego dnia dowiedziałem się, że Szwajcar postanowił kupić dom. Wygląda na to, że niektórzy ludzie mają w swoich marzeniach więcej nawozu od innych.

Kiedy dotarliśmy na miejsce, ulice Monte San Savino tętniły życiem. Pracownicy kawiarni wystawili dwa stoliki na *piazza*, a sklepikarze powyjmowali krzesła, stołki i skrzynki. Ludzie rozmawiali ze sobą i wygrzewali się w słońcu, kumulując ciepło na zimę. Poszliśmy do biura Neriego i zadzwoniliśmy w dwa miejsca. Bez rezultatu. Toskański dom z moich snów okazywał się nieuchwytny. Przynajmniej na okolicznych wzgórzach przy Monte San Savino.

Gorąco podziękowałem Neriemu i Elenie. Ruszyłem do domu. Kiedy znalazłem się na ulicy, po raz ostatni spojrzałem na brązowego świętego na wystawie, brązową sutannę, brązowy dym w tle, młodą białą twarz, szarą czaszkę w jednej dłoni i białe lilie w drugiej. Wydawał się dzisiaj zadowolony – czemu nie – przecież miał swoje miejsce w Toskanii. Miał czas na rozważania o życiu, śmierci i wieczności, dopóki piekło nie skuje się lodem. Polubiłem go. Wróciłem do biura i zapytałem, ile kosztuje ten piękny stary obraz. Neri się roześmiał. Stary? Przecież jest praktycznie nowy. Czyżbym nie zwrócił uwagi na datę? Podszedł do okna i lekceważąco porwał świętego z jego miejsca, pobieżnie przetarł obraz szmatką i wyciągnął do pokazania w zadymionym świetle. W prawym dolnym rogu zauważyłem delikatnie wypisaną liczbę „1865".

– *Vedi? Appena un secolo.*

– Widzisz? Ledwo sto lat – przetłumaczyła dziewczyna. Im zdawało się to żartem; prawie nowy obrazek. Dla mnie była to najstarsza rzecz, którą miałem szansę posiąść.

– *Quanto costa?* – zapytałem zmieszany.

– *Centomila* – odpowiedział Neri.

Chwilę zajęło mi policzenie zer. Kiedy to zrobiłem, wydawało mi się, że gdzieś się pomyliłem. Ale wtedy Neri zaczął, mrucząc, wystukiwać coś na swojej maszynie, pociągnął za dźwignię, oderwał kawałek taśmy i podał mi go.

– *Centomila lire* – powtórzył. – *Settantacinque dollari.*

Myślałem, że zwariował. Siedemdziesiąt pięć dolarów za zabytkowe malowidło wielkości małego okna?

– *Troppo?* Za dużo? – dopytywał Neri.

Spojrzałem na jego twarz, doszukując się oznak choroby, ale przede mną stał ten sam Neri co dzisiaj rano.

– *Toppo poco.* Za mało – odparłem.

– OK. Siedemdziesiąt *dollari* – roześmiał się Neri.

Musiałem powstrzymać go, zanim zmieni zdanie.

– *Venduto.* Sprzedane.

Zacząłem gorączkowo przeszukiwać kieszenie i podałem mu odłożoną gotówkę. Ostrożnie odebrałem świętego z jego rąk, wsunąłem pod pachę i się pożegnałem. Na ulicy nie mogłem się powstrzymać przed spojrzeniem na obraz jeszcze raz. Nie wydawał się już taki smutny w słońcu, raczej zadumany nad starą czaszką. Stałem jak głupiec na środku ulicy, gapiąc się na świętego. Kobieta z bawełnianą siatką pełną zakupów z warzywniaka zerknęła na obraz i powiedziała:

– *Che bello.*

Dopiero wtedy dostrzegłem małą białą wstążkę namalowaną na dole, znajdował się na niej napis – S. Filippo. Miałem własnego świętego. Miał pojechać ze mną do domu. Już nie czułem się obco w Toskanii.

Kościelne dzwony wybiły trzynastą. Zasunięto ostatnie rolety w sklepach, ostatnie klucze przekręciły się w zamkach, ulice opróżniły się, jakby w oczekiwaniu na nalot bombowy. Przeszedłem przez bramę miasta. W pustym parku usłyszałem chrypiący, mocny głos, coraz mocniejszy. Zza zakrętu wyjechało cinquecento ze starym głośnikiem zamontowanym na dachu, z którego dochodziły słowa „*Circo, Circo, Circo! Circo Orfeo!*" i następnie niekończący się potok słów. Z tyłu przyczepiono planszę reklamową z kobietą-cyrkowcem jadącą na tygrysie. Z okna na pierwszym piętrze wyjrzała mała dziewczynka i pomachała w kierunku cinquecento. Kiedy samochód odjechał, pomachała do mnie. Pozdrowiłem ją ruchem ręki. Podniosłem S. Filippo do góry i potrząsnąłem obrazem, żeby święty też mógł jej pomachać. Dziewczynka zachichotała wesoło, jak robią zwykle małe dziewczynki, gdy do ich miasta przyjeżdża cyrk.

6
Dzik!

Ruszyliśmy z powrotem do Candace, San Filippo i ja. Razem między wzgórzami. Tuż przed przełęczą dogoniłem autobus szkolny, którego silnik ryczał z wysiłku na górskich zakrętach. Jadąc za nim, niespodziewanie zdałem sobie sprawę, jak beztrosko jest poruszać się tak wolno, rozglądać się ze spokojem, pogrążyć w marzeniach i myślach. Zbocze wzgórza koło domu było skąpane w promieniach słonecznych. Krowy wyjadły już dookoła palików pierścienie trawy i zadowolone z życia obserwowały mój przyjazd. Zawołałem Candace, żeby przyszła i kogoś poznała. Zeszła do mnie, trzymając pędzel w ręce. Spodobał się jej San Filippo, czaszka i cała reszta, zabraliśmy go do pracowni, by oczyścić obraz. Płótno, nad którym obecnie pracowała, tonęło w kolorach. Zmysłowe wzgórza wyglądały jak nagie ciała, które z kolei wywoływały skojarzenia ze zboczami wzgórz w perlistym zachodzie słońca. Na obrazie wił się niebieski strumień, który wpadał do stawu o połyskującej wodzie. I te kolory: niezliczone warstwy, jakby długie wieki zachodów słońca i ludzkich żywotów migotały gdzieś pod nimi. Lata później pewien krytyk sztuki napisał: „Obraz zachęca nas do zatopienia się w marzeniach". Powiedziałem, jak bardzo podoba mi się jej dzieło.

– Dziękuję, ale chyba wolałabym zapolować na *funghi* – odpowiedziała z uśmiechem.

Potem zabraliśmy się do jedzenia. Pamiętam niewiele chwil z życia związanych ze sztuką gotowania z klarownością taką jak tamtego dnia. Przypominam sobie rosół mojej matki i niektóre wypieki; miskę małży gotowanych z szalotkami i białym winem w barze pełnym rybaków w Bretanii; noworoczny bankiet złożony z dziesięciu dań w Arles; obiad z okazji naszej trzynastej rocznicy w restauracji Relais Louis XIII z trzynastoma różami na stole; oraz posiłek w wynajętym domu w Toskanii. Zaczęło się niewinnie od dojrzałej, wysuszonej na wiór szynki *prosciutto*, do tego mały owczy ser od Bindiego, pieprzna kiełbasa z dzika, świeży chleb z chrupiącą skórką oraz brunello, które piliśmy już jak wino stołowe. Zaskoczenie przyszło wraz z pojawieniem się na stole pomidorów. Candace poprosiła w sklepie w osadzie o oliwę z oliwek i właściciel zabrał ją do swojej *cantina*[19], gdzie w chłodzie skrywał się wielki gliniany słój, i nalał chochlą do słoika trochę gęstej, ciągnącej się jak krem oliwy. Dodaliśmy jej odrobinę do pokrojonych pomidorów i gawędząc w najlepsze o Nerim i jego domach-nie-domach, spróbowaliśmy przystawki. Zamilkliśmy. Spojrzeliśmy po sobie. Ileż smaków mają te pomidory? Odrobinę pieprzne i słodko-kwaśne, o ostrym, niezwykle złożonym smaku, który eksplodował, w miarę jak docierał do poszczególnych części języka. Zrozumieliśmy, że to wcale nie zasługa pomidorów, lecz mętnej zielonej oliwy. Dodaliśmy jej jeszcze. Maczaliśmy w niej chleb. Nabieraliśmy na łyżeczki. Zanurzaliśmy w niej marchewki. Wkładaliśmy palce do słoika. Zlizywaliśmy ją z widelców. Mruczeliśmy przy tym jak dzieciaki wpuszczone do cukierni. To było nasze pierwsze zetknięcie z hodowanymi na wzgórzach oliwkami i wyciśniętą z nich na kamieniu toskańską oliwą. Jedno z wielkich dzieł Bożych – teraz, kiedy robimy taką sami, zużywamy jej z litr na tydzień. Posiłek zagryźliśmy jabłkami. Po dobrze wykonanej pracy wyszliśmy na spacer po wzgórzach. Zrobiłem się podejrzliwy, kiedy Candace włożyła do kieszeni złożoną papierową torebkę.

– Żadnych *funghi*. Obiecuję – powiedziała.

Przeszliśmy przez osadę pogrążoną w letargu po *pranzo* i udaliśmy się na wschód, gdzie, jak nam powiedziano, las skrywał mały, otoczony murem zameczek. Szliśmy naznaczoną koleinami drogą

[19] *Cantina* (wł.) – piwniczka na wino.

i kiedy zboczyła zbyt mocno na północ, zeszliśmy z niej, trzymając się wschodniego kierunku wzdłuż zaoranej łąki. Brakowało płotów, dzięki czemu nie czuliśmy się jak intruzi. Wzgórza, pola i lasy witały nas ochoczo.

Otwarte przestrzenie to jeden z największych uroków Toskanii. Rzadko spotyka się ogrodzenia wyznaczające poszczególne działki – czasem widać zagrody dla owiec lub koni – dlatego miłośnicy długich spacerów czują się tutaj jak w raju. Wznoszące się i opadające ścieżki są bardzo kameralne i mało uczęszczane, wywołują uczucie, że za zakrętem może być coś wspaniałego i nieprzewidzianego. Uczucie to narastało, kiedy przecinało się pola i lasy. Surowe, gruboziarniste bryły świeżo zaoranej ziemi powodowały, że uważnie stawialiśmy każdy krok. Milczeliśmy. Było prawie zupełnie cicho, tylko wiatr i ptaki szeptały pomiędzy sosnami. Podążaliśmy ścieżką w kierunku bardzo starych dębów. Promienie słoneczne tańczyły wysoko ponad nami między konarami i od czasu do czasu przebijały się do ziemi. Przy ścieżce, co kilka metrów, leżące na ziemi liście się wybrzuszały – coś musiało przekopywać się w glebie. Ścieżka zwęziła się i zaczęła opadać. Liście szeleściły nam pod stopami. Powietrze w kotlinie było chłodne i przenikliwe. Poczuliśmy zapach dzikiej przyrody.

– *Funghi* – szepnęła Candace.

Milczałem jak grób. To nie były *funghi*. *Funghi* nie ryją w ziemi.

Candace podniosła rękę i nakazała mi się zatrzymać. Wskazała na mroczny las. Coś się tam poruszyło. Myślałem, że to mały wilk lub lis, ale kiedy zwierzę gwałtownie odwróciło się w naszym kierunku, okazało się, że to pies.

– Wiesz, co to jest? – wyszeptała Candace.

– Pies – odparłem. – Dlaczego mówimy szeptem?

– Nie, Przyszły Właścicielu Działki w Toskanii, to nie pies, to PIES. To najcenniejszy pies w całej Toskanii. A wiesz, co on robi w lesie?

– Pewnie to samo co niedźwiedź.

– On kopie. A wiesz dlaczego?

– Z powodu zwyczajnej przyzwoitości?

– Z powodu nadzwyczajnego wyrafinowania. On kopie, bo szuka...
– jej usta zaczęły układać wyraz z niekłamaną radością – tru-fli.

Nie powiedziałem tego głośno, ale musiałem przyznać, że może mieć rację. W końcu widzieliśmy przy ścieżce ślady jakiegoś kopacza, do tego przed nami bez wątpienia znajdowała się bardzo inteligentna i zadbana mała bestia. Ale gdzie był właściciel? Pies popatrzył na nas przyjaźnie i z profesjonalnym zacięciem wrócił do obwąchiwania ścieżki.

– Chodź – szepnęła Candace. – Znajdzie nam trufle, jakich jeszcze nie kosztowaliśmy.

Pies dreptał uważnie, kontrolując, gdzie stawia kroki. Obwąchiwał to jedną stronę ścieżki, to drugą, schodził z niej od czasu do czasu, następnie podszedł do rozłożystego dębu z wielką dziurą po spróchniałym drewnie. Pies zaczął badać okolice drzewa. Candace trąciła mnie łokciem.

– Patrz. Trufle lubią rosnąć na korzeniach dębów.

Jednak zwierzę przestało interesować się drzewem i wróciło na ścieżkę, nie tracąc przy tym czujności i trzymając pysk przy ziemi. Podążyliśmy za nim. Do dzisiejszego dnia nie wiem dlaczego, ale staraliśmy się zachowywać tak cicho, jak to możliwe, ostrożnie stąpając po miękko szeleszczących liściach, jakby obawiając się, że możemy zbudzić podziemne grzyby ze snu. Zapach lasu był wyraźnie wyczuwalny. Z naszej lewej strony, w snopie światła wyrosła mała, kamienista skarpa, poniżej znajdował się występ skalny porośnięty żarnowcem i szorstką trawą pampasową. Pies warknął łagodnie i przyspieszył, emocje wzięły w nim górę.

– Nie traćmy go z oczu, jest podniecony – zauważyła Candace.
– Potrafi wyczuć trufle z pięćdziesięciu metrów.

Pies znowu przyspieszył. Zapomniał o ostrożności i czujności, z pyskiem przy ziemi biegł wzdłuż ścieżki. Pobiegliśmy jego śladem. Gnał, jakby od tego zależało jego życie. Rzucił się na coś dużego i czarnego uśpionego pomiędzy źdźbłami trawy. Czarna rzecz podskoczyła. Wydała z siebie ostry kwik i zaczęła się miotać. W promieniach słońca migotało jej futro i szczupłe nogi. Bestia wylądowała na ziemi i kontratakowała. Uderzyła w psa i odrzuciła w kierunku klifu jak szmacianą lalkę. Ale pies należał do osobników dumnych, obnażył kły i rzucił się na wroga. Czarne stworzenie odwróciło się i rzuciło do ucieczki. Prosto na nas!

– Dzik! Dzik! – ryknąłem i chwyciłem osłupiałą Candace. Zaczęliśmy uciekać. Biegliśmy, ile sił w nogach z powrotem drogą, którą tu doszliśmy. Przerażony dzik dotrzymywał nam kroku, a cholerny pies, który nie potrafił odróżnić trufli od łajna, gnał za nim, wyjąc i ujadając na przemian. Obie bestie zbliżały się coraz bardziej. Z każdym krokiem traciliśmy przewagę. Kiedy dzik był może z dziesięć metrów od nas, Candace krzyknęła:

– Wspinamy się!

Rzuciliśmy się jak koty z kreskówek na zbocze, drapiąc, kopiąc i szarpiąc, lecz mimo włożonego wysiłku znaleźliśmy się najwyżej metr nad ziemią. Ale to wystarczyło. Dzik z psem na karku przebiegł pod nami. Trzymaliśmy się kurczowo klifu, dopóki szczekanie i skowyt psa nie przebrzmiały i w lesie ponownie zapanowała cisza. Candace miała zadrapany policzek.

– Cóż, widziałeś kiedykolwiek większego trufla? – zapytała z figlarnym uśmiechem na twarzy.

Zgubiliśmy się. Nie mieliśmy zielonego pojęcia, jak daleko zapuściliśmy się w poszukiwaniu trufli. Spoceni, radośni, a czasem parskający śmiechem, co wywoływało kolejne ataki śmiechu, zawróciliśmy. Chłostaliśmy krzaki kijami, stawialiśmy ciężko kroki, gwizdaliśmy, wrzeszczeliśmy, robiliśmy wszystko, aby trzymać dziki na dystans. Przechodziliśmy przez zagajnik z wydrążonym w środku dębem, gdy Candace zatrzymała się i wskazała między drzewa.

– Spójrz – zaczęła, ale chwyciłem ją za ubranie i przyciągnąłem do siebie.

– Jeśli tylko wypowiesz choćby słowo o truflach, wrzucę cię do środka tego drzewa – oświadczyłem i spiorunowałem ją wzrokiem.

– Kasztany – szepnęła, w oczach miała figlarne iskierki. – Są jadalne. – To były święte słowa klucze. Dobrze o tym wiedziała. – Kochasz mnie? – zapytała.

– Najpierw pokaż mi kasztany.

I tak zrobiła. Mój Boże. Nigdy wcześniej nie widziałem kasztanów na żywo. Leżały wszędzie na ziemi, wyglądały na nas przez szpary w miękkich, puszystych skorupach. Zabraliśmy się do zbierania. Zachowywałem się jak szaleniec. Byłem zaskoczony własną reakcją. Nigdy w życiu nie zbierałem do jedzenia niczego, co wyrosło na dziko. Owszem, łowiłem ryby z łodzi – chociaż to Candace zawsze udawało się cokolwiek złapać – ale znalezienie czegoś jadalnego, zbieranie, by przeżyć, to rozpaliło we mnie płomień z dawnych pierwotnych czasów, z zarania dziejów człowieka. Napełniliśmy papierowe torby, następnie kieszenie w kurtce, a potem w spodniach. Człapałem na zachód w kierunku lasu jak wypchana lalka. Słońce opadało coraz niżej. Powaga i uroczysty charakter chwili unosiły się pomiędzy drzewami niczym mgiełka. Wtedy wieczorny powiew wiatru przyniósł znajomy, melodyjny głos.

– *Ti ammazzo!*

Znaleźliśmy się blisko domu.

Nie mieliśmy bitej śmietany ani rumu, by przygotować kasztanowe purée z dzieciństwa, ale Candace udało się znaleźć w pracowni starą, kompletnie zardzewiałą patelnię z koncentrycznie zbiegającymi się okręgami starannie wydrążonych otworów. Nasza ręcznie zebrana zdobycz miała zostać upieczona nad żarem. Niestety, skończyła się podpałka. Przy domu leżał niezgorszy stos drewna, suchego dzięki daszkowi z blachy falistej. Niestety, zużyliśmy już te kilka wiązek rozpałki, które udało się nam tam znaleźć, dlatego tuż przed zmrokiem, kiedy Candace zajęła się krojeniem warzyw do zupy, musiałem udać się do lasu i nazbierać chrustu. W powietrzu czuć było jesień, w dolinie pojawiły się strzępy mgły. Na wzgórzach panowała cisza. Stąpałem miękko po leśnym podszycie, podnosząc od czasu do czasu mniejsze i większe opadłe gałęzie, niektóre spróchniałe i lekkie jak piórka. Samotnie zbierając opał, ponownie poczułem przypływ pierwotnego zadowolenia. Otaczały mnie tylko drzewa i cienie. Pochyliłem się, zwiesiłem ramiona, zgiąłem kolana i mój chód zrobił się niedbały i spokojny, niczym u drapieżnika. Kiedy trafiałem na jakiś patyk, wydawałem z siebie ciche chrząknięcie, gardłowy pomruk radości, co pogłębiało jeszcze moje zadowolenie. Wtedy odkryłem szyszki.

Kiedy wszedłem między sosny, rozglądając się na boki, nadepnąłem na szyszkę, dość dużą i okrągłą. Usłyszałem trzask. Wyciągnąłem rękę do ziemi. Musiała spaść dawno temu, łuski były twarde i zdrewniałe, wysuszone na wiór. Zdjąłem kurtkę, położyłem na ziemi i wypełniłem szyszkami. Z chrustem pod ręką i tobołkiem na plecach, mrucząc z zadowolenia, długimi susami biegłem do domu.

Poszedłem do kuchni, aby pokazać swojej samicy, na jakiego zaradnego żywiciela trafiła. Kobieta nie ukrywała zachwytu. Candace jest szczodra w wyrażaniu radości. Kiedy jednak zacząłem wkładać szyszki do paleniska, pisnęła. Odwróciłem się do niej.

– Jesteś w stanie w to uwierzyć? – zapytała, trzymając między palcami coś małego i białego.

– Trufle? – strzeliłem.

– Orzeszki piniowe, kochanie. *Pignoli*. Czterdzieści dolców za kilogram – odparła z uśmiechem i zrozumieniem.

– Cały czas dobrze o tym wiedziałem. Za jakiego zbieracza mnie masz? – oświadczyłem.

Udało się rozpalić ogień. Usiedliśmy twarzą w twarz przy palenisku i za pomocą dwóch okrągłych kamieni zaczęliśmy rozgniatać szyszki i wyłuskiwać śliskie maleństwa o rozmiarach ziaren słonecznika. Kiedy zupa była gotowa, a orzeszki dodane do sałatki szpinakowej, wrzuciłem dwa tuziny kasztanów na patelnię, oddzieliłem je od siebie tak, jak handlarze na Piątej Alei w zimie. Usiedliśmy przy ogniu i zaczęliśmy spokojnie jeść.

Kończyliśmy właśnie zupę, wsłuchując się w ciszę, kiedy rozpętało się piekło. W kuchni. BUM! Obok mnie rozpoczęła się kanonada. Garść odłamków świsnęła mi koło ucha. BUM, BUM! Zaczęliśmy się ewakuować. Wybiegliśmy z kuchni, zasłaniając głowy rękami. BUM, BUM, BUM! Grzmiało dalej. Wstrząśnięci zatrzymaliśmy się w holu. BUUUUM! Olbrzymia eksplozja. Odłamki spadły przy stopach. Gapiłem się na Candace. Spojrzała na mnie z niewinną minką.

– Kasztany – szepnęła. – Jadalne.

Kasztany pieczone w łupinach zmieniły się w miniaturowe bomby i zaczęły wybuchać jeden po drugim. Miałem ochotę zamordować żonę wzrokiem.

– Najpierw trufle, a teraz to – syknąłem. – Co potem? Zamierzasz otruć mnie *pignoli*?

BUM, BUM!

– O Boże, moje *pignoli*! – krzyknęła Candace. Zdjęła przez głowę bluzkę i wróciła na pole bitwy, chwilę potem wskoczyła z powrotem do holu, kryjąc się za salaterką.

– Te bzdety o zbieractwie są niebezpieczne. Nic dziwnego, że jaskiniowcy zajęli się polowaniem – wyrzuciła z siebie.

BUUUUM!

Nadszedł czas na męską decyzję. Zacząłem rozglądać się za ochroną. Zauważyłem koszyk wiszący na belce. Odwróciłem go do góry dnem i założyłem na głowę. Następnie zanurkowałem w sam środek chaosu. Wszędzie latały odłamki, mimo to parłem w kierunku ognia. Kiedy znalazłem się przy palenisku, poczekałem na kolejną eksplozję, kierując się absurdalną przesłanką, że kolejny wybuch nie nastąpi przez dłuższą chwilę. Chwyciłem patelnię, podbiegłem do okna i wyrzuciłem cały ten bajzel z powrotem do lasu, tam gdzie jego cholerne miejsce.

W taki sposób, dzięki Bogu, prawie zakończył się nasz trzeci dzień.

Zjedliśmy sałatkę ze szpinakiem i *pignoli*, o smaku słodko-kwaśnym jak marzenie, która doskonale zgrała się z brunello. Następnie pozbieraliśmy większe odłamki z podłogi i zabraliśmy się do wydłubywania paznokciami resztek jeszcze ciepłych kasztanów ze skorupek. Smakowały wyśmienicie.

7
DOMY Z KOSZMARU

Nadszedł kolejny poranek. Ciągle bez domu. Nie zniechęcaliśmy się jednak. Joyce – osoba, która załatwiła nam dom do wynajęcia – zaprosiła nas na obiad i zapewniła, że istnieje życie po Nerim, i że ma przyjaciółkę, która zna kogoś, kto zna kogoś innego, kto być może... itp.

Jej dom leżał przy wyboistej, usianej kamieniami drodze. Został wzniesiony na zboczu wzgórza i otoczony gajami oliwnymi. Z zalesionego szczytu spoglądał na niego zamek. Przed nami stało stare, bezpretensjonalne gospodarstwo wyjęte prosto z naszych marzeń. Bardzo stary dąb rzucał cień na zabudowania, jakieś dziecko bujało się na jednej z gałęzi.

Dom Joyce był cudownie przytulny. Stajnie na parterze zostały przebudowane na pomieszczenia mieszkalne, jednak sufit pozostał nisko zawieszony, a wnętrza położone na różnych poziomach dość małe – w pokoju przy wejściu stały mały fortepian i zamontowane na stałe ławki z oparciami. Kuchnia, centrum toskańskiego życia, była długa, w kącie znajdowało się palenisko. Stół był zastawiony, promienie słoneczne sączyły się do pomieszczenia przez okna wychodzące na małą łąkę. Trzy pokoje na piętrze z widocznymi krokwiami i skośnym dachem idealnie nadawały się na sypialnie.

Na wzgórzu zatrąbił szkolny autobus. Wybiegł do nas czteroletni ciemnowłosy Francesco. Kiedy matka kończyła przygotowanie obiadu, chłopak pokazał nam pola. Znał każdy krzak i każde drzewo. Zaprowadził nas między drzewa oliwne, które pociemniały od dojrzewających owoców, pokazał nam *finocchio*, koper włoski, który miał zebrać na obiad, wskazał nam dwa ptasie gniazda ukryte w gęstwinie zarośli oraz dół w zboczu do przechowywania roślin okopowych, gdzie zamierzał zbudować fort.

W trakcie obiadu nie mogliśmy nie rozmawiać o domach. Joyce miała przyjaciółkę, która wiedziała o kilku na sprzedaż i obiecała, że pokaże nam je po południu. Przyjaciółka okazała się młodą, krzepką i wesołą kobietą. Co minutę, jak w zegarku, wybuchała śmiechem. W przerwach mówiła po angielsku „Dzięki Bogu".

Pierwsze z domostw leżało niedaleko. Nie było może wyjątkowe, ale z jego okien roztaczały się piękne widoki, było stare i w stanie pozwalającym na zamieszkanie, brakowało tylko centralnego ogrzewania i solidnej hydrauliki. To, czego tam nie brakowało, to olbrzymia antena nadawcza, większa pewnie od wieży Eiffla, stojąca tuż przed wejściem. Właściciel, głośny *contadino*, zapewniał mnie, że błyskawicznie przyzwyczaimy się do jej obecności.

– Owszem, jak już oślepniemy – przyznałem. Wesoła dziewczyna się roześmiała.

Drugi dom czekał na nas na północy, w kierunku Florencji, prowadziły do niego łagodnie wijące się drogi. Była to osiemnastowieczna willa otoczona zacienionym parkiem. Miała werandę zapewniającą chwilę spokoju i rozleniwienia, biblioteczkę, a właścicielka – wyjątkowo uprzejma starsza pani – sprzedawała razem z nim stare dywany i meble. Oglądałem pokoje pełen podejrzeń, sprawdzałem, czy przez okna nie widać wytwórni nawozu, rafinerii albo zabudowań więziennych, jednak w zasięgu wzroku widziałem tylko nieskazitelne i dziewicze krajobrazy. Zrobiliśmy się nerwowi. Wypiliśmy herbatę w nasłonecznionym ogrodzie. Wtedy wiatr się zmienił i zamiast popołudniowego śpiewu ptaków, który do tej pory słyszeliśmy, powietrze wypełnił nieprzerwany łoskot dochodzący z ukrytej za wzgórzem autostrady. Pożegnaliśmy się, próbując ukryć swoje rozczarowanie. Wesoła dziewczyna się roześmiała.

Trzeci dom znajdował się w pobliżu leżącego na wzgórzu średniowiecznego miasteczka Lucignano. Stał w dolinie, z daleka widać było jego samotną wieżę otoczoną przez cyprysy. Pod względem wielkości był idealny. Został z dużą starannością wyremontowany przez architekta z Rzymu, który postanowił zachować wszystkie oryginalne przestrzenie, otwory i użyte materiały. Oferta obejmowała także wyposażenie. Nawet widelce i noże. W okolicy można było podziwiać dziewicze krajobrazy, winnice, pola pszenicy, strumień za porośniętymi trawą rowami oraz zagajniki. Na próżno było szukać wzgórza, za którym mogła się czaić jakaś okropność. Widok z wieży obejmował Apeniny na wschodzie, miasto z umocnieniami fortecznymi na jeziorze Trasimeno w kierunku południowym oraz niczym nieprzesłonięty zachód słońca. Usiedliśmy w kuchni, aby ustalić szczegóły nieuniknionej w takich warunkach transakcji. Wtedy ziemia pod naszymi stopami zadrżała. Okna zaczęły stukotać, żyrandole się zakołysały, a powietrze przeszył hałas pochodzący jakby z ekspresowego pociągu pędzącego ponad trzysta kilometrów na godzinę tuż pod ogrodem. Niestety, nasze obawy okazały się koszmarną prawdą.

Wesoła dziewczyna się roześmiała. Candace wyglądała, jakby miała ochotę dziabnąć ją widelcem.

Daliśmy sobie spokój.

Postanowiliśmy, że darujemy sobie poszukiwania domu, ponieważ zupełnie nam to nie wychodziło. Zamiast tego skupiliśmy się na robieniu tego, co wychodziło nam najlepiej – czyli niczego. Na resztę dnia zostaliśmy turystami. To dopiero przywróciło mnie do życia. Ciągle czując wspomnienie po obiedzie w żołądkach, postanowiliśmy zjeść lekką kolację: pieczone kasztany i wino. Zmądrzeliśmy. Tym razem przecięliśmy każdego kasztana nożem, aby mordercze gazy miały jak się wydostać. Zadziałało. Mogliśmy ze spokojem siedzieć w kuchni. Kasztany wypiekły się doskonale.

W trakcie posiłku oddaliśmy się jednej z niewytłumaczalnych życiowych przyjemności – badaniu mapy. Rozłożyliśmy mapę Toskanii *Istituto Geografico* na stole kuchennym i obniżyliśmy starą szklaną lampę na rozciąganym przewodzie tak nisko, jak się dało. Natychmiast, jakbyśmy rozmawiali o krainie, której nie widzieliśmy na oczy, zaczęliśmy snuć przypuszczenia i marzenia o tym, jak spędzimy jeden dzień na zwiedzaniu Toskanii. Nigdy nie zrozumiem, jak kilka zakręconych linii, krzyżujących się wzdłuż i wszerz na pełnej zielonych plam powierzchni, może tak pobudzić wyobraźnię. W moim wypadku zawsze tak się dzieje, gdy biorę do ręki mapę. Śledziłem palcem powyginane linie oznaczające boczne drogi gruntowe. Tam kończyła się cywilizacja i zaczynała magia, to tam leżały maleńkie wioski przycupnięte na urwistych i wietrznych cyplach lub wtulone w zacienione wąwozy o nazwach tak małych, że ledwie dawało się je odczytać: Nusenna, Fietri, Duddova. Puściłem wodze wyobraźni. Znalazłem się na ulicach miasteczek, o których w życiu nie słyszałem, odkrywałem ruiny zapomniane nawet przez miejscowych, zwiedzałem zawiłe kompleksy grot i nekropolii niedotkniętych ludzką ręką od czasów Etrusków. Najbardziej pociągały mnie puste miejsca na mapie: Zancona, Poggioferro, L'Abbandonato – przyciągała mnie mroczna i niepoznania strona Toskanii.

– A gdzie zjemy obiad? – Candace przerwała moje zamyślenie.

Spojrzałem na nią. Stała uzbrojona po zęby w turystyczne biblie: zielone i czerwone przewodniki Michelina. Naturalnie miała rację. Zrobiliśmy użytek z jej doświadczenia i otworzyliśmy przewodniki. Robiliśmy dokładnie to samo każdej niedzieli w trakcie rocznego pobytu w Paryżu. W zielonym przewodniku mogliśmy znaleźć kulturalne cuda świata w odległości godziny drogi od domu, w rodzaju katedry w Chartres, klasztoru czy dworu. W czerwonym przewodniku szukaliśmy restauracji oznaczonych wielką czerwoną literą R, co oznaczało wyjątkowe jedzenie w niewygórowanych cenach, mogliśmy więc tam napchać się do woli. Podałem jednak złą kolejność. Prawda jest taka, że najpierw zaglądaliśmy do czerwonego przewodnika w poszukiwaniu wielkich czerwonych liter R, a dopiero potem do zielonego przewodnika, żeby znaleźć w pobliżu coś dla duszy. Nasza metoda się sprawdzała. Wyjeżdżaliśmy w teren o rozsądnej porze, przyjeżdżaliśmy na miejsce o dziesiątej trzydzieści, spędzaliśmy ze dwie godziny na zwiedzaniu katedry, muzeum czy innego cudu, jedliśmy obiad, zwiedzaliśmy jeszcze trochę, po czym wracaliśmy do domu.

Jeden raz.

Wydaje mi się, że zrobiliśmy tak jeden raz.

Typowa niedziela polegała na zejściu na dół po świeże rogaliki i mleko, następnie wypijaliśmy *café au lait*. Spóźnieni, wybiegaliśmy gorączkowo z domu i lądowaliśmy w dużej czerwonej eRce akurat na obiad. Z dużą pobłażliwością podchodziliśmy do długości trwania naszego posiłku. Najedzeni i napici szliśmy wolnym krokiem na kulturalny podbój katedr, zamków etc., próbując skupić mętny wzrok na szczegółach, poganiani przez obsługę, ponieważ za chwilę zamierzali zamykać. Wtedy wracaliśmy.

Candace przeglądała przewodniki, sprawdzała odnośniki i wreszcie wskazała miejsce, które znajdowało się znacznie bliżej, niż przypuszczałem.

– Opactwo Mont Oliveto Maggiore założone w 1313 roku. Odizolowane od reszty świata, piękny kościół, oszałamiający klasztor, wewnątrz znajdują się prace rodziny Della Robbia[20], Signorellego[21] i Sodomy[22]. Co za zbieg okoliczności, w wieży strażniczej znajduje się mała i dobra restauracja z tarasem. Myślę, że się zakochałam.

Rzeczywiście na taką wyglądała. Gdzieś za oknem uderzył piorun.

Noc rozjaśniła się na biało i niebiesko. Wzgórza stały się wyraźne jak za dnia. Potężny grzmot wstrząsnął niebem, okna zastukotały w odpowiedzi. Zgasło światło. Po omacku doszliśmy do balkonu, aby sprawdzić, co się dzieje. Wiatr, który zmienił swój kierunek na południowy w trakcie naszej popołudniowej herbatki, gnał zajadle po polach i szumiał między sosnami. Ścieżka zasłana była szyszkami. Księżyc wyglądał zza ponurych chmur, ponad którymi pojawiła się dziwna czerwona mgiełka, jakby nadeszła pełnia księżyca najbliższa równonocy jesiennej. Tyle że bardziej niewyraźna. Powietrze ocipliło się jak w sierpniu.

Kolejna błyskawica przeszyła niebo, tym razem gdzieś w oddali, blada i zaczerwieniona przez zasłonę. Wiatr z dużą siłą uderzył

---

[20] Della Robbia – rodzina włoskich rzeźbiarzy i architektów działających głównie we Florencji.

[21] Luca Signorelli (ur. ok. 1445, zm. 1523) - włoski malarz epoki quattrocenta.

[22] Giovanni Antonio Bazzi (ur. ok. 1477 w Vercelli - zm. 15 lutego 1549 w Sienie) – włoski malarz, leonardianin, powszechnie znany pod przydomkiem Sodoma.

jedną z okiennic w mur, potykając się w ciemnościach, udało się nam ją znaleźć. Wycofaliśmy się do kominka. Niebo pogrążyło się w chaosie: księżyc uciekł w popłochu. Strumienie deszczu uderzały o szyby. Kiedy eksplodowała kolejna błyskawica, zobaczyliśmy, że droga zmieniła się w rwącą rzekę. W łóżku ciągle towarzyszyły nam odgłosy kropli uderzających w gliniane dachówki. Wiatr i pioruny wstrząsały ciemnym światem na zewnątrz domu.

– Dziwne, często uważamy burzę i deszcz za brak dobrej pogody. Brak. A przecież przynoszą nam ze sobą wiele rzeczy. Tak wiele rzeczy odczuwamy, kiedy nadciągają – wyszeptała Candace.

Padało całą noc.

O świcie niebo rozpalała nisko zawieszona czerwona mgiełka. Deszcz przeszedł w mżawkę, wypogadzało się, ale mgła nie znikała. Dodałem drewna i szyszek do żarzących się w palenisku węgielków, by na nowo wzniecić ogień. Rozbudzony sięgnąłem po książkę. Jaśniało coraz bardziej, ale na czerwono. Wyjrzałem przez okno na matrę i zamarłem zaskoczony. Spodziewałem się, że samochód będzie czysty po ulewie, ale okazało się, że karoseria i szyby są zabrudzone błotem. Wyszedłem na zewnątrz. Samochód pokrywał czerwonawy pył, najwięcej zebrało się w rogach przedniej szyby. W dotyku przypominał talk. Zacząłem rozglądać się dookoła, zastanawiając się, skąd mógł się wziąć – z pola, drogi, starej zaprawy wiążącej kamienie – ale wszystko bieliło się gliną. Nigdzie nie widziałem czerwieni. Poza nieboskłonem.

Od strony drogi dobiegło mnie chrząkanie. Pojawiły się dwie świnie, kilka kroków za nimi nadchodził Anioł z Kluczem. Przywitała się cichym *buongiorno*, na co grzecznie odpowiedziałem tym samym. Przesunąłem ręką po masce i pokazałem jej zebrany na dłoni czerwony pył, rozłożyłem ramiona w pytającym geście. Uśmiechnęła się, jej oczy rozszerzyły się tajemniczo. Wskazała ostrożnie niebo i powiedziała bardzo cichym głosem:

– *Afrika*.

8
ZŁE KOBIETY W KLASZTORZE

Po śniadaniu spakowaliśmy ser, wino i koc – na wszelki wypadek – nikt w końcu nie wie, kiedy trzeba będzie zażyć drzemki na łące. Następnie zmyliśmy Afrykę z matry i wyruszyliśmy na wzgórza Toskanii. Skręciliśmy na południe przy Il Cacciatore. Trzymaliśmy się grzbietu porośniętego sosnami. Minęliśmy wspaniałe ruiny dominujące nad okolicznymi pagórkami, zjechaliśmy do doliny, w której konie biegały po nasiąkniętych deszczami polach. Brukowana droga urwała się i zwolniliśmy ze względu na błoto. Mijaliśmy raz zaorane pola, raz lasy. Stare, ciągle zamieszkane gospodarstwa były oddzielone od drogi przez snopki siana, traktory, gnojowiska i mokre krowy wygrzewające się w słońcu. Czerwona mgiełka znikła i ustąpiła miejsca jaśniejącemu błękitowi. W kałużach tańczyło słońce.

Jechaliśmy powoli. Kręta droga narzucała odpowiednie tempo. Instynkt trzymał mnie na wodzy i nie pozwalał rozpędzić się do prędkości większej niż trucht muła. Łuki, wyboje, ślepe i wąskie górskie zakręty zmuszały nas do wolnej jazdy i głaskały rękami budowniczych sprzed tysiąca lat. Rozglądaliśmy się niespiesznie. Podziwialiśmy zacienione rwące potoki; jesienne lasy, w których krople deszczu zawisły na liściach niczym diamentowe kryształki; tętniącą porannym życiem zagrodę, kury wydziobujące skarby wymyte przez deszcz na gnojowisku, krzepkiego rolnika starającego się przepchnąć na suchy grunt dwukołowy wózek z drewnem przy pomocy niższego od siebie ojca. Ojciec usłyszał dźwięk naszego silnika, odwrócił głowę i podniósł dłoń, by osłonić oczy przed niskim słońcem. Na twarzy pojawił się znany nam już pełen oczekiwania uśmiech.

Lata temu tętent kopyt na drodze oznaczał nadciągającego sąsiada, przyjaciela lub rzadziej, kogoś obcego. Lata temu tętent kopyt przeszedłby w wolny krok, być może przybysz zatrzymałby się na chwilę, zwiedziłby gospodarstwo, zamienił parę słów, ponarzekał na *maledetta*[23] deszcz, *porca puttana tempesta*, czerwone *fango*[24] wysłane przez jakiegoś demona z *Afrika*, bez pytania pomógłby wyciągnąć wózek z błota na bruk, by nie pozwolić drewnianym kołom na butwienie. Jednak my, z zamkniętymi szczelnie szybami, pojechaliśmy dalej. Poczuliśmy, że czegoś nam w życiu brakuje.

Przecięliśmy płaską dolinę i znowu zaczęliśmy piąć się w górę. Na niewielkim wzgórzu spomiędzy drzew wystrzeliła wieża zamkowa. Na zardzewiałym znaku zapisano – San Gimignanello. Zatrzymaliśmy się, by sprawdzić, czy znajdziemy w przewodniku coś na ten temat, bezskutecznie. Uznaliśmy wtedy, że ominięcie takiego klejnotu musiało być po prostu błędem redaktorskim, jednak w nadchodzących dniach dane nam było co krok napotykać wiele nigdzie niezaznaczonych, nieznanych, tajemniczych zamków, *palazzi* i małych opactw.

Przecisnęliśmy się przez bramę miasteczka Asciano. Ledwo stamtąd wyjechaliśmy, a znowu otoczyły nas dziewicze okolice. Ciągle kierowaliśmy się pod górę. Kiedy znaleźliśmy się na grzbiecie, widok zaparł nam dech w piersiach. Zjechałem matrą na pastwisko i wyszliśmy, by popatrzeć na niewiarygodnie romantyczny krajobraz. Przed nami rozciągały się nieskończone fale wzgórz przechodzących na zachodzie w górskie szczyty. Ponad łagodnymi wzgórzami i pomiędzy nimi wiły się strumienie, lasy, gaje, winnice, stawy, zaorane pola, dostosowując się do pofałdowanego terenu. Na jednym ze szczytów stał *palazzo* z kaplicą, otoczony kępami olbrzymich

[23] *Maledetto* (wł.) – przeklęty, fatalny.
[24] *Fango* (wł.) – błoto.

cyprysów i skupiskiem przynależnych budynków. W dolinie znajdowała się winnica ze starymi krzewami winorośli, które wielkością dorównywały drzewom owocowym. Strome zbocza porastały kępy drzew i zarośli, było to idealne miejsce, w którym ptaki mogły wić gniazda, bażanty wypoczywać, a lisy ryć nory.

Obok nas, na zaoranym, nagim pagórku, wyrastała samotna strzelista sosna. Pozostawiono ją w spokoju przez całe pokolenia, może ze względu na cień, który rzucała, a może na jej piękno. W drżącym świetle wyglądała doskonale, jak symbol wytrwałej wiary, dorównujący wysokością dzwonnicy czy kościelnej wieży. Za sosną, rozrzucone na ogromnej promieniującej spokojem przestrzeni, wyrastały skąpane w słońcu samotne pagórki, stare gospodarstwa, wszystko porzucone, w ruinie, przyciągające i kuszące. Zaschło mi w ustach z chciwości.

– Tam musi coś być – powiedziałem ochryple do Candace. – Założę się, że kiedy tam dotrzemy, znajdziemy coś wartego zakupu.

– Wiesz co, ktoś kiedyś powiedział: „Człowiek urodził się, by żyć, a nie szykować się do życia" – odparła Candace w zamyśleniu.

– Kto tak powiedział?

– Jakiś Rosjanin. Któż inny poza Rosjanami śmiałby powiedzieć coś takiego? Pamiętaj, trzynastowieczne opactwo, ze spektakularnymi dziełami sztuki na obiad przyrządzonymi przez czyjąś babcię w kuchni. James, jedziemy dalej.

I pojechaliśmy. Droga była pusta. Od kiedy się zatrzymaliśmy, naszej zadumy nie zakłócił ani jeden samochód, ani jeden dźwięk. Po lewej stronie drogi znajdowała się mała ceglana kapliczka z bladą marmurową Madonną i zgaszoną świeczką. Za nią leżała bardzo stara winnica z winoroślami wielkości dorosłych drzew, ich rzędy oddzielały około ośmiometrowe przerwy. W dawnych czasach między niektórymi rzędami rosła pszenica, kukurydza i słoneczniki. Okolica była niegdyś kolorowa jak perski dywan. Minęliśmy kolejną Madonnę, tym razem wykonaną ze szkliwionej terakoty z zardzewiałą ochronną kratką. Napis głosił *„Palazzo Venturi"*. Podjechaliśmy bliżej. Kamienne mury ogrodu. Kaplice. Otwarte dzwonnice z dwoma pięknymi dzwonami. Wielkie podwórze pomiędzy budynkami gospodarczymi i ani żywej duszy. Cisza. I słońce. Pomiędzy drzewami rozległ się skrzypiący i tryumfalny głos gawrona. Wróciliśmy na drogę. Jedziemy wzdłuż wąskiego grzbietu. Zatrzymujemy się w małej rozkraczonej na drodze osadzie Mocine. Znajdujemy tutaj piękny kamienny murek. Wielkie i długie gospodarstwo, ceglane luki, zardzewiałe bramy. Podwórze otoczone jest murem i wyłożone dużą kostką brukową. Na środku stoi wóz pełen drewnianych klepek, kiedyś czerwony, a obecnie wpadający w wyblakły róż. Dawniej do malowania używano krwi byków. Trudno sobie wyobrazić, jak wściekle czerwony musiał być wtedy ten kolor. Teraz blady i różowy. Różowy jak dziecięca zabawka. Wysoko na ścianie wisi klejnot rodowy, ponad nim poroże bawoła rozpościerające się jak anielskie skrzydła, mające chronić rodzinę przed nieszczęściem. W skład klejnotu wchodzą bażanty, dzik i białe ptaki wyglądające jak chude, wiejskie kurczaki. Droga jest wciśnięta pomiędzy domostwa i szeroka najwyżej na trzy kroki. Na niskim murku otaczającym chlew stoją gliniane doniczki z pelargoniami. Uśmiechamy się.

Droga robi się coraz węższa, dwa samochody mogłyby się minąć, tylko gdyby obaj kierowcy zachowali szczególną ostrożność i mieli dobre intencje. Po przejechaniu przez zalesiony parów skręcam gwałtownie w lewo w prowadzącą w dół kamienistą i pełną kolein drogę, ponieważ u podnóży wzgórza, przed linią ciemnego lasu leży dom, którego nie widziałem nawet w najśmielszych snach. Drewniana tabliczka głosi *La Canonica*. Zjeżdżamy na dół. Gaszę silnik. *La Canonica* to maleńki cud architektury. Jej sercem jest mała kaplica zbudowana z bladoróżowego trawertynu. Dobudowane do niej zostały mniejsze ceglane budynki, zwykłe pokoje, jak dzieci skupione wokół matki. Przy kaplicy stoi ceglana *piazzetta*, stara ławka z trawertynu i kilka dających cień drzew. Marzenie nad marzeniami. Ale przybyliśmy za późno. Okna i drzwi są odnowione, w wielkich wazach przy murze rosną kwiaty, pod drzewem stoją kute krzesła i stół ogrodowy z otwartą gazetą, kubkiem i talerzykiem. Z jednego z dolnych ogrodowych tarasów wystaje siwa czupryna. Mężczyzna jest wysoki, trzyma sekator w dłoni i promieniuje zadowoleniem większym, niż przystoi przyzwoitej osobie. Spogląda na nas dumny ze swojego pochodzenia, napawający się zwycięstwem Niemiec o sztywnym karku.

– James, jedziemy dalej – przemówił głos rozsądku. Zaczynam nabierać prędkości. Próbuję wykonać pogardliwy zwrot, ale pada mi zapłon, kierownica się zablokowała, naciskam hamulec, który ledwo ledwo powstrzymuje nas przed zepchnięciem *kleine arkitekturen wunderhoff* prosto do cholernego lasu.

Z powrotem na drodze. Napotykamy stary postument z trawertynu z kranikiem. Woda jest świeża i chłodna, obmywam twarz oraz kark, żądza mordu powoli mnie opuszcza. Docieramy do osady Poggio alle Monache, gdzie napotykamy znak „Monte Oliveto, 2 km". Jest dobrze przed południem.

– Może się tam przespacerujemy? – mówi Candace z rozpalonym wzrokiem.

Nie zamierzam się spierać. Ma intuicję, której nauczyłem się ufać. Parkuję matrę w cieniu drzewa i ruszamy w drogę – wielcy podróżnicy i poszukiwacze przygód. Idziemy ramię w ramię, podążając za znakami.

Porzucanie samochodu w niedalekiej odległości od zabytkowego miejsca, które mamy wkrótce odkryć, stało się już tradycją. W ten sposób można lepiej zrozumieć otoczenie i wyczuć panujący nastrój – dźwięki, zapachy, wiatr. Podejście do celu na piechotę, niespiesznym tempem to sposób, w jaki powinno się zwiedzać takie miejsca, pozwala na zrozumienie, co czuł podróżnik wieki temu, kiedy miał przed sobą kres długiej i niepewnej wyprawy.

Minęliśmy drogę rozgałęziającą się do miejscowości Chiusure, ale szliśmy w dół, na południe. Wzgórza były tutaj bardziej strome i suche, nagle opadały, pojawiały się wąwozy, drzewa się przerzedzały. Kiedy przeszliśmy jeden z pagórków, nagle znaleźliśmy się w krainie, którą Bóg musiał porzucić trzeciego dnia stworzenia świata. Nad nami znajdowało się sklepienie niebieskie, a na dole ziemia, z podłoża wychodziły jednak strzeliste jałowe gliniane klify, wyżłobione przez wiatr i deszcz na kształt bardzo stromych, niemal pionowych, postrzępionych, ostrych jak noże grzbietów.

Kręta droga schodziła do ciemnego lasu cyprysowego. Niecały kilometr dalej niespodziewanie wyrosły przed nami średniowieczna wieża i mury obronne wbite ciasnym klinem między drzewa, których gałęzie dotykały kamiennych ścian. Pod murem, za wyschniętą fosą, znajdował się drewniany most zwodzony z ciężkimi zardzewiałymi łańcuchami niknącymi w szczelinach muru. Gołębie gruchały w zagłębieniach pod balustradami, a pomiędzy cyprysami gawron wykrakiwał ostrzeżenia. Za mostem i posępnym ceglanym tunelem leżał skąpany w słońcu jesienny ogród. W pobliżu nie było nikogo. Stary most trzeszczał pod stopami. Pod wejściem zwieńczonym łukiem zauważyliśmy pierwszy symbol wskazujący, że wkraczamy do opactwa. Była to imponująca scena wykonana ze szkliwionej na niebiesko i żółto terakoty w stylu Della Robbia. W centrum znajdowała się rzeczywistych rozmiarów cierpliwa wiejska Madonna o jasnym spojrzeniu, na jej kolanie siedział radosny Jezus z pucołowatymi nóżkami. Ponad nimi krążyła para aniołów. Weszliśmy do środka.

Ułożona w jodełkę ceglana podłoga w tunelu była wilgotna i nierówna, za to w nasłonecznionym ogrodzie rozkwitały róże, rosła bugenwilla, a po treliażu piął się jaśmin. W powietrzu snuł się zapach pieczonego mięsa. Za ogrodem znajdowała się wąska grań prowadząca na strome zbocze porośnięte lasem. Nigdzie nie widzieliśmy budynku opactwa. Otaczająca nas cisza spowodowała, że zaczęliśmy mówić szeptem.

Weszliśmy na schodzącą w dół ścieżkę wyłożoną okrągłymi i bardzo mocno wytartymi setkami stóp kamieniami, która prowadziła obok maleńkiej kaplicy na wzniesieniu oraz zagrody dla kur po lewej stronie. Powietrze przeszył dźwięczny i melancholijny dźwięk – gdzieś przed nami zagrały wielkie dzwony. Koguty za nami zaczęły się tłoczyć, jakby wyrwano je z długiego snu. Zatrzymaliśmy się i zaczęliśmy nasłuchiwać. Jak to powiedział później nasz przyjaciel Sandro, do takiej spokojnej okolicy pasują tylko dwa dźwięki – wydawane przez dzwony i koguty. Na tle słońca widać było krążącego jastrzębia, z rzadka zmieniającego tor lotu. W pobliżu ciągle nikogo nie widzieliśmy.

Szliśmy dalej. Po prawej stronie pojawiła się spora przesieka, a pod długą ścianą podtrzymującą wzgórze leżała porzucona ceglana *piazza*. Obok niej znajdowała się wyłożona płytkami *vasca*, basen, o wielkich proporcjach, długi może na pięćdziesiąt kroków, szeroki na dwadzieścia pięć i głęboki na wysokość trzech mężczyzn. Był wypełniony do połowy zielonkawą wodą. Jego rozmiar oraz dźwięk dzwonów sprawiły, że spodziewaliśmy się czegoś imponującego. Zeszliśmy ze ścieżki. *Piazza* była nagrzana od słońca. Usłyszeliśmy kroki. W miejscu, gdzie przed chwilą staliśmy, pojawił się mnich w bieli, twarz miał ukrytą pod kapturem, kroczył pośpiesznie, ale z powagą. Przy wzgórzu przycupnęła malutka kapliczka, różowy tynk wyblakł i miejscami odpadał, stare drzwi spękane były od słońca. Na wysokości wzroku natrafiliśmy na dwa wycięte otwory, które służyły do sprawdzania, co jest w środku i na zewnątrz, przytknęliśmy policzki do ciepłego drewna, aby zajrzeć do środka. Ponad ołtarzykiem znajdował się spory fresk z łuszczącą się miejscami farbą, przedstawiający jakiegoś świętego. Przed nim stało kilka ławek. Stare kwiaty. Wiekowość. Usiedliśmy na tarasie przed kaplicą. Oparłem się o ścianę, a Candace o mnie, zamknęliśmy oczy i pozwoliliśmy jesiennemu słońcu napełnić nas ciepłem aż do szpiku kości. Co za cisza. Lekki wiatr przepędził z wytartej kamiennej posadzki suchy liść. Siedzieliśmy.

Dzwony wybiły pierwszą. Nadszedł czas na jedzenie.

Niewiele rzeczy potrafi postawić mnie na nogi tak, jak wizja toskańskiego obiadu. Wróciliśmy ścieżką do miejsca, w którym wyczuliśmy zapach pieczonego mięsa i jak się okazało na *terrazzo*[25] przy wieży, w cieniu usianym słonecznymi plamami rzucanym przez trejaże porośnięte jaśminem, ustawiono stoły z białymi obrusami. Usiedliśmy przy jednym z nich. Mój Boże, aleśmy dobrze pojedli. Byliśmy sami na zewnątrz w ciepłych promieniach słońca – miejscowi jedli obiad w środku – a dwie niemal identyczne siostry, kucharki i równocześnie kelnerki, nieprzerwanie raczyły nas nadzwyczajnymi potrawami. Na stole pojawiło się domowej roboty ravioli z farszem złożonym z ricotty i grzybów, zając w pikantnym sosie, pieczone warzywa i czerwone wino krzepkie jak glina. Następnie ricotta z jagodami. Potem pyszne espresso i grappa, którą długo popijaliśmy z twarzami zwróconymi do słońca. Dochodziła trzecia. Byliśmy gotowi liznąć odrobinę kultury.

Za *vasca*, na końcu ścieżki, pomiędzy cyprysami i zalesionymi wzgórzami wznosiła się surowa ceglana bryła opactwa. Po lewej stał

[25] *Terrazzo* (wł.) – taras.

przysadzisty budynek, a po prawej olbrzymia dzwonnica na planie kwadratu zakończona wieżyczką zwieńczoną ząbkowanymi płytkami o różnych wzorach żywcem wyjętych z Baśni Tysiąca i Jednej Nocy. Za to prosto przed nami wyrastała najbardziej niezwykła konstrukcja ze wszystkich – wysoki na dwa piętra most łączący wieżę i opactwo, z mnóstwem okien i przeszkleń pomiędzy delikatnymi filarami tworzącymi łuki. Oszklony most przekraczał właśnie niespiesznie zgarbiony i bardzo stary mnich w białej szacie dobrze widocznej w promieniach słońca.

Drzwi otwierały się i zamykały; na dziedzińcu, w miejscu gdzie tabliczka głosiła *Camere degli ospiti* – pokoje gościnne – panowało poruszenie. Drzwi wejściowe opactwa otworzyły się ze zgrzytem. Wkroczyliśmy do środka. W pobliżu nie było żywej duszy. W przyćmionym świetle połyskiwała przyjemna w dotyku, gładka i wytarta przez wieki terakota. To rzekomo najbardziej ascetyczne miejsce w okolicy promieniowało zewsząd zmysłowością. Senne lasy, ścieżka, wspaniała *vasca*, przezroczysty most, a teraz pofałdowana podłoga przypominająca w dotyku ludzką skórę. Po przejściu przez mrok panujący w pasażu trafiliśmy do miejsca najbardziej zmysłowego ze wszystkich: *il chiostro*, klasztoru. Powietrze wypełnione było zapachem gardenii. Czworokątny dziedziniec otaczały budynki o łukowatych sklepieniach, z chodnikami osłoniętymi od słońca i deszczu. Naturalnej wielkości freski zdobiły ściany pod każdym ze sklepień, między idealnymi łukami złote światło rozpraszały pełne niedoskonałości witraże. Mój Boże, cóż to był za dziedziniec. Na wyłożonym brukiem chodniku ustawiono bulwiaste wazy z terakoty, które służyły kiedyś do przechowywania oliwy, a Ali Baba chował w nich swoich czterdziestu rozbójników. Teraz wypełniały je bukiety storczyków, szałwii, gardenii, goździków i wawrzynku. Pulchny, odziany na biało mnich wędrował od jednej do drugiej, przycinając i podlewając rośliny.

Na freskach Signorellego i Sodomy widniało wielu mnichów w bieli. Przedstawiały historię świętego Benedykta, założyciela zakonu: to jak opuścił szkołę, dom, został pustelnikiem, zaczął nauczać, uczynił garść nudnych i rutynowych cudów oraz kilka, które zrobiły wrażenie. Sceny rozgrywają się w bajecznych krajobrazach. Większość z nich jest pełna wyjątkowych, pełnych pasji twarzy oraz – co jest jeszcze bardziej niezwykłe – zmysłowo zaokrąglonych i ponętnych ciał. Pomiędzy poważnymi mnichami widać kokieteryjnych młodzieńców, z uwodzicielsko odkrytymi kończynami czy biodrami przyodzianymi w obcisłe szaty oraz rozleniwione kobiety o delikatnej skórze i rozmarzonym wzroku ubrane w suknie tak zwiewne i przejrzyste, że wydają się tylko grą kolorowego światła. Na fresku Sodomy zwanym „Złe kobiety odesłane do klasztoru" widać dwie takie kuszące i ponętne kobiety, które sprawiają, że instynktownie zaczynam rozglądać się na boki, czy aby nie ma takiej w pobliżu. Nie wspominając o skromnej, zaokrąglonej służącej spod ręki Signorellego z niewinnie przekrzywioną głową i spódniczką zwodniczo podciągniętą do biodra, która sprawia, że gapię się na nią pełen nabożnej czci. Powinni zabronić gościom wypijać tak wiele wina w trakcie obiadu, w przeciwnym wypadku odwiedzający utoną w zalewie nieprzyzwoitych myśli. Ledwo dotarłem do sceny „Benedykt kuszony do nieczystości opiera się jej", a od razu ruszyłem dalej, obawiając się, że lubieżne myśli zupełnie mnie opanują i zepsują całą zabawę. Zostawiliśmy za sobą nagie kolumny, gładkie jak skóra podłogi, oraz pełne wdzięku łuki i weszliśmy do piwnicy, napawając się aromatami dojrzewającego wina. Rzuciłem okiem na korytarze prowadzące do skromnych cel mieszkalnych, pokoi dla gości poszukujących odosobnienia, w których mężczyzna może uhonorować i miłować prawnie poślubioną żonę – któż śmiałby nazwać to grzechem, będąc zewsząd otoczony zmysłowością?

Zagrały dzwony i ściany się zatrzęsły. Wybiła piąta trzydzieści po południu. Godzina zamknięcia. Wędrowaliśmy pustymi korytarzami, zeszliśmy długimi schodami na dziedziniec, gdzie jeden z mnichów patrzył na nas z dezaprobatą. Przystanęliśmy na chwilę przed freskiem. Szybkim krokiem, po jedwabistym bruku, przemierzyliśmy dziedziniec i stanęliśmy przed drewnianymi drzwiami, przy których czekał na nas bardzo stary mnich – tym razem z krwi i kości – o zapadniętych policzkach, odkrytej głowie i rękach założonych za siebie. Obserwował nas. Wymamrotaliśmy *buonasera* i wyszliśmy na *piazza*. Powietrze jaśniało złocistym światłem wpadającym w róż. Ściany nad nami wyglądały, jakby stały w ogniu. Do wieży tulił się łagodnie odsłonięty w trzech czwartych księżyc. Rozpoczął się długi toskański zmierzch.

Nasze sylwetki rzucają długie cienie. Idziemy przez *piazza* przytuleni do siebie i zaczynamy wspinaczkę. Od murów, które pozostawiliśmy za sobą, odbija się pogwizdywanie kosa. Wzgórza leżące za wąwozem straciły całą swoją wyrazistość i rozproszyły na warstwy falującego światła. Jesienne liście płoną niedaleko *vasca*. Na ziemi z rzadka pojawiają się słoneczne plamy. Wydeptany szlak prowadzi na małe wzniesienie. Wchodzimy na górę po stopniach utworzonych przez korzenie drzew, prowadzi nas migoczące światło. Wśród drzew samotnie stoi zniszczona trawertynowa kolumna wielkości człowieka, na jej szczycie umieszczony jest zardzewiały krzyż. Biorąc pod uwagę bezmiar monumentalnej architektury i sztuki, z którą mieliśmy do czynienia, tylko to miejsce wydaje się naprawdę święte.

Na drodze mija nas sapiący trzykołowy piaggio ape. Machamy do kierowcy, wskazując, że chcemy usiąść z tyłu.

– *Un passaggio, per favore* – mówi Candace i wskazuje na szczyt wzniesienia.

Zakurzony murarz śmieje się i pokazuje, żebyśmy wskakiwali. Pyrkając, dumne ape rusza w dalszą drogę. Na wzgórzu, zaraz przed małym cmentarzem pukamy w tylną szybę, wysiadamy i żegnamy się z kierowcą. Idziemy do gaju oliwnego i siadamy na suchej trawie porastającej urwisty klif. Klasztor i reszta świata leżą przed nami. Widzimy, jak mieszają się ze sobą, rozmyte, zamglone, nieokreślone i bajeczne kolory – odcienie fioletu, żółtego, różu i błękitu. Świat rozpływa się i znika. Wystarczyło lekko przymknąć oczy, by zobaczyć z daleka samego siebie rozpływającego się we mgle. Widziałem, jak zamieniam się w światło.

9
Wszędzie dobrze, ale w zamku najlepiej

Piątego ranka, kiedy rozniecałem na nowo ogień z żaru i kładłem kromki chleba na ruszcie, aby zrobić grzanki, przed oczami wciąż miałem dziedzińce pełne zmysłowych kształtów i kwiatów, drżące światło i milczące wzgórza. Tak wiele przestrzeni, tyle spokoju i czasu. Na odpłynięcie w dal. Na zadumę. Na wędrówkę myśli, gdzie tylko im się podoba. Być może prawdziwym luksusem naszych czasów nie są dobra doczesne, które możemy bez końca gromadzić, lecz czas. A może prawdziwą wolnością jest święty spokój. Patrzeć na wzgórza tak długo, jak się chce. Pójść na niekończący się spacer, kiedy się chce. Na każdym kroku móc podziwiać nieograniczone naturalne piękno i wiekowe cuda, które wyszły spod ręki człowieka. Może w tym leży urok Toskanii.

Krowy wróciły na nasłonecznione pastwisko, uwiązane trochę dalej wygryzały nowe kręgi w zroszonej łące. Wyglądały na zadowolone. No bo czemu by nie? W końcu miały własny kamienny domek w Toskanii. Po śniadaniu postanowiliśmy obrać nową strategię szukania dla nas miejsca. Postanowiliśmy ruszyć na północ, w okolice wzgórz Chianti.

Pojechaliśmy do Rada Di Chianti, gdzie jakaś Angielka miała podobno bardzo bogatą ofertę nieruchomości. Faktycznie, były to naprawdę okazałe miejsca, ale odwiedziliśmy je o kilkadziesiąt lat za późno. Najwspanialsze stare domy w najatrakcyjniejszych miejscach zostały już dawno temu odnowione, głównie przez obcokrajowców. Wyremontowane domy nie tylko oznaczały wygórowaną cenę, ale były nierzadko odnowione nie najlepiej lub bez polotu. Oślepiające nowością materiały mieszały się z subtelną starością, czasem wprowadzano zmiany, które kilkusetletniemu domostwu odbierały duszę i można było wyczuć tandetę i pretensjonalność przywiezione przez nowych właścicieli.

Strome wzgórza Chianti, nie tak łagodne i delikatne jak te otaczające nasze umiłowane opactwo, rzadko kiedy pozwalały na obejrzenie ukochanych przez nas krajobrazów i falującego morza wzgórz. Nieobecne było też nieskończone, migoczące światło rozpraszające całą materię przed oczami i skłaniające do odpłynięcia w senne marzenia. Po trzech dniach i wielu rozczarowaniach wróciliśmy do sokolego gniazda w Palazzuolo Alto.

Rozpadało się. Chmury ogarnęły szczyt wzgórza. Mgła pochłonęła cały świat i zostawiła nam w polu widzenia zaledwie kilka sosnowych igieł. Próbowałem przypomnieć sobie, co powiedziała Candace o darze wewnętrznego spokoju, jaki może przynieść deszcz. Jednak bez względu na to, jak mocno się starałem, na czubku wzgórza widziałem tylko nieszczęsnego frajera, bez domu w Toskanii, wpatrującego się w cholerne sosnowe igły zawieszone we mgle, która utrzymywała się od dwóch dni. Candace z radością spędzała czas na malowaniu w pracowni na parterze. Ja tymczasem siedziałem przy kominku i gapiłem się na mapę turystyczną, na której zaznaczyliśmy nazwę każdego starego domu na wzgórzach w okolicy Sieny. Żaden z nich nie należał do mnie. Czytałem nazwy na głos jak opętany. W nocy, niezmordowany, potrafiłem leżeć, podczas gdy one wirowały mi nad głową – Villanuova, Poderina, Montefresco, Bellavista – wyliczałem poszczególne gospodarstwa, tak jak inni liczą owce, dopóki mgła nie przesączyła się do środka przez szpary w oknach i nie zamazała wszystkiego dookoła.

Trzeciego dnia opadów zadzwonił telefon. Znaleziono nam dom. Przyjaciel Joyce wyszukał dla nas idealne miejsce. Zaprosił nas na obiad do swojego zamku. Mgła podniosła się, a sosnowe igły wróciły z powrotem na gałęzie.

Cudowny poranek! Jechaliśmy pustą krętą drogą prosto na północ od Palazzuolo w stronę Florencji. Powietrze przesycone było jesienną świeżością. Rozmawialiśmy o Paolu, ceramiku, właścicielu zamku, z którym mieliśmy się spotkać. Dziesięć lat temu kupił opuszczoną ruinę zamku i odnowił go z pomocą przyjaciół oraz wędrownych muzyków. Zapewniał przestrzeń koncertową i noclegi w zamian za noszenie budulca i obróbkę kamieni. To przebrało miarę. Jeśli pierwszy z brzegu garncarz był w stanie odbudować cały cholerny zamek, to ja, u diabła, mogłem wyremontować malutki domek. Czyż własnoręcznie, jako nastolatek, nie zbudowałem barki mieszkalnej, a jachtu oceanicznego po dwudziestce? Do pioruna, miałem przecież doświadczenie. Jeśli Pan Garncarek podołał zamkowi, to ja z pewnością jestem w stanie zbudować całe średniowieczne miasteczko!

Spotkaliśmy się z Paolem na placu małego miasteczka Bucine. Okazał się żywiołowym, uroczym i dowcipnym mężczyzną, na dokładkę mówił po angielsku. Natychmiast przypadliśmy sobie do gustu. Z sercami bijącymi z podniecenia ruszyliśmy z nim na wzgórza, gdzie akurat tego dnia winorośle wydobyły z siebie najintensywniejsze kolory. Zatrzymaliśmy się na środku pustkowia przed małym jednopiętrowym budynkiem, w którym, jak powiedział Paolo, na górze znajdowały się pokoje gościnne, a na dole była *cantina* – piwniczka na wino. Prowadzące do niej, zakończone łukiem drzwi stały otworem, dlatego szybko ogarnął nas chłodny powiew przynoszący zapach drewnianych beczek i bukietów dojrzewającego wina.

Olbrzymie beczki czaiły się w cieniu piwnicy, a przed nami na drabinie stał mężczyzna w naszym wieku, który skrupulatnie przepompowywał wino z kraniku u podstawy olbrzymiej drewnianej kadzi z powrotem na górę. Przywitał się, na szczęście po włosku i angielsku, i zszedł z drabiny. Wymieniliśmy uściski dłoni i przedstawiliśmy się. Przed nami stał właściciel willi, który, jak miało się niedługo okazać, był profesorem z wykształcenia i wytwórcą wina z zamiłowania.

Wytłumaczył nam, że rozgniecione winogrona fermentujące w kadzi muszą być dwa razy na dzień przepompowane, by temperatura pod kożuchem unoszącej się na powierzchni wina masy rozgniecionych owoców zbytnio nie wzrosła. Do tego dochodzą drożdże. Pompowanie napowietrza rozgniecione winogrona i moszcz, dzięki czemu drożdże, najważniejsze w procesie wytwarzania wina, mogą się mnożyć. To była moja pierwsza lekcja winiarstwa. Ogarnęła mnie fascynacja. Dobrze, ale co z domem?

Poprowadził nas na górę ciemnymi schodami, opowiadając równocześnie o tym, jak przybył w te okolice dziesięć lat temu, nie mając zielonego pojęcia o winie poza tym, że lubi je pić, i postanowił wytwarzać najlepsze wino w Toskanii. Robił wszystko inaczej niż sąsiedzi. Krzewy posadził w rzędach bardzo blisko siebie i nie używał nawozów. Jego winorośle były blade, a owoce malutkie, ku przerażeniu sąsiadów odcinał i wyrzucał kiście winogron, zanim dojrzały, „przerzedzał", aby cały cukier i minerały gromadziły się w pozostałych gronach, wzmacniając smak. Kiedy sąsiedzi skosztowali owoców w trakcie zbiorów, odebrało im mowę. Okazało się, że nie tylko zawierały więcej cukru, co gwarantowało siłę wina, ale miały złożone smaki zapewniające wyrafinowany bukiet. Dobrze, ale kiedy możemy obejrzeć dom?

Zapytał, czy mamy ochotę spróbować rocznik 1985 z jego piwniczki. Ożywiłem się. Wiedziałem, że był to wyjątkowy rok dla win francuskich. Do diabła, przecież dom może jeszcze poczekać parę łyków. Zeszliśmy po wąskich schodach do podziemnego, ceglanego składziku. Przy ścianach, aż do sufitu, znajdowały się stojaki z butelkami wina. Chwilę zajęło mu odnalezienie tej właściwej, następnie otworzył ją, nalał sobie, spróbował i nalał nam. Kolor obfitował w czerwień i brąz, bukiet emanował tajemnicą i egzotycznymi przyprawami. Wznieśliśmy kieliszki do góry, pożyczyliśmy sobie zdrowia i napiliśmy się. Wino okazało się lekkie, zmienne w smaku, bardzo złożone i angażujące wszystkie kubki smakowe. Pochwaliliśmy trunek i znowu się napiliśmy. Gawędziliśmy przyjacielsko. Okazało się, że mam pusty kieliszek. Zaproponował jeszcze odrobinę. Napiliśmy się. Wtedy wzrok mi się rozmył. Język zaczął się plątać.

– Szesnaście stopni – usłyszałem czyjś głos we mgle. – Można tak robić, jeśli się nie nawozi.

Obiecałem sobie, że nie będę nawoził, nawet jeśli poddadzą mnie torturom.

– Mam piętnaście tysięcy butelek i wszystkie zostają na wyposażeniu domu – ciągnął dalej.

– Do diabła z domem! – powiedział facet ze splątanym językiem. – Na co komu dom? Będziemy mieszkać tutaj. Wystarczy stołek, łóżko i możemy się wprowadzać teraz, od zaraz. Może nawet umrzeć. Ale najpierw... Najpierw solidnie przetrzebimy tę piwniczkę.

Usłyszałem grzeczny śmiech i poczułem szturchnięcie w bok. Gdzieś z daleka dobiegł głos przypominający o tym, że mamy obejrzeć dom.

Tak też zrobiliśmy.

Dom był do bani.

Mój umysł może był zaćmiony, ale oczy dokładnie wszystko rejestrowały i od razu spostrzegły, że dom jest beznadziejny. I to jak! Zwiedziliśmy olbrzymi, nudny blok wyjęty żywcem z czasów Mussoliniego. Wnętrze idealnie nadawało się do wyścigów na wrotkach. Dochodziło nas echo własnych słów. Miejsce miało w sobie tyle atmosfery i przytulności, co kort do gry w squasha. Dach przepuszczał wodę, zostawiając na ścianach zacieki, co przynajmniej nadawało temu wszystkiemu jakiegoś charakteru. Zadaliśmy kilka grzecznych pytań, powiedzieliśmy kilka grzecznościowych komplementów i wyszliśmy na zewnątrz, aby popatrzeć na nieistniejący widok. Nie mogłem sobie wybić z głowy myśli o winie w piwnicy. Wtedy jakiś miłosierny anioł wspomniał coś o obiedzie. Rozstaliśmy się, gospodarz dał nam w prezencie butelkę swojego najlepszego trunku. Poczułem się tak źle, że prawie oznajmiłem gotowość do odkupienia jego bunkra.

Jechaliśmy w górę stromą górską drogą. Zbliżaliśmy się do malutkiej mieściny, Paolo zaproponował, byśmy przyglądali się mijanym ludziom i powiedzieli, czy zauważyliśmy coś dziwnego. Dochodziła pierwsza po południu i ulice były tak zatłoczone, jak bywa w małym mieście, wszędzie kręciły się dzieci oraz młode kobiety i mężczyźni. Uważałem, że wszystko wygląda zupełnie normalnie. Wtedy Candace, ciągle oglądając się za siebie, zauważyła:

– Tam w ogóle nie ma starych ludzi.

– Ani trochę – przyznał Paolo.

Oniemiałem. Jeśli włoskie miasteczka mają jakąś cechę charakterystyczną, to są nią starzy ludzie.

– Odwet ze strony SS. Dziesięciu za jednego. Kiedy ruch oporu wysadził w powietrze ich samochody opancerzone i zabił jadących w nich oficerów SS, wymordowało wszystkich ludzi w miasteczku. Żaden z widzianych przez was ludzi nie urodził się przed wojną. Candace ciągle patrzyła za siebie. Zapadła długa, głęboka cisza. Słychać było tylko stękanie silnika pracowicie holującego naszą kupę metalu na wzgórze.

Przez resztę drogi nie zamieniliśmy ze sobą ani słowa. Wzgórza straciły swoje ciepło: czułem okropności i zgrozę czające się w ziemi, murach i między drzewami.

– Wszędzie dobrze, ale w domu najlepiej – oświadczył Paolo. Zło zostało zepchnięte do jednego z najdalszych zakamarków mojego umysłu. Zamek okazał się jak wyjęty z bajki.

Niewielki. Idealny dla rodziny. Dookoła małego dziedzińca wznosiła się tylko jedna wielka budowla, skromnej wielkości wpuszczona w ziemię hala koncertowa. Reszta, biorąc pod uwagę ludzką skalę, była mała. Wewnątrz ciągnęły się spirale wąskich schodów ginących w ciemnościach. Pokoje okazały się przytulne. Ściany, grube na półtora metra, wydawały się jak żywe; kamienie wybielono wapnem, by rozjaśnić wnętrza. Pomieszczenia umeblowano skąpo, w starym i poniekąd znajomym stylu; naprawdę można się było poczuć jak w domu. Nie mogliśmy przerwać strumienia najszczerszych komplementów, ale w tym samym czasie żerała mnie zazdrość. Na zamku się nie skończyło, Paolo robił wspaniałą, gigantyczną, abstrakcyjną ceramikę i piekielnie dobry sos do spaghetti.

Obiad zjedliśmy w małym pokoju w wieży, przy otwartych oknach i z wpadającymi do środka zapachami lasu. Ktoś gdzieś w zamku grał na oboju. Melodia, wzmocniona przez mury otaczające dziedziniec, wypełniała pomieszczenia. Popołudnie płynęło leniwie jak rzeczka. Wino uspokoiło mnie, rozkoszowałem się jedzeniem, zamkiem, doborowym towarzystwem i tylko od czasu do czasu wyglądałem przez okno tęsknym okiem, wypatrując między wzgórzami własnego domu w Toskanii.

10
MORZE TOSKAŃSKIE

Tamtej nocy zadzwonił telefon. To była Giovanna, najlepsza przyjaciółka Candace i współlokatorka z loftu z czasów nauki w nowojorskiej szkole artystycznej. Odwiedzała właśnie rodziców w Mediolanie i chciała przyjechać na krótko również do nas. Dni skupienia i refleksji w samotności się skończyły. Giovanna to niska blondynka o urodzie cherubina, jest na przemian albo bardzo zajmująca i wyjątkowo zabawna, albo pochłonięta sobą i strasznie nudna. Projektuje drogie buty w Nowym Jorku i pięknie maluje, ale jej prawdziwą pasją jest wychodzenie za mąż. Jak najczęściej. Kiedy skończyła dwadzieścia siedem lat, miała za sobą już trzy wesela. Pomiędzy drugim a trzecim mężem mieszkała z nami przez rok na ulicy Crosby w Soho w ogromnym lofcie, w którym zamarzaliśmy zimą i smażyliśmy się latem. Podczas dusznych letnich nocy, by wynagrodzić sobie brak świeżego powietrza, obie olśniewające, pełne wdzięku kobiety mające na sobie rolki i niewiele więcej, jeździły powoli dookoła loftu, ich ciała lśniły, a twarze promieniowały radością. Przez otwarte okna dochodziły nas hałasy robione przez śmieciarzy bawiących się aż do świtu w gry wojenne z pojemnikami na śmieci.

Giovanna miała teraz dwadzieścia dziewięć lat. Weszła do domu, odłożyła torbę na ziemię i oświadczyła z teatralną prostotą:

– Przenoszę się z powrotem do Włoch. Rozwodzę się.

– Wytrzyj nogi – odparła Candace.

– Zupełnie cię to nie rusza? – zapytała Giovanna z wyrzutem.

– Ruszy mnie, jeśli nie wytrzesz nóg – oświadczyła Candace.

– A teraz uściskaj mnie, a ja dam ci pysznej kiełbasy z dzika jako przekąskę przed obiadem.

– Niezła z ciebie przyjaciółka! Rozwodzę się, a ty proponujesz mi coś na ząb.

– Ostatni raz, kiedy się nie rozwodziłaś, przypadł cztery lata temu na Boże Narodzenie i to tylko dlatego, że przez cały dzień zajęta byłaś gotowaniem i musiało ci to wylecieć z głowy. To co, chcesz dzika czy nie?

– Dawaj.

– Wyjęłaś mi to z ust – powiedziałem.

– Jasne, naskoczcie na mnie razem – burknęła Giovanna i pomaszerowała do kominka.

– Czy to znaczy, że się do nas wprowadzasz? – dopytywałem się jak dobry gospodarz.

– Najpierw opowiedzcie mi, jaki jest dom, który kupiliście.

– Jeszcze go nie znaleźliśmy.

– Mówiłam ci o tym przez telefon, ale mnie nie słuchałaś, bo nie mówiłam o tobie – oświadczyła Candace.

Giovanna odwróciła się do mnie z uśmiechem.

– A jak tam *wasz* rozwód? – zapytała.

Napiliśmy się wina i kobiety zabrały się do gotowania. Zawsze były najlepszymi przyjaciółkami, jeszcze lepszymi, kiedy przychodziło do wspólnego gotowania. Giovanna miała rzadki talent do przyrządzania wszystkiego z tego, co miała pod ręką, wymyślała na poczekaniu potrawy, które wydawały się potem klasycznymi daniami z książki kucharskiej.

– Nie macie żadnych ziół – zauważyła, przeglądając kredens. – Wyjdę i poszukam jakichś.

Na zewnątrz było ciemno. Nie mieliśmy latarki, więc Giovanna przetrząsnęła szuflady i wyszukała pół tuzina ogarków, przymocowała je do pokrywki, zapaliła i trzymając ją wyciągniętą przed siebie na odległość ramienia, ruszyła w mrok. Trzymała się blisko rowu, co jakiś czas zatrzymywała się i zbierała coś, niczym czarodziejka odprawiająca jakiś średniowieczny rytuał. Wróciła z naręczem liści, gałązek i wysuszonych szypułek.

– Koper do gulaszu z królika, *malva, borragine*[26] oraz rozmaryn do makaronu – oświadczyła.

Zabraliśmy się do jedzenia. Włożyliśmy pokrywkę w długą szczelinę w gzymsie nad kominkiem, by pełniła funkcję kinkietu. Ponieważ brakowało nam muzyki, Giovanna zaczęła melodyjnie lamentować nad swoimi problemami; biadała nad tym, że jej trzeci mąż po pięciu latach nie pamięta, czy ona słodzi kawę; nad Ameryką, do której odmawiała powrotu, jeśli wybiorą na prezydenta mężczyznę z głosem, przy którym dźwięk skrobania paznokci na tablicy jest jak ptasi trel. Zadzwonił telefon, Giovanna podniosła się gwałtownie, przekonana, że to do niej. Nie przestawała mówić do słuchawki, dopiero po dłuższej chwili zdaliśmy sobie sprawę, że rozmawia z Joyce, której co prawda nigdy w życiu nie poznała, ale pewnie wzięłaby z nią ślub, gdyby nie stygł jej obiad.

Kiedy w końcu wróciła do stołu, oznajmiła ze spokojem:

– Wasz wymarzony toskański dom leży gdzieś pomiędzy Montepulciano i Montalcino. To najpiękniejszy zakątek Toskanii i tam będziemy szukać. Pojutrze. Ponieważ jutro zabiorę was nad swoje ulubione morze. – Usiadła i westchnęła. – Cieszę się, że znalazłam się tutaj, żeby się wami zająć.

Nagle, bez żadnego określonego powodu, zaczęła idealnie, po włosku, imitować misia Yogi i jego małego przyjaciela Bubu, co okazało się jeszcze bardziej zabawne ze względu na brak zrozumienia z mojej strony. Bezlitośnie kontynuowała występ, dopóki nie rozbolały nas ze śmiechu mięśnie policzków i uszy. Wyszliśmy na zewnątrz, by popatrzeć przez gałęzie drzew na wznoszący się księżyc.

Obudziła mnie uparta krowa mucząca gdzieś na drodze. Świtało. Zszedłem do kuchni po kawę. Dom był pogrążony w ciszy. Usiadłem, by podziwiać wyłaniający się z ciemności świat.

Zjedliśmy śniadanie ciągle rozespani, rozmawiając przyciszonymi głosami. Spakowaliśmy kostiumy kąpielowe i ręczniki – mając nadzieję, że letnie ciepło na dłużej zamarudziło w morzu – przepako-

---

[26] *Borragine* (wł.) – ogórecznik.

waliśmy ser oraz wino i ruszyliśmy w drogę, zanim wzeszło słońce. Kiedy przejeżdżaliśmy przez cmentarz, tylko koniuszki cyprysów lśniły na złoto od pierwszych promieni. Skręciliśmy na południe w okolicach Sieny. Wzgórza były tutaj niemiłosiernie suche i puste, dalej na południe stawały się coraz bardziej strome i zalesione. W korycie doliny powiał wiatr z zachodu. Giovanna opuściła szybę w samochodzie, zaczerpnęła głęboko powietrza i powiedziała:

– Czuję jod. Jesteśmy blisko morza.

Jechaliśmy niecałą godzinę. Cud nagłej zmiany otoczenia należy do jednej z nigdy niekończących się przyjemności w Toskanii. Trudno jest uwierzyć, że jeśli wyjedzie się po śniadaniu, samochodem czy pociągiem, to można dotrzeć do Wenecji, Neapolu, Portofino czy Rzymu na długo przed obiadem.

No i jest jeszcze morze. Mało kto myśli równocześnie o morzu i Toskanii, zazwyczaj łatwo przywołać w wyobraźni morze wzgórz i z równą łatwością zapomnieć o długiej linii brzegowej Morza Tyrreńskiego, pełnej olbrzymich i niezamieszkanych obszarów, ciemnych lasów sosnowych, klifów oraz średniowiecznych przystani z żaglówkami i kutrami rybackimi stojącymi na kotwicach. Maleńkie domy stojące ciasno obok siebie na wzgórzach i urwistych cyplach spoglądają w dół na przezroczystą wodę, której barwa zmienia się wraz ze wschodzącym i zachodzącym słońcem.

Jechaliśmy na południe starą rzymską drogą Via Aurellia biegnącą wzdłuż linii brzegowej oraz wysokiego pasma wzgórz porośniętych lasami. Jest to część ciągnącego się przez wiele kilometrów parku narodowego Monti dell'Ucellina, który przecinają tylko piesze szlaki, dzięki czemu na wyludnionym i bezkresnym wybrzeżu królują ptaki morskie i wiatr. Na południowym końcu wysokie urwiste wzniesienia schodzą do morza, zwieńczone ufortyfikowanym miasteczkiem Talamone – trzy tysiące lat temu zamieszkiwali je Etruskowie – a odcinający się na tle nieba zamek chroni małą przystań.

Ciągle jeszcze było wcześnie rano. Spacerowaliśmy po przystani, podczas gdy czwórka rybaków holowała skifa z podniesioną rufą w kierunku kamienistego wybrzeża. Robili to za pomocą trzech konarów w charakterze wałków oraz dżipa z czasów pierwszej wojny światowej, którego silnik wraz z każdym ruchem do przodu dusił się i parskał. Jeden z rybaków stał na rufie, dzięki czemu dziób łodzi nie podnosił się, drugi przeklinał i okładał pięściami samochód, trzeci przesuwał drewniane wałki, a czwarty z rękami na biodrach i podwiniętymi nogawkami stał malowniczo w wodzie, nie wykonywał żadnej widocznej funkcji poza tym, że starał się swoim wyglądem naśladować kogoś, kogo dawno temu zobaczył w jakimś filmie.

Przeszliśmy przez masywne mury miejskie, wspięliśmy się po wąskich i ciemnych schodach i wyszliśmy na pustą *piazza*, po której spacerował stary ksiądz podparty przez jeszcze starszą kobietę, głośno szurając nogami po rozgrzanym słońcem bruku. Wąska ulica się wznosiła. Wyszliśmy z jej cienia prosto na urwisty klif. Niebo było błękitne i czyste aż po horyzont, gdzie mgła skrywała czarujące miejsca: Korsykę, Sardynię, Elbę czy Monte Cristo. Leniwe fale chlupotały pomiędzy skałami. Dookoła słyszeliśmy wrzask mew.

– Mój Boże, ale piękne – powiedziała Candace.

– Popłyńmy gdzieś – zaproponowałem.

– Ależ dopiero co przyszliśmy – oświadczyła Candace.

– Moje życie jest w strzępach – podsumowała Giovanna.

– Tylko nie skacz, bo zepsujesz nam apetyt – odparła Candace, chwytając przyjaciółkę za ramię. Ruszyły razem w północnym kierunku, wzdłuż klifu, dalej ciągnęły się zalesione wzgórza Ucellina. Za nami wznosiła się forteca, a po przeciwległej stronie zatoki stał mały hotel, którego wiszące ogrody przywarły do klifu, tuż powyżej groźnie wyglądających skałek nazywanych szumnie plażą. Na małej kamiennej platformie znajdowało się kilka niebieskich parasoli plażowych i leżanek, ale w wodzie zobaczyliśmy tylko jednego gościa – stał w niej zanurzony po kostki.

Znaleźliśmy się z powrotem na Via Aurellia, jechaliśmy na południe w kierunku L'Argentario, górze o surowym stożkowym kształcie wyrastającej prosto z morza. Łączy się ona z lądem dwiema łachami piasku, pomiędzy którymi znajduje się laguna słonej wody, szybują nad nią mewy, a białe czaple stoją sztywno, odcinając się wyraźnie na tle zieleni lądu. Postrzępione wybrzeże usiane jest małymi willami, eukaliptusami, sosnami, osobliwymi palmami, a na maleńkich rozpaczliwie walczących o przestrzeń tarasach rośnie kilka drzewek oliwnych i winorośli. Na dachu restauracji koło drogi krępa kobieta oparła o komin koślawy napis „*Oggi, zuppa di pesce*". Dzisiaj polecamy zupę rybną. Tuż przed nami leży stary otoczony murami hiszpański fort Porto Santo Stefano.

To proste i niezbyt oryginalne miejsce. Nadbrzeże usiane jest sieciami, stertami sieci, rafami sieci, belami starannie złożonych i zawiniętych w stare szmaty sieci, ciasno związanych, jak paczki karawany szykującej się do wyruszenia w drogę. Jeszcze więcej sieci zostało rozwiniętych wzdłuż nadbrzeża i pozostawionych do naprawienia przez rybaków o rękach tak powykręcanych i guzowatych jak linia brzegu. Stragany rybne z płóciennymi daszkami stoją na zboczach wzgórza wzdłuż wybrzeża, pasiaste zasłony dają cień i osłaniają wystawione owoce morza przed słońcem. Ryby i mięczaki chełpią się najróżniejszymi kształtami oraz kolorami, jakbyśmy mieli do czynienia z nieruchomym i nazbyt dobrze uporządkowanym akwarium. Na targu można podziwiać egzotyczne, różowe *gallinella*[27] o kwadratowych głowach; małe srebrzyste tuńczyki wyglądające na superszybkie nawet po śmierci; wielkie płaskie seriole o białych brzuchach; fluorescencyjne *sgombri*[28] w tygrysie paski; brązowe *murena*[29], które ciągle łapie się w nocy przy świetle latarni; wielkookie *friturrina* przeznaczone do szybkiego smażenia w oliwie; czerwonookie i piekące się na czerwono *alici*[30] oraz *dentice*[31] o smutnych pyskach. Poza nimi na stołach kłębiły się masy ośmiornic, kalmarów, *orate*[32], *merluzzo*[33], *spigole*[34], *rombi*[35] i *bianchetti*[36]

[27] *Gallinella* (wł.) – kurek czerwony.
[28] *Sgombri* (wł.) – makrela.
[29] *Murena* (wł.) – węgorz murena.
[30] *Alici* (wł.) – anchois.
[31] *Dentice* (wł.) – morlesz.
[32] *Orate* (wł.) – okoń morski.
[33] *Merluzzo* (wł.) – dorsz.
[34] *Spigole* (wł.) – okoń.
[35] *Rombi* (wł.) – turbot.
[36] *Bianchetti* (wł.) – drobne szprotki lub śledzie przeznaczone do smażenia we fryturze.

tak małych, jak białe fragmenty naszych paznokci i sprzedawanych na drewniane łychy, oraz ryby z rodziny dennikowatych, ślimaczki *lumachine* i *scugili*, spiczaste muszle, które tak lubią zbierać dzieci. Żona jednego z rybaków zawołała:

– *Chi servo?*

Odgłos młotka uderzającego w żelazo rozbrzmiewał w powietrzu, podczas gdy trójka rybaków usiłowała założyć ucho na stalową linę. Rozbijali linę na druty, trzy razy próbowali przełożyć końcówkę, przeklinali i walili młotem, następnie wbili w nią olbrzymi rożek szkutniczy. Jeden z nich trzymał linę, drugi skręcał, a trzeci z wściekłością próbował wyprostować końcówkę, by zrobić splot. Ten, który skręcał linę, wrzasnął:

– *Giri! Giri! Giri!*

– *Giro, giro, giro, Madonna Affogata* – odpowiedział z wyrzutem mężczyzna odpowiedzialny za prostowanie. – Kręcę, kręcę, kręcę, na utopioną Madonnę!

Mieli akcent, jakby pochodzili z okolic Neapolu, a święte nazwy łodzi rybackich w rodzaju Santa Maria, Santa Lucia, Angelo Padre, Salvatore wydawały się zupełnie nie na miejscu w antypapieskiej Toskanii. Zapytałem Giovannę, czy mogłaby się wypytać miejscowych o historię okolicy. Naturalnie na to przystała.

Potężny rybak o krótkich, kręconych siwych włosach i jasnoniebieskich oczach smarujący szekle uśmiechnął się szeroko, kiedy Giovanna podeszła bliżej. Gawędzili przez chwilę, tłumaczył coś z promienną twarzą i gestykulował w powietrzu wielkimi tłustymi rękami. Kiedy wróciła do nas, widać było z jej spojrzenia, że wycieczka się opłaciła. Do zakończenia wojny miejscowość Porto Santo Stefano była senną osadą rybacką z zaledwie kilkoma skifami, które pływały po najbliższych wodach i zaopatrywały miejscowych w owoce morza. Miasteczko utrzymywało się z połowu, w niewielkim stopniu z rolnictwa oraz z przewozu towarów na okoliczne wysepki. Po wojnie, w latach pięćdziesiątych, zaczęło pojawiać się coraz więcej łodzi z południa, z Amalfi, Neapolu i Sycylii. Przypływały na kilka miesięcy, a zostawały na długie lata, za nimi z północy ciągnęły rodziny rybaków oraz ich przyjaciele, to dlatego Porto Santo Stefano rozbrzmiewało teraz głosami ludzi z Neapolu, Amalfi czy

Po prawej stronie krawędzie urwiska wychodziły na hipnotyzujące niebieskie morze, słońce znajdowało się już wysoko na niebie, poświata nad powierzchnią wody zniknęła.

Mój Boże, umierałem z głodu.

Trattoria była doskonale wpasowana w urwiste zbocze tuż przy drodze. Balansowała nad granią. Poniżej rozciągały się opadające w kierunku morza wąwozy. Wyrzeźbiona ścieżka wiła się w kierunku kilku domostw, ich mury wykonano z tego samego kamienia, który znajdował się na grani. Dachy pokryte były grubą darnią, zieloną tak soczyście jak pastwiska pod naszymi stopami. Tam gdzie morze chlupotało między kamieniami, znajdowała się nieregularna, skalista wyspa, dookoła której kłębiły się mewy. W pobliżu osłonięty od wiatru skif kładł swoje sieci.

Był koniec października i okazaliśmy się jedynymi gośćmi w restauracji. *Padrone* z rodziną jedli przy stole obok kuchni. Pożyczyliśmy im „*Buon appetito*", Giovanna dodała „Przysłał mnie Andrea" takim tonem, jakby przedstawiała bilet wstępu. Imię musiało wywrzeć wrażenie na gospodarzach, ponieważ wszyscy natychmiast wytarli usta, a *padrone* podał nam dłoń, mówiąc „*Benvenuti*". Następnie usadził nas przy stole, który wydawał się zawieszony w powietrzu przy palmie. Usiedliśmy ostrożnie. Nalano nam po kieliszku dobrego *spumanti*[40] Banfi i podano niezamówioną – pewnie ze względu na głód widoczny w naszych oczach – tacę wspaniale zróżnicowanych ciepłych owoców morza. Być może zawsze tak dobrze tutaj gotowali, a może nie chcieli zawieść Andrei, w każdym razie podane nam dania były niezwykle świeże, proste, ale równocześnie pełne naturalnych morskich smaków.

Po ciepłym antipasto podano *insalata di mare Toscana*, chłodną sałatkę z owoców morza, wspaniałą mieszankę małży, omułek, kalmarów, ciepłych kawałków ośmiornicy oraz wielkich świeżych krewetek prosto z muszli, wszystko to gotowane na parze, a następnie polane oliwą i świeżo wyciśniętym sokiem z cytryny. Do tego dodano czarne oliwki, czosnek w plasterkach, pokrojoną w drobną kostkę żółtą i czerwoną paprykę oraz świeżo posiekaną pietruszkę.

---

[40] *Spumanti* (wł.) – wino musujące.

Naprawdę nie potrafię przypomnieć sobie, kiedy w jednej potrawie odnalazłem bardziej zróżnicowane i delikatne smaki. Przyniesiono nam także wytrawne białe wino z Elby. Błagalnym tonem poprosiliśmy o chwilę wytchnienia i skosztowaliśmy wina. Przypatrując się morzu, zamówiliśmy makaron. Razem z Candace zjedliśmy nasze ukochane *spaghetti alle vongole*, a Giovanna poprosiła o *fettuccini alla seppia nera*, czarny makaron z mątwą, która zaczerniła jej język, zęby i usta.

– Czarne jak moje serce – powiedziała.

– Zamknij jadaczkę i jedz swoje paskudztwo, jak przystało na grzeczną dziewczynkę – oświadczyła Candace.

Następnie podano nam olbrzymie *dentice* z grilla o zamyślonym obliczu, *verdura alla griglia* i delikatnie przypieczone oraz polane oliwą małe *porcino*. W końcu wyszliśmy na rozgrzany słońcem taras, gdzie napiliśmy się espresso i grappy. Mój Boże, życie jest wspaniałe. Powiała popołudniowa bryza, a wspaniałe słońce tańczyło w najlepsze na morskiej tafli. Rybak przyholował swoje sieci, nie zarzucił kotwicy, tylko pozwolił wiatrowi zepchnąć się z powrotem w kierunku zatoki. Mewy znikały raz po raz pod powierzchnią małych fal tworzących się na krańcu wyspy.

Właściciel gawędził z Giovanną, odprowadził nas na zewnątrz i się pożegnał.

– Powiedział mi o tajemniczej zatoczce, do której zbiegła niegdyś żona jakiegoś hiszpańskiego generała ze swoim kochankiem – powiedziała Giovanna.

Zaczęliśmy schodzić stromą ścieżką. Wydawało mi się, że zajmuje to wieczność. W końcu znaleźliśmy się w malutkiej zatoczce, właściwie to raczej szczelinie pomiędzy dwoma wypiętrzeniami. Na plaży leżały kamienie wygładzone przez fale. Był odpływ. Dookoła nagrzane słońcem skały. Trafiliśmy na łagodne wgłębienie, usiedliśmy, opierając się plecami o wygrzane zbocze. Przymknęliśmy oczy. Otaczała nas błoga cisza.

– Wiecie co – rozpoczęła wreszcie Giovanna. – Wiem, że powinnam być wzburzona, ale nie czułam się tak...

– Och proszę, zamknij się! – uciszyła ją Candace.

11
PODAJ CEGŁĘ

Spaliśmy jak zabici, ale wstaliśmy ogarnięci żądzą polowania na dom. Ledwo słońce zaczęło wspinać się nad wzgórza, my zjeżdżaliśmy już w dół w zamgloną dolinę. Postanowiliśmy rozpocząć poszukiwania od Montepulciano, a następnie przesunąć się na zachód przez Pienza w kierunku Montalcino. W przewodniku Michelin drogę zaznaczono na zielono, co oznaczało, że okolica jest wyjątkowo piękna. Gdybyśmy nic tam nie znaleźli, byłem gotów przenieść się do Sarasoty i zająć się grą w kule. Zostały nam zaledwie dwa tygodnie.

Mgła się zagęściła. Traktory, trzykołowe ape i fiaty cinquecento pojawiały się i znikały nagle na drodze. Po minięciu miejscowości Torrita poczułem, że droga pod nami zaczyna się wznosić, a mgła przerzedzać, blade słońce zmieniło kolor na różowy. Znaleźliśmy się ponad poziomem mgły, szczyty wzgórz wyłaniały się przed nami jak wyspy na morzu. Ponad nimi górowały i lśniły w porannym słońcu fortyfikacje, wieże kościelne i kopuły – Montepulciano było skąpane w migoczącym świetle.

Okolica należała do najpiękniejszych, jakie widzieliśmy, wzgórza były tak łagodne i przyjazne, jak te prowadzące do opactwa, a do tego wyglądały na jeszcze bardziej zielone. Wysiedliśmy z samochodu przy parku, w którym trzech starszych mężczyzn grało w *bocce* tuż przy murze fortecznym. Na kamiennej ławce bez oparcia młoda dziewczyna siedziała okrakiem na kolanach swojego chłopaka i obsypywała jego usta pocałunkami, nie kryjąc się przed nami, starszymi mężczyznami ani resztą świata. Życie było po to, by się całować.

Na piechotę ruszyliśmy na wzgórze, w kierunku groźnych murów miasta. Za plecami zostawiliśmy pasiastą fasadę z trawertynu, należącą do czternastowiecznego kościoła Sant'Agnese, a przed nami wyłaniały się spiralne, wąskie uliczki z mistrzowsko wyrzeźbionymi futrynami i wspaniałymi oknami. Fasadę jednego z *palazzo* zdobiły etruskie płaskorzeźby, tablice i urna.

Od uliczek odchodziły jeszcze węższe alejki, *vicoli*, czasem ze sklepieniami, na których wyrastały kolejne budowle. Niektóre skręcały, wznosząc się w kierunku słońca, a inne nikły pomiędzy dryfującymi niżej strzępami mgły. Wspinaliśmy się dalej. Serce waliło mi jak oszalałe. Minęliśmy kolejny kościół z wytartymi, nieregularnymi schodami, cudowna renesansowa trawertynowa fasada wyrastała z prawej strony. Weszliśmy do środka. Kościół był pusty. W niszy leżał naturalnej wielkości posąg zmarłego Chrystusa. Ciernie były olbrzymie, a krople krwi wielkie. Tuż za nim ujrzeliśmy Madonnę w niebieskiej szacie, w jej piersi tkwiły sztylety wielkości noży kuchennych symbolizujące ból.

Na ulicy podnosiła się mgła. Co chwilę wyłaniali się z niej i znikali gdzieś ludzie. Wzdłuż ulicy przycupnęły malutkie sklepiki i zakłady: warzywniak, fryzjer, mięsny, tysiąc i jeden drobiazgów, obuwniczy, pasmanteria. Jedynie mały zakład szewski tętnił życiem. Szewc usadowił się na kowadle w kształcie buta obok sterty obuwia, a dwa kroki dalej przy ścianie siedziała czwórka mężczyzn pogrążonych w żarliwej dyskusji. Kółko wzajemnej adoracji u szewca. Giovanna raz po raz pytała przechodniów o *immobiliare*, pośrednika. Ludzie wzruszali ramionami, mówili, że im przykro, ale nie mogą nam pomóc. Szliśmy dalej.

Stary mężczyzna siedzący w małym pokoju na poziomie ulicy oplatał szklany gąsior wikliną. Zza wielkich drewnianych drzwi wiodących do *cantina* dochodziło chłodne powietrze przesycone zapachem wina. Wewnątrz, w mroku, ciągnęły się nieskończone rzędy beczek. *Cantina* wykopano we wzgórzu na olbrzymich głębokościach. Giovanna dowiedziała się, że całe miasto leżało na gigantycznym plastrze miodu złożonym z połączonych ze sobą tuneli, sekretnych korytarzy, podziemnych magazynów, dróg ewakuacyjnych, grobowców, podziemnych studni i bezdennych pułapek. Nagle jej twarz pojaśniała: *geometra* – ktoś w rodzaju budowlańca i projektanta – może wiedzieć coś o starych domach na sprzedaż. Niemal biegiem ruszyliśmy na poszukiwanie jego biura, zadzwoniliśmy do drzwi, ale nikt nie otworzył. Ktoś wyszedł z wypełnionego papierosowym dymem baru, w którym mężczyźni grali w karty, i powiedział, że Geometra Lenni się dzisiaj nie pojawił. Podał nam jego numer telefonu. Poczuliśmy zapach zwycięstwa.

Wspinaliśmy się dalej. Długa kręta główna ulica Il Corso wiodła do rozległej *piazza* na szczycie wzgórza. Po dwóch stronach placu stały okazałe *palazzi*, narożna arkada oraz romantyczna rzeźbiona studnia zwieńczona podobiznami gryfa i lwa. Na północy wznosił się zamek z elewacją z trawertynu i wieżą zwieńczoną blankami. Na zachodzie szerokie schody wiodły do perły w koronie, Il Duomo – katedry z szesnastego wieku. Jej fasada zapierała dech w piersi. Była wyjątkowa. Niezapomniana. Wszystko dlatego, że katedra właściwie w ogóle nie miała fasady, tylko nierówną ceglaną ścianę pełną karbów, dziur, występów, związaną byle jak zaprawą i oczekującą na cudowną elewację z mozaiki lub marmuru, która po prostu jeszcze nie zdążyła się pojawić. Od pięciu stuleci. Po co się spieszyć? Kocham Toskanię.

Mały dzieciak z grzywką wpadającą do oczu odbijał kauczukową piłeczkę o ścianę pod arkadą, dźwięk niósł się po placu jak wystrzały armatnie. Wędrowaliśmy między budynkami w nadziei, że znajdziemy jakiś punkt widokowy, skąd będzie można podziwiać okolicę, jednak w gąszczu zaułków i krętych uliczek nie udało nam się nic takiego znaleźć. Giovanna, sfrustrowana z powodu braku jakichkolwiek postępów, odwróciła się do chłopaka i krzyknęła głośno.

– *Ora basta, per la Madonna! Tu mi fa sorda!* – Dość tego! Zaraz ogłuchnę!

Chłopak przestał rzucać piłeczką i odwrócił się do Giovanny. Przygotowałem się na ciętą i złośliwą ripostę. W wielkich oczach chłopca malowała się życzliwość, odpowiedział z niemal wyczuwalną pokorą:

– *Mi scusi Signora. Uno si dimentica.* – Pani wybaczy. Zdarza się zapomnieć.

Następnie Giovanna zapytała go grzecznie, gdzie możemy znaleźć miejsce widokowe na dolinę. Jego twarz rozjaśnił uśmiech.

– *La* – powiedział, wskazując wieżę wyrastającą prosto do nieba. – *Venite!* – dodał i puścił się biegiem przed siebie. Podążyliśmy za nim.

W zamku z wieżą mieścił się ratusz, w większej części pusty, w jednym pokoju piętrzyły się stosy papierów, w innym stały stare krzesła, a gdzie indziej siedział *vigile urbano* – strażnik miejski – pogrążony w lekturze dziennika „Tutto Sport" drukowanego na różowym papierze. Weszliśmy na szerokie, wytarte, kamienne schody, a potem następne i następne, chłopak gestem nakazał nam zachować ciszę. Otworzył na oścież małe drzwi z tabliczką z ręcznie wykaligrafowanym napisem *„Pericolo di crollo"*. Weszliśmy do środka i zamknęliśmy za sobą drzwi. Otoczyły nas ciemności. Promienie światła dobiegające z góry oświetliły leżący na ziemi gruz oraz bardzo strome drewniane schody. Stopnie trzeszczały i sypał się z nich kurz.

– *Venite.* – Z mroku dobiegł nas szept chłopaka.

Szliśmy dalej za nim. Schody jęczały z bólu pod naszym ciężarem. Po omacku wspinaliśmy się na górę, nie robiło się ani trochę jaśniej. Zatrzymaliśmy się, by zaczerpnąć tchu.

– Co było napisane na drzwiach? – zapytałem szeptem.

– Niebezpieczeństwo zawalenia – odparła Giovanna.

– Matko Boska! – syknąłem. – Zginiemy.

Szliśmy dalej z mozołem. Schody jęczały. Starałem się stawiać kolejne kroki tak lekko, jak to możliwe. Usłyszeliśmy gruchanie gołębi. Robiło się coraz jaśniej. Stopnie lepiły się od gołębich odchodów.

– Jesteśmy w raju – oświadczyła Candace.

– Możliwe – odpowiedziała Giovanna. – Daleko już nie mamy.

Gołębie nad nami wpadły w panikę i wzbiły się w powietrze, spadł na nas deszcz piór i kurzu.

– *Che bella!* – krzyknęła Giovanna.

Wydostaliśmy się na zewnątrz i znaleźliśmy na szczycie świata. A dokładniej na najwyżej wyniesionym miejscu w promieniu ponad trzydziestu kilometrów. Na wschodzie majaczyły szczyty Apeninów, na zachodzie widać było wygasły wulkan, a przed nami, jakby zagubiona w czasie, rozciągała się magiczna dolina pełna pagórków wzgórz usianych winnicami, gajami oliwnymi, polami, stawami i wijącą się pomiędzy starymi domami i cyprysami zakurzoną drogą, jakby żywcem wziętą z dziecięcego obrazka. Droga przebiegała obok ostatniego zamieszkanego domu i schodziła w dolinę, okrążając ruiny, młyn, wieżę, przecinając potok, aby wznieść się i biec, zakręcając, do miasteczka na wzgórzu oddalonego od nas o kilkanaście kilometrów.

– Przenoszę się tutaj – oświadczyła Giovanna.

– Po moim trupie – odparła Candace. – Dolina jest moja.

– Jakim prawem? – jęknęła Giovanna.

– Takim, że stoisz przy parapecie, a ja zaraz za tobą.

To załatwiło sprawę.

– *Signora, posso?* – Proszę pani, czy mogę?, zapytał chłopak, który wychylał się przez okno wychodzące na *piazza*. W ręku trzymał uniesioną piłeczkę, na twarzy malował się ostrożny uśmiech. Spojrzeliśmy w dół. *Piazza* wyglądała jak z innego oddalonego świata, *vigile urbano* w białej czapce z daszkiem z różową gazetą pod pachą szedł powoli w kierunku kiosku. Dzieciak patrzył prosząco na cesarzową Giovannę, której najdrobniejszy gest mógł wysyłać do boju armie. Kiwnęła głową.

– *Buttalo.* – Rzuć, powiedziała.

Chłopak rozpromienił się i rzucił kauczukową piłeczkę. Cisnął ją z całej siły. Piłka poszybowała w powietrzu, przeleciała ponad nurkującymi gołębiami, w kierunku cierpliwej ceglanej fasady, w końcu zaczęła spadać i nabierać coraz większej szybkości, niczym jastrząb celujący w ofiarę.

– Pójdziemy za to do więzienia – uznałem.

Piłeczka dotarła do celu i trafiła tuż obok rozespanego *vigile*. Uderzenie rozbrzmiało echem jak grzmot. Strażnik podskoczył jak oparzony, wyrzucając w górę ramiona, jakby chciał wzbić się w powietrze. Strony różowej gazety upadły na ziemię. Mężczyzna ryknął, spojrzał prosto na nas i znowu ryknął.

– *Angelo, tu maledetto strullo, vagabondo imbecille, se io ti chiappo.*

Ale Angelo schował się za murem. *Vigile* kontynuował swój imponujący wywód. Strażnik najwyraźniej ignorował naturalną potrzebę oddychania, aż do chwili, kiedy Giovanna wychyliła się przez okno, pomachała mu i posłała piękny uśmiech. Kiedy *vigile* wreszcie przerwał, krzyknęła:

– *Mi scusi, Brigadiere, mi è scivolata dalle mani.* – Przepraszam pana, panie brygadierze, wypadła mi z ręki.

Vigile spojrzał na nią z żądzą mordu w oczach, rozważył niewiele wyjść z sytuacji, wreszcie uniósł czapkę i skarcił Giovannę.

– *Un po' d'attenzione, Signora. Mi raccomando!*

Następnie odwrócił się na pięcie i ruszył w stronę baru.

– Jesteś w porządku, Gio. Możesz zamieszkać w mojej dolinie, jeśli chcesz – oświadczyła Candace.

Vigile zatrzymał się w pół kroku, odwrócił się i wrzasnął z radością:

– *Le scale crollano sotto di voi!*

– O co mu chodziło? – dopytywaliśmy się Giovanny.

– Powiedział, że schody zawalą się pod naszym ciężarem – odparła. – Podajcie mi cegłę.

Mgła zniknęła. Słońce płonęło na czystym, błękitnym niebie. Dookoła falowały dachy pokryte dachówką o różnorodnych odcieniach. Rzędy domów, ściśle przylegających do siebie przy krętych uliczkach, nigdy nie miały wspólnych dachów, zawsze gdzieś pojawiał się występ lub wyniesienie wynikające z nierówności terenu. W każdym wolnym miejscu posadzono drzewa, winorośle lub ogrody warzywne. Wszędzie było pełno fortyfikacji, kościołów i wieżyczek. W mieście zamieszkanym przez dwa tysiące dusz naliczyliśmy siedem kopuł lub wież kościelnych. Ta najbardziej okazała, należąca do kościoła San Biagio zaprojektowanego przez Sangalla, leżała poza murami miasta.

W budynku kościoła zawierała się idealna harmonia i rytm, tak prosty, jakby zbudowano go z dziecięcych klocków: sześcianów, łuków, piramid, wielkiego walca oraz kopuły. Stary trawertyn wydawał się połyskiwać, na zielonym tle roślinności fasada wyglądała jak klejnot. Kościół wzniesiono na planie równoramiennego krzyża, ze środka wyrastała kopuła, której dorównywała wysokością wolno stojąca i smukła jak igła *campanile*[41]. Sangallo zaprojektował cztery iglice, po jednej na każdym z krańców krzyża, ale skończyło się na planach, może matka powiedziała mu *„Piano, con calma.* Budujesz kościół, a nie tort urodzinowy". Architekt musiał się powstrzymać i stworzył coś pięknego.

Raz jeszcze rzuciłem okiem na wijącą się drogę gruntową, stawy, małe gospodarstwa położone tak blisko miasta w dziewiczej przestrzeni. Mój wzrok padł na dom wyjęty prosto z moich snów. Był to ostatni zamieszkany dom przy drodze, mały, bezpretensjonalny, samotny budyneczek na grzbiecie wzgórza w środku doliny, otoczony cyprysami i owalnym pierścieniem zarośli, z winnicą po jednej stronie i położonym wyżej stawem. Jednak jakiś facet z sekatorem musiał się dostać tam wcześniej. Gospodarstwo wyglądało na świetnie utrzymane, a przynależąca do niego ziemia była zadbana. Z trudem odwróciłem wzrok.

Pojechaliśmy na zachód. Droga była wąska, zbudowana tylko w jednym celu – aby wyeliminować odcinki proste. Przewodnik Michelin oznaczył ją nie bez przyczyny, ciągnęła się w końcu przez najbardziej malowniczą część toskańskich wzgórz, z okien samochodu roztaczały się piękne, panoramiczne widoki, mogliśmy oglądać ruiny, zamek i stary wulkan. Pienza okazała się małym klejnotem. Była mniejsza i bardziej przyjazna od Montepulciano, brakowało jej może tajemniczości, której pożądali ludzie w codziennym życiu. Na jej korzyść przemawiała przyjemna, zatłoczona *piazza* z *duomo*, ratuszem i kuszącym loggią Palazzo Piccolomini z chłodnym, wysokim dziedzińcem i magicznym wiszącym ogrodem oraz stary

[41] *Campanile* (wł.) – dzwonnica.

wulkan za murami miejskimi. Być może moglibyśmy mieszkać w takim miasteczku? Może udałoby się znaleźć nam stare *palazzo* z malutkim, ogrodzonym murem ogrodem, studnią, kwiatami i stołem pod drzewem, położonym w pobliżu sklepików, kawiarni, barów, chłodnych w lecie kościelnych wnętrz, przytulnej *piazza*, gdzie moglibyśmy, gawędząc z przyjaciółmi, spędzać ciepłe wieczory. Wyglądało to wszystko na równie dobre rozwiązanie jak dom na wsi. Przynajmniej dopóki nie wyjechaliśmy poza miasto.

Znaleźliśmy miejscowego *geometra* i wypytaliśmy, czy w okolicy nie ma jakichś nieruchomości na sprzedaż. Nic. Dzwony wybiły jedenastą. Najwyższy czas, aby rozpocząć przygotowania do obiadu. W sklepach zaopatrzyliśmy się we wszystko, co potrzebne było na piknik, i wyjechaliśmy za miasto w poszukiwaniu odpowiedniego miejsca.

– Skręć tutaj – powiedziała Candace, wskazując ledwo stojący budynek przy skrzyżowaniu. Mała, pogięta i zardzewiała tabliczka głosiła „Sant' Anna in Camprena, 5 km". Przewodnik wspominał o opuszczonym czternastowiecznym klasztorze. Wiele lat później nakręcono tutaj sceny do „Angielskiego pacjenta".

Zbliżaliśmy się do linii drzew. Droga falowała i wiła się w cieniu. Dookoła ruiny. Średniowieczna wieża z niewiadomych powodów wznosiła się pośrodku kotliny; był też mały opuszczony klasztor, zabudowania gospodarcze, ciemne lasy. Droga gruntowa stawała się coraz bardziej zarośnięta. Pozostały dwa wyjeżdżone pasy ziemi wiodące pod górę do Sant' Anna. Po obu stronach stróżowały olbrzymie cyprysy. Na końcu drogi, w samym środku głuszy, wyrastały klasztorne zabudowania. Po drugiej stronie stał niski murek, a za nim, za gajem oliwnym, na zachodzie, rozciągał się ocean spokoju – pusty i łagodny. Zatrzymaliśmy się pod cyprysami. Ani żywej duszy. Zupełna cisza. Na dole położone było skulone skrzydło klasztoru. Ani śladu ludzkiej obecności. Za kutą bramą zamkniętą na zardzewiały łańcuch znajdował się wspaniały ogrodzony murem ogród z okrągłą sadzawką z nenufarami, do środka przedarła się wysoka trawa i kwiaty polne. Gdzieś z oddali doszedł nas dźwięk dzwonów kościelnych. Tutaj wielkie dzwony wisiały w klasztornej wieży, pogrążone w ciszy i zadumie. Zbliżało się południe.

Zabieramy kosz z jedzeniem oraz koc i pokonujemy niski murek. Wchodzimy do rosnącego na lekkim wzniesieniu sadu, skąd możemy podziwiać okolicę. Otaczają nas bardzo stare, poskręcane pnie i konary drzew oliwnych. Jak to możliwe, że żyją bez kory, z pustymi i powyginanymi pniami? Gaj jest zarośnięty trawą. Rozkładamy koc pod jednym z drzew, częściowo w cieniu – dla Candace i częściowo w słońcu – dla Giovanny. Wyjmujemy rzeczy z kosza i otwieramy butelkę wina. Rozkładamy mięso, sery, oliwki i pomidory na talerzach, łamiemy rękami chleb i okrągłe obwarzanki nazywane *ciambella*. Wino rozlewamy do szklaneczek, napój lśni w słońcu kasztanową czerwienią. Wznosimy toast za dni takie jak ten. Zabieramy się do jedzenia. Potem wznosimy toast za jedyny prawdziwy kościół rzymskokatolicki, który przemyślnie przywłaszczył sobie najpiękniejsze miejsca w Toskanii, a następnie opuścił je specjalnie dla nas. Pijemy dalej, już bez toastów. Jakże to wino lśni w promieniach słońca. Zabieramy się do *mille foglie*, cienkiego ciasta z kremem budyniowym posypanego cukrem pudrem. Giovanna wznosi po włosku toast za misia Yogiego i Bubu. Parskamy śmiechem, cukier puder ląduje nam na twarzach. Pijemy zdrowie cukru pudru.

Powietrze drży od przenikliwego dźwięku wydawanego przez cykady, które pomyliły cień drzew z nocą.

Kiedy zbliżamy się do łagodnych wzgórz Montepulciano, jest już dobrze po południu. Kępa cyprysów, może z trzydzieści drzew, mocno wybija się na tle zaoranych wzgórz. Kilka drzew, pojedynczych lub w parach, rośnie na szczytach wzgórz, kłując niebo.

Wjazdu do miasta strzeże dwunastowieczna forteca, ale obok niej wyrasta wzgórze, z którego można byłoby bez większych problemów od świtu do zmierzchu ostrzeliwać miasto. Wjeżdżamy do spokojnego miasteczka ze stromymi *vicoli* i oszałamiającą liczbą ogrodów oraz zieleniących się parków. Nie ma ono jednak szans konkurować z Montepulciano i rozciągającą się poniżej zagubioną doliną. Ponieważ piliśmy miejscowe brunello, postanowiliśmy zaopatrzyć się w większą ilość. Cudownym zbiegiem okoliczności właściciel *enoteca*, sklepu z winami, zajmuje się też pośrednictwem w handlu nieruchomościami i pokazuje nam zdjęcia dwóch miejsc, jednego w pobliżu głównej drogi, drugiego leżącego w parowie. Dziękujemy mu grzecznie.

Na *piazza* obok olbrzymiej wieży trafiamy do doskonałej kawiarni o stuletniej tradycji z gigantyczną *loggia* i stołami pod parasolami. Siadamy i zamawiamy *spremuta*, świeżo wyciśnięty sok z pomarańczy. *Piazza* powoli wypełnia się wieczornymi spacerowiczami. W kawiarni pojawia się coraz więcej gości. Cienie robią się coraz dłuższe, dobrze widoczne na bruku. Dzieciaki z plecakami wracają ze szkoły i wspinają się na górę, między sobą kopią zgnieciony papierowy kubek. Wrzeszczą raz po raz.

– *A me! A me!*

Wracamy do domu skąpani w promieniach zachodzącego słońca. *Ti ammazzo* siedzi na schodach i w milczeniu karmi lalkę łyżką. Zasiadamy do cichej kolacji. Giovanna wyjeżdża następnego dnia rano.

– Będziecie za mną tęsknić – mówi.

– Chodźmy wysadzić w powietrze trochę kasztanów – odpowiada Candace.

Zawozimy ją na pociąg, otoczeni poranną mgłą. Wydaje się, jakby było zimniej, niż jest w rzeczywistości. Na małej stacji spotykamy ludzi z obsługi oraz kilku mężczyzn w wełnianych płaszczach i jedwabnych szalikach udających się do Florencji. Giovanna dzwoni do *geometra* w Montepulciano, ale jest jeszcze za wcześnie i nikt nie podnosi słuchawki. Pociąg ma opóźnienie. Cały skład to tylko trzy wagony z zapalonymi w przedziałach światłami. Żegnamy się i ściskamy. Giovanna znajduje miejsce i otwiera okno. Pociąg rusza, a ona wychyla się do nas. Nagle na jej twarzy pojawia się wyraz zatroskania.

– Hej, w przyszłym tygodniu masz urodziny, gdzie wtedy będziecie? – krzyczy do mnie.

– W przytułku – odkrzykuje Candace.

Giovanna się śmieje. Wiatr rozwiewa jej blond włosy, które wpadają jej w nieładzie na twarz. Wkrótce znika we mgle razem z pociągiem.

12
La Marinaia

Wracamy szybko do domu. Zaczynam czatować przy telefonie i zbieram się na odwagę, aby po raz pierwszy odbyć rozmowę telefoniczną po włosku. Jeśli istnieje coś bardziej przerażającego od rozmowy w obcym języku, to jest to rozmowa w obcym języku przez telefon. Gorzej, jeśli jesteśmy zmuszeni do skorzystania z telefonu, gdzie jakość dźwięku płynącego ze słuchawki jest porównywalna z grzechotaniem puszek po paście do butów połączonych ze sobą miedzianym drutem, którymi bawiliśmy się w dzieciństwie. Trzask, syk, więcej trzasków.

– *Pronto, pronto* – mówi głos zza grobu.

Nauczyłem się na pamięć gładkiego otwarcia. Głos odpowiada. Nic nie rozumiem. Pytam go, czy w nieskończonym miłosierdziu Madonny mówi po angielsku.

– *Niente.*

– Po francusku?

– *Nulla.*

– Po węgiersku?

Śmieje się. Wydaje mi się, że mówi, że jeśli będę mówił powoli po francusku, to zrozumie, o co mi chodzi. Odpowiadam mu po francusku, że jeśli będzie mówił powoli po włosku, to być może też go zrozumiem, zwłaszcza jeśli przestanie trzeszczeć i syczeć. Głos się śmieje.

To działa!

Głos należy chyba do młodego człowieka, który podchodzi do życia na luzie i nie stroni od śmiechu; to dobry znak. Rozmawiamy o niczym, ja mówię po francusku, a on po włosku. Mówię mu w końcu, czego dokładnie szukam, na co powoli odpowiada.

– *C'è qualcosa*. – Coś się znajdzie. – Kiedy może pan przyjechać?

Ledwo kończy zdanie, a silnik matry już ryczy. Spod kół prysnął żwir, kiedy wyjechałem na drogę. Candace zostaje w domu, musi nadrobić trzy dni wolnego od pracy nad sztalugą. Po mgle nie zostało ani śladu. Matra wznosi się nad powierzchnią szosy. Ostro biorę zakręty, ale samochód dobrze trzyma się drogi. W połowie zakrętu dociskam hamulec, serce wskakuje mi do gardła i szykuję się na kolejny. Guzik mnie obchodzi, że kręta droga wymusza wolne tempo – w końcu muszę znaleźć dom. Po półgodzinnej jeździe, daleko między chmurami wyrastają pierwsze zabudowania Montepulciano. Zaczyna padać, kiedy zanurzam się w ostatnim wąwozie. Matrę zaczyna znosić na zakrętach, ale trzyma się nawierzchni. Miasto znika w nisko zawieszonych chmurach. Pokonuję ostatnie wzgórze.

Park jest opustoszały. Brakuje kochanków obejmujących się w deszczu i graczy w *bocce*. Zapomniałem zabrać parasol, wyciągam więc stary płaszcz i kapelusz, które kupiłem w sierpniu wiele lat temu w hrabstwie Cork. Tam też udało mi się znaleźć starą wieżę do kupienia, ale zniechęciłem się, kiedy razem z Candace pospiesznym krokiem uciekaliśmy przed mżawką. Spotkaliśmy wtedy rolnika, który popychając taczkę, powitał nas słowami: „Piękny dzionek dzisiaj mamy, prawda?". Ujęło mnie jego podejście do życia, ale nie pogoda.

Ulice są puste. Tylko mały gnom ze skwaszoną miną stoi w drzwiach swojego opustoszałego sklepu z winami. Nad ulicami zawisła lekka mgiełka. Biuro *geometra* Lenniego znajduje się na drugim piętrze starego *palazzo*. Mężczyzna jest wielki i młody. Marco Lenni – silny uścisk dłoni i szeroki uśmiech. Zasiadamy przy stole, zaczynamy rozmawiać i bardzo szybko przyzwyczajamy się do porozumiewania w dwóch językach, od czasu do czasu sprawdzając tylko, czy dobrze się zrozumieliśmy.

Opowiadam o domach, które już widziałem, wymieniam, jakie miały wady, nie po to by krytykować, ale by dać mu pojęcie, czego dokładnie szukamy: Toskanii tak nieskazitelnej jak tylko możliwe. Nie życzymy sobie niechlujnego remontu, za który zresztą będę musiał najpierw zapłacić, by potem zdemolować wszystko i wykonać go po raz drugi. Marco przytakuje.

Następnie zaczyna mówić, że ma na oku coś interesującego. Dom odnowiony z dużą dbałością o detale, w doskonałym guście i gwarantujący oryginalność. Wolno stojący. Wyjątkowa cisza i cudowne widoki. Błagam go, by pokazał mi zdjęcie, rysunek, cokolwiek. Nic przy sobie nie ma. Zanosi się na kolejny wydumany dom. Ale, ale, może po prostu się tam przejedźmy?, proponuje. Zrywam się na równe nogi.

Opuszczamy miasto, jedziemy wzdłuż wałów, z powrotem podjeżdżamy pod wzgórze, nie jestem w stanie określić, gdzie jesteśmy ze względu na mgłę. Gdyby tylko chmury się przerzedziły, to podobno mógłby mi z daleka pokazać dom stojący pośrodku doliny. Serce mocno mi bije. Nie śmiem myśleć, że to może być to, że to może być ten dom, dom, o którym... Nieważne. Wysiadamy z samochodu. Mgła jest tak gęsta, że ledwie dostrzegamy dachy. Wyczuwam jednak coś swojskiego, serce bije mi coraz mocniej.

– *Una vista splendida* – mówi Marco i wybucha niewymuszonym śmiechem.

Zjeżdżamy w dół przez chmury. W miarę jak jesteśmy coraz niżej, mgła się przerzedza. Mijamy otoczony murem ogród i wał dookoła cmentarza. Skręcamy w boczną drogę.

– *Mon dieu*! – wyrywa mi się. Przed nami we mgle rozciąga się długa aleja cyprysów – każde z drzew zostało zasadzone, by uhonorować żołnierza, który nie wrócił do domu po pierwszej wojnie światowej. Na jej końcu, jaśniejąc w obramowaniu drzew cyprysowych, wyrasta kościół San Biagio. Widać dobrze jego kopułę i *campanile* oraz ściany o cielistym kolorze.

Krajobraz zmienia się na typowo wiejski. Pogrążone w chmurach wały i miasto pozostawiamy za sobą. Niecałe dwa kilometry dalej skręcamy w drogę gruntową, która opada w dolinę. Czuję się jak u siebie. Cichnę. Rozpoznaję pierwsze gospodarstwa po prawej stronie, ale nie śmiem o nich myśleć, by nie zapeszyć. Ciągle jedziemy. Jeszcze więcej znajomych zabudowań. A potem staw.

Zaczynam się pocić. Przy winnicy muszę opuścić szybę w samochodzie. Marco zwalnia.

– *Ce n'est pas vrai*[42] – wykrztuszam.

Skręca w wąską dróżkę, dom ma własny podjazd, z kępami trawy pomiędzy koleinami. Jest tutaj wszystko: cyprysy, dobrze utrzymany ogród, owalny pierścień zarośli dookoła. I dom. Mój Boże, co za dom. Około dziewięćdziesięciu metrów przed nami stoi otulony drzewami dom. Mały dom, o którym marzyłem, stojąc wczoraj na wałach. Jest pięknie odnowiony, z zachęcającą *piazzetta* wykonaną z ręcznie formowanej cegły, trejażami ze stojącym pod nimi stołem, porośniętymi gąszczem winnych pnączy jaśniejących złotem nawet we mgle. Schodzimy po stopniach wykutych w zboczu. Lśniące zielone liście i czerwone jagody *corbezzola* otulają nas niczym płaszcz. Do tego dochodzą krzewy jabłek granatu z niesamowitymi owocami wyglądającymi jak ozdoby świąteczne. Zerkają na nas dzika róża, rozmaryn, lawenda, wawrzyn i tymianek. W wielkich doniczkach z terakoty kwitną na żółto jakieś rośliny oraz pelargonie. Na końcu ogrodu wyrasta wielka topola z drżącymi żółtymi liśćmi, a naprzeciw niej wiekowy, rozłożysty dąb.

Otaczają nas tylko pola, winnice i stado owiec skubiące trawę na zboczu wzgórza naprzeciwko. I wszechogarniająca cisza – mój Boże, cóż za cisza – nawet przy nisko zawieszonych chmurach widać tylko ciągnące się bez końca wzgórza, jedyną nieregularnością pomiędzy nami a horyzontem jest jakaś ruina. Bełkoczę coś do Marco, nie jestem pewien w jakim języku. Mówię, że to miejsce jest jak spełnienie najskrytszych marzeń. Wtedy chmury powoli, *piano*, *piano*, rozstępują się, ich krańce płoną blaskiem. W wielkiej dziurze pomiędzy nimi, rozświetlonej na złocisty kolor przez ukryte ponad nimi słońce, pojawiają się wały, kościoły, domy i wieże – unoszą się między chmurami jak królestwo niebieskie – oto najpiękniejsze miasteczko na wzgórzu w Toskanii. Muszę przysiąść na chwilę.

– Jestem w domu. Jeśli stąd wyjdę, to nogami do przodu – mamroczę.

Możliwe, że powiedziałem to po węgiersku.

---

[42] *Ce n'est pas vrai* (fr.) – To niemożliwe.

Marco nie ma kluczy do domu, ale idzie do domku przy drodze, w którym mieszka opiekująca się nim kobieta. Czuję błogość. Mogę przespacerować się w samotności i rozkoszować spokojem.

Dom wzniesiono na zboczu wzgórza, poniżej leży gaj oliwny oraz świeżo zaorane pole pszenicy, którego granice wyznaczają rzędy cyprysów oraz wysoki kamienny mur długości około trzydziestu metrów. Wzdłuż muru biegnie szeroka, omszała i brukowana ścieżka wiodąca do domu. Poniżej rozpościera się łąka przecięta strumieniem, którego kręte brzegi usiane są topolami, wielkimi dębami i ciernistymi krzakami, spośród których dobiega śpiew ptaków. Wiatr rozpędza chmury i nieoczekiwanie światło się zmienia, co jest tak charakterystyczne dla Toskanii. Niebo robi się błękitne, promienie słoneczne przebijają się na ziemię i napełniają ją kolorami. Otaczają nas pagórki, pola i ruiny. Kawałek dalej widać wieże kolejnego miasteczka na wzgórzu. Czuję się, jakbym się znajdował w środku obrazu.

Gospodarstwo, ze względu na bujną roślinność, wygląda jak oaza pośrodku pustyni. Na północy kępa cyprysów osłania gospodarstwo przed chłodnym zimowym wiatrem, *tramontana*. U stóp wzgórza podwójny rząd krzaków i drzew wyznacza zacienioną alejkę, idealną na spacery w słoneczne dni. Na południowym zachodzie, gdzie chmury El Greco przepływają nad miastem, mamy orzechy, za którymi widać gęstwinę zdziczałych śliw oraz ciernistych krzewów rosnących wzdłuż rowu wyznaczającego granicę działki – prawdziwy raj dla jeżozwierzy, ptaków i lisów. Za *piazzetta* znajdują się drzewa owocowe, a w ich cieniu rosną krzewy malinowe.

Wreszcie dom. Prosty i solidny. Kamienne ściany pełne są kawałków trawertynu, starych cegieł, a nawet ładnie wyrzeźbionej, ale rozbitej listwy od wiekowego kominka. Dom składa się z dwóch części, jedna jest prostokątna i jednopiętrowa, druga została dodana później i jest parterowa. Okna na górze są wyposażone w bardzo solidne drewniane okiennice, a te na dole ozdobione kratkami z kutego żelaza. Spoina pomiędzy kamieniami i cegłami została porządnie uzupełniona, stare dachówki ceramiczne wyglądają bardzo solidnie, a miedziane rynny przeżyją pokolenia.

Szeroki brukowany podjazd wiedzie do budynku gospodarczego wkopanego w zbocze wzgórza, na skraju jego dachu przesiadują gołębie. W środku z pewnością jest dość miejsca dla matry oraz drewna opałowego rozłożonego przy ścianach. Wchodzę do środka. Wyczuwam przyjemny zapach wina. Z tyłu znajdują się tonące w mroku drzwi. Spoglądam przez małą bramę i dostrzegam półki z butelkami wina i niewielką beczułkę ze szklanym napowietrzaczem. Marco wraca z kluczami. Otwieramy szeroko drewniane okiennice. Wnętrze domu jest przytłaczające. Rozchodzi się odurzający zapach wosku, starego dymu i wiekowych mebli. Wspaniałe krokwie z kasztanowca pod sufitem przy wejściu pokryte są pięknym nalotem, a mniejsze belki pomiędzy nimi ozdobione są różowobrązowymi, ręcznie formowanymi płytkami. Ściany są bielone. Dolna część domu była niegdyś stajnią, dlatego podłogi są stosunkowo nowe, jednak wielkie płyty bladej, ręcznie formowanej i nierównej terakoty są wytarte od częstego używania, przez co nabrały lekkiego połysku. Schody prowadzą w dół, do kuchni, gdzie do wysokości wzroku na ścianie pysznią się piękne ręcznie malowane płytki, na długiej ścianie czerni się kominek, a z przodu łukowate oszklone drzwi otwierają się na kolejny brukowany taras, ogród i leżące dalej wzgórza. To wszystko wydaje się zbyt doskonałe. Obok kuchni kwadratowa jadalnia rozciąga się na całą szerokość domu, a przez zwieńczone łukami okna widać pnące się róże. Pod ceglanym łukiem przechodzimy do soggiorno[43], w którym znajduje się stary dywan perski oraz niskie, wygodne, tapicerowane fotele, tak duże, że mogą pomieścić całą rodzinę, oraz cztery łukowate okna i przejście z widokiem na miasto i kwitnący ogród. W rogu umieszczono olbrzymi kominek z dziwacznym żelastwem, którego niegdyś, jak twierdzi Marco, używano do podtrzymywania ciepła w garnkach, kiedy palenisko rzeczywiście symbolizowało ognisko domowe, a ludzie żyli, gotowali i jedli przy jego płomieniach.

Na piętrze sufity są skośne i podtrzymywane krokwiami. Mieszczą się tutaj trzy przytulne sypialnie, z których największa ma okna wychodzące na trzy strony świata i czuję się w niej jak na mostku statku płynącego przez ocean wzgórz. Oglądam meb-

[43] *Soggiorno* (wł.) – pokój dzienny.

le. Część pięknego i wiekowego wyposażenia zostanie w domu po sprzedaży, same proste, wiejskie meble wykonane z ręcznie oheblowanego drewna z ostrymi krawędziami, ręcznie wykonanymi frezami tak nierównymi, jak linie ludzkiego życia oraz powierzchnią noszącą ślady tysięcy rąk codziennie dotykających, wycierających i korzystających z mebli. Ich obecność była niemal namacalna.

Kiedy wróciliśmy do *piazzetta*, usiadłem pod baldachimem lśniących na złoto liści otulających trejaż. Marco usadowił się obok mnie, patrzyliśmy w ciszy na miasto w oddali, małe zabawkowe domy nierealnego miasta, zawieszonego wysoko, blisko nieba.

– *Bello davvero* – mówi.

– *Quelle lumière* – odpowiadam.

Porywisty wiatr rozdziela gałęzie krzaka przede mną, pomiędzy zielonymi liśćmi dostrzegam błyszczące, różowo-zielone ściany San Biagio.

Chłonę widoki. W końcu tylko po to, by podtrzymać rozmowę, pytam, czy dom ma swoją nazwę.

– La Marinaia. Żona żeglarza – odpowiada Marco.

Nie pamiętam drogi powrotnej do Palazzuolo Alto, może poza tym, że w którymś momencie w górach rozszalała się burza z piorunami. Okazało się, że Candace wyszła na spacer i na zakupy, zostawiając wiadomość na stole. Dopiero wtedy zdałem sobie sprawę z tego, że jest już dobrze po południu i umieram z głodu. Usiadłem na dworze pod pędzącymi na złamanie karku chmurami, które rzucały cienie na wzgórza, i zacząłem podjadać *prosciutto* z dzika. Nie mogłem uwierzyć własnemu szczęściu, że będąc na drugim krańcu świata, znając może z dziesięć słów w obcym języku, poruszając się po omacku jak ślepiec, udało mi się jakimś cudem znaleźć dom moich marzeń. Zapadłem w drzemkę na fotelu i śniłem o żeglowaniu. Myślę, że mój umysł miał już dość rozważań o domu.

Obudziłem się na dźwięk piaggio ape sapiącego na drodze. Samochodzik wjechał na podwórko, po chwili wyskoczyła z niego Candace z wyrazem tryumfu na twarzy, jej stary wielbiciel uśmiechnął się do mnie szeroko, pomachał ręką, zawrócił swego trzykołowca i zniknął. Candace dźwigała w rękach dwie wielkie siaty.

– Upolowałam świeże ravioli faszerowane truflami – powiedziała z promiennym uśmiechem.

– A ja upolowałem dom – odparłem.

Wyczytała z mojej twarzy, że nie żartuję, i prawie upuściła zakupy na ziemię.

Powoli zapadał zmierzch, było zbyt późno, by odwiedzić *La Marinaia*, moglibyśmy tylko poczuć dom, ale nie dałoby się go obejrzeć. Opisałem jej szczegółowo całe gospodarstwo i jego otoczenie, nie pominąłem żadnej cegły czy liścia, dopóki nie kazała mi się zamknąć i zabrać do jedzenia trufli, zanim ostygną. Tej nocy mieliśmy kłopoty z zaśnięciem. Nie mogliśmy przestać rozmyślać o tysiącu możliwych scenariuszy transakcji, życiu w nowym domu, o tym, z kim będziemy mogli tutaj rozmawiać i co byśmy przygotowali dla przyjaciół. Spodziewaliśmy się nagłej powodzi odwiedzających nas przyjaciół z zagranicy – mieliśmy takich, którzy nigdy nie odwiedziliby nas w Paryżu – ale tak naprawdę to najtrudniej było nam sobie wyobrazić zwykłe codzienne znajomości, zwłaszcza biorąc pod uwagę nasz żenujący poziom znajomości włoskiego. W końcu pogrążyliśmy się we śnie. Obudziliśmy się w środku nocy.

– Miałam koszmar senny, że nie udało się nam kupić domu – powiedziała Candace.

– Ja też miałem koszmar, tyle że dom kupiliśmy.

Znowu zasnęliśmy. Zamieniliśmy się snami. To cudowne spać razem z ukochaną osobą, dzięki temu można podzielić się najgorszymi koszmarami.

Wyjechaliśmy bez śniadania zaraz po wschodzie słońca. Drogi były puste, poza pojedynczym brzuchaczem jadącym na terkoczącym *motorino* z silnikiem wielkości jo-jo. Kierowca miał na plecach pokrowiec z wędką oraz maleńki kwadratowy pojemnik na drugie śniadanie.

Montepulciano lśniło o poranku morelowym blaskiem. Trawertynowe ściany San Biagio wyglądały jak żywe. Candace była pełna niedowierzania. Skręciliśmy w wąską drogę gruntową. Na przewodach telefonicznych siedziały turkawki. Droga nazywała się Via Delle Colombelle – droga pięknych gołębi. Wokół nas panował kompletny bezruch, aż do chwili kiedy dojechaliśmy do domu przy drodze, tuż przed stawem. Napotkaliśmy tam korpulentnego około pięćdziesięcioletniego *contadino* o ogorzałej twarzy, iskierkach w oczach, w bawełnianym kapeluszu z małym rondem nałożonym na czubek głowy i odsłaniającym czoło. Mężczyzna przechodził przez drogę, kierując się ze stryszku na siano do stajni, był lekko zgarbiony pod ciężarem wielkiej beli siana nabitej na widły, które oparł na barku. Ramiona drżały mu z wysiłku. Odwrócił się i popatrzył na nas, autentycznie zaskoczony.

Dwie malutkie dzikie kaczki, całe czarne, z żółtymi dziobami pływały w stawie wzdłuż sitowia. Dom wyglądał na opuszczony, tak jak dzień wcześniej. Łąki i trawnik pokryte były rosą. Stadko gołębi przeleciało nam nad głowami, okrążyło dom, wzbiło się nad wzgórze i drzewa oliwne, a następnie skręciło w kierunku stawu. Zabudowania Montepulciano zajmowały całe wzgórze, kontury wszystkich kościelnych wieżyc, wszystkich *palazzo* i nawet najmniejszych domów miękko rysowały się w porannym świetle. Wzeszło słońce, ognista kula pojawiła się za rzędem cyprysów, który wyznaczał brzeg grani. Powietrze zaczęło falować. Wszystkie dzwony w mieście jak na komendę, jeden po drugim, rozpoczęły wspaniały koncert. Każda z wież grała trochę inaczej, dzwony wybijały dźwięczną, gwałtowną, wesołą i spokojną muzykę. Nadeszła siódma trzydzieści.

– Uszczypnij mnie. Kupiłabym ten dom, nawet gdyby go nie było – powiedziała w końcu Candace.

Przechadzaliśmy się po okolicy. Rosa przemoczyła nam stopy.

– Dom ma mniej więcej tyle samo *movimento*, co pudełko na buty. Ale jest ładny, mały i z pewnością nieźle wyremontowany. No i ogród jest oszałamiający. No może poza tym, że przekopię ten cholerny trawnik, zasadzę ziemniaki, kukurydzę i założę największy ogród warzywny, jaki kiedykolwiek widziałeś – oświadczyła Candace.

– Pomogę ci – dodałem.

– Jesteś pewien, że nie wolisz ruiny zamku?

– To tylko fantazje. W głębi duszy dobrze wiem, że ten dom jest idealny.

– W takim razie kupmy go.

– Nie chcesz wejść do środka?

– Chcesz, żebym padła z przedawkowania marzeń? Poza tym nie mamy klucza. Chodźmy do miasta, zjemy maślane bułeczki, wypijemy morze kawy i porządnie się rozbudzimy.

Wróciliśmy na wzgórze do zaparkowanej na nim matry.

– A teraz powiedz mi prawdę. Ile im zapłaciłeś za koncert dzwonów? – spytała na koniec Candace.

Szliśmy wzdłuż Il Corso. Tak nazywała się kręta, wznosząca się, główna ulica miasta, która rozgałęziała się po drodze na wiele innych uliczek z własnymi nazwami. Zatrzymaliśmy się w Cafe Poliziano, nazwanej tak na cześć słynnego w mieście piętnastowiecznego poety. Zjedliśmy bułeczki *brioche* i napiliśmy się cappuccino, wyglądając przez wielkie okna na jezioro. Zdałem sobie wtedy sprawę z tego, że kupujemy nie tylko wspaniały dom w pięknym miejscu, ale równocześnie stajemy się właścicielami części sześćsetletniego miasta, wraz z jego *piazza* i kościołami, *vicoli* i małymi sklepami. Podzieliłem się z Candace swoim spostrzeżeniem.

– Niezła gadka, jak urodzony sprzedawca – odparła.

– Myślisz, że mógłbym upaść tak nisko?

– Pewnie. Żeby zdobyć ten dom, mógłbyś nawet próbować wciskać trupom zajęcia aerobiku.

Wtedy na scenie pojawił się Marco Lenni w poszukiwaniu porannego prowiantu. Na nowo rozpoczęło się zamieszanie z dwoma językami. Angielski turysta przy stoliku obok patrzył na nas, jakbyśmy do niedawna byli pacjentami w zakładzie dla umysłowo chorych. Marco poszedł zadzwonić i załatwić dla nas klucz. Rozmawiał z innym *geometra* Piccardi, który okazał się prawdziwym pośrednikiem i zaaranżował nasze spotkanie na miejscu, by wskazać granice działki, pokazać, które meble zostają w domu, oraz, oczywiście, podać cenę.

Dozorca, niski, dobrze odżywiony sąsiad o nazwisku Bazzotti i wklęsłym czole, pamiątką po jakimś potężnym uderzeniu sprzed wielu lat, spotkał się z nami przy domu, a następnie otworzył drzwi i wpuścił do środka. Obejrzeliśmy wnętrze i zakochaliśmy się po raz drugi. Przyjechał Piccardi. Okazał się wysokim, przystojnym, hałaśliwym mężczyzną o silnym głosie i żywiołowym usposobieniu, dla którego nic nie było niemożliwe, a wszystko wydawało się zabawne.

Rozłożyliśmy mapę działki na zakurzonej masce starego traktora, Bazzotti wskazywał nam niezliczoną ilość załamań w granicy nieruchomości, niestety dozorca mówił dialektem i Piccardi musiał tłumaczyć go nam na włoski. Candace, by zachować jasność, zadawała pytania po angielsku, ja tłumaczyłem to na francuski, co z kolei Marco przekładał na zrozumiały dla Piccardiego włoski, a ten przekazywał to Bazzottiemu w dialekcie. Istna wieża Babel.

Kiedy wszyscy byli już zmęczeni i wiedzieli jeszcze mniej niż przedtem, Piccardi pokazał nam, które z antyków miały zostać sprzedane wraz z domem. Następnie podał cenę. Zapisał ją palcem na zakurzonej masce traktora. Co do jednego przeklętego zera. Podaliśmy naszą dużo niższą kontrofertę na tej samej karoserii. Wszystko tak jak być powinno – na piśmie. Piccardi powiedział, że nie ma na to najmniejszej szansy i właściciele nigdy na to nie przystaną.

Obiecał jednak, że spróbuje negocjować.

Wróciliśmy do domu wykończeni emocjonalnie. Zjedliśmy niewiele, zamknęliśmy okiennice, aby ochronić się przed popołudniowym słońcem, i zasnęliśmy. Obudził nas dzwonek telefonu. Usłyszeliśmy brzęczący głos Piccardiego, ale jedynymi słowami, które byłem w stanie zrozumieć, były „właściciel" oraz „miliony". Jeśli chodzi o resztę, to nie miałem pojęcia, o czym mówi, czego nie omieszkałem mu przekazać. Poprosił nas o spotkanie w domu około czwartej. Tyle udało mi się zrozumieć.

Jadąc na miejsce, wymyślaliśmy kolejne scenariusze i wyczerpaliśmy każde możliwe rozwiązanie.

Skręciliśmy w Via Delle Colombelle. Popołudniowe słońce delikatnie przygrzewało. Starsza, barczysta kobieta niosła dwie kury, podniosła rękę z kurczakiem w dłoni w geście pozdrowienia. Zatrzymaliśmy się przy domu pełni obaw. A co jeśli odrzucili naszą propozycję?

Marco przyjechał pierwszy, przechadzał się wolnym krokiem, jakby nic go nie obchodziło. Następnie w chmurze pyłu zjawił się Piccardi z zadowoleniem na twarzy, jakby właśnie udało mu się uratować świat. Podaliśmy sobie dłonie, *geometra* podszedł do zakurzonego traktora, jakby to było biurko, podniósł palec wskazujący, zakreślił koło na masce i z nieokreślonym uśmiechem powiedział, z akcentem, którego trudno byłoby się spodziewać w zaledwie dwóch słowach:

– OK.

Rzuciliśmy się do traktora. Piccardi zaznaczył naszą ofertę. Zabrakło mi tchu. Podaliśmy sobie ręce i wszyscy zaczęli mówić. Dobiliśmy targu.

Zapytałem, czy nie powinniśmy zostawić im zadatku albo podpisać umowy przedwstępnej, na co Piccardi machnął ręką, a Marco zauważył, że jeśli już chcemy, możemy podpisać maskę traktora.

Wreszcie pożegnali się z nami i pojechali. My tymczasem pobiegliśmy do *piazzetta*, odtańczyliśmy taniec zwycięstwa i gapiliśmy się na własny dom w Toskanii.

13
UMOWA

Przez następnych kilka dni, które pozostały nam w Toskanii, na przemian bujaliśmy w obłokach i popadaliśmy w depresję. Nasze nastroje zmieniały się w zależności od tego, czy przy naszej żałosnej znajomości włoskiego, udało nam się odnieść sukces czy też ponosiliśmy porażkę, nawet jeśli chodziło tylko o znalezienie wycieraczki albo kupno grabi. Zadania polegające na przepisaniu na nas podstawowych świadczeń takich jak energia elektryczna, woda czy telefon – proste procedury w większości krajów – okazały się przedsięwzięciami iście homeryckimi, które doprowadziły nas na krawędź szaleństwa i sprawiły, że zatęskniliśmy za Ameryką.

Wpadliśmy w objęcia niesławnej włoskiej biurokracji. W mikroskopijnym ciemnym biurze wypełnionym stosami żółknących dokumentów porozrzucanych przy drzwiach i oknach musieliśmy sprokurować *codice fiscale*, rodzaj numeru identyfikacji finansowej, bez którego – co podkreśla ze śmiertelną powagą każdy urzędnik administracji – jest *assolutamente impossibile* doprowadzenie elektryczności i telefonu czy też kupienie czegokolwiek większego od buta. Prawie niemożliwe. Ponieważ we Włoszech rzadko kiedy coś jest absolutnego, a już na pewno nie niemożliwego. Prawie każdy problem może zostać rozwiązany, jeśli wykorzysta się inteligencję, humor lub groźbę dokonania uszczerbku na zdrowiu. W naszym wypadku wystarczyło użycie magicznego słowa klucza – *giornalista* – dziennikarz. Na najmniejszą wzmiankę o możliwości zostania poddanym publicznej weryfikacji najbardziej ospali urzędnicy wracali natychmiast do życia, odrzucali gazety, krzyżówki oraz rodzinne albumy ze zdjęciami, nieprzerwanie upiększane przez ostatnich dwadzieścia lat i wypowiadali słowo, które interesant chciał usłyszeć – *vediamo* – zobaczymy. Oznacza to praktycznie, że sprawa jest załatwiona. Trzeba jeszcze będzie odbyć co najmniej trzy długie wyprawy do odległych biur i odstać swoje w niekończących się kolejkach, ale prędzej czy później cel zostanie osiągnięty.

Pojęcie „elastycznej niemożliwości" zostało wyrażone kilka lat później przez dowcipną i błyskotliwą damę pracującą w Ministerstwie Finansów. *„Caro* Máté" powiedziała, w uroczy sposób nazywając mnie drogim jej sercu, „kraje zorganizowane w rodzaju Niemiec czy Ameryki mają umiarkowaną liczbę przepisów, do tego w większości rozsądnych. Są one jednak egzekwowane. We Włoszech jest inaczej, mamy niemal nieskończenie wiele regulacji prawnych, wiele z nich pochodzi z czasów Imperium Rzymskiego, niektóre z nich są sprzeczne, a inne niezrozumiałe. Zazwyczaj jednak jesteśmy w stanie, przy odrobinie dobrej woli, chęci i inteligencji, znaleźć sposób na poruszanie się między nimi. *Caro* Máté, na całym świecie dwa plus dwa równa się cztery, ale we Włoszech równa się trzem i siedmiu ósmym, a czasem czterem i pół. Nasz umysł trzyma w pogotowiu świadomość, że nigdy nie jesteśmy pewni, jaki danego dnia będzie wynik dodawania".

Amen.

Nasze prawdziwe zbawienie zamykało się w jednym słowie – Piccardi. Wpadliśmy na niego na ulicy w trakcie wspinaczki na naszą Golgotę. *Geometra* zaprosił nas na kawę, którą wypił zresztą w mgnieniu oka, następnie, kiedy już dowiedział się o naszej biurokratycznej zgryzocie, zaoferował swoją pomoc w roli zbawcy. Nasze sprawy nabrały ogromnego tempa. Piccardi znał wszystkich i wszystko, miał w jednym palcu procedury i sposoby na ich przyspieszenie czy ominięcie, dobrze wiedział, jak poradzić sobie z „niemożliwym", pobijając wszelkie ustanowione wcześniej rekordy. Z zawrotną prędkością przeprowadził nas przez źle oświetlone biura. Po drodze podpisaliśmy tony formularzy, za każdym razem wyrzucaliśmy piętnaście dolarów na *bollo da ventimila* ohydny w smaku znaczek skarbowy, który trzeba polizać, a następnie przykleić na każdym dokumencie. Równocześnie zapewniał nas, że dom będzie gotowy do zamieszkania, kiedy wrócimy do Toskanii na wiosnę.

W końcu spotkaliśmy się wszyscy we Florencji w biurze *notaio*, nie notariusza, nie prawnika, ale urzędnika wyznaczonego przez włoski rząd do poświadczania wszelkiego widzimisię, które ktoś zażyczył sobie sporządzić na piśmie. Obecni byli dystyngowani właściciele, obaj *geometra*, udało się nam przekonać Joyce, aby przyjechała, ponieważ uznaliśmy, że dobrze byłoby wreszcie zrozumieć, co do nas mówiono. Spędziliśmy w biurze trzy godziny wcale nie dlatego, że było dużo do zrobienia – była to w końcu prosta, dwustronicowa umowa – ale dlatego, że wszyscy obecni mówili jeden przez drugiego zgodnie z najlepszymi włoskimi tradycjami. Nikt nikogo nie słuchał, a biedny *notaio* prawie zachrypnął, próbując przebić się przez sam początek umowy, który Joyce dla nas zdołała tłumaczyć.

Pojechaliśmy z powrotem do Paryża z tego prostego powodu, że stamtąd odlatywał nasz samolot do Stanów. Zanim jeszcze wzbiliśmy się w powietrze, już tęskniłem za Toskanią. Mieliśmy do niej wrócić dopiero za cztery miesiące.

Część II

14
W DOMU, W TOSKANII

Kiedy skręciliśmy między wzgórza w kierunku Montepulciano, naszym oczom ukazały się kwitnące przedwcześnie migdałowce. Pola, zaorane i nagie w listopadzie, zieleniły się teraz od zboża, a przy drodze rozkwitały krokusy, żonkile i irysy. Wyrastające ponad rowy krzewy i gąszcz dzikiej śliwy bieliły się kwiatami, jakby na gałęziach pojawił się świeży śnieg.

Siedzieliśmy w ciszy, którą mącił tylko warkot silnika, targały nami na przemian uczucia radości i trwogi – radości, ponieważ wszystko wydawało się doskonale układać, i trwogi, ponieważ mogliśmy właśnie robić największy błąd w życiu. Jednak nie wypowiadaliśmy głośno swoich myśli. Zamiast tego gryźliśmy się drobiazgami w rodzaju, jak będziemy spać bez łóżka, myć się bez ręczników, gotować bez garnków, jeść bez naczyń i żyć w pustym domu w dziwnym kraju. W domu miało pozostać kilka antyków: dwa *cassapancas*, niskie drewniane skrzynie, *madia*, spiżarka, w której trzymano niegdyś mąkę i wyrabiano ciasto na chleb; *angoliera*, wysoki, trójkątny, narożny kredens; małe biurko; niestety, nic do spania czy gotowania. Próbowaliśmy wyobrazić sobie puste pokoje, aby zmniejszyć szok po przybyciu na miejsce. Martwiliśmy się także, że miejsce nie będzie się już nam podobało – ale tylko do chwili, kiedy przejechaliśmy przez ostatnie wzgórze i zobaczyliśmy wieże Montepulciano skąpane w południowym słońcu oraz kościółek San Biagio, którego dostojna bryła podniosła nas na duchu.

Nad doliną kłębiły się wiosenne chmury. Nad Via Delle Colombelle krążyły gołębie. Stara kobieta z domu stojącego zaraz przy drodze wyprowadzała na pole kozę – prosto przez ogród warzywny, obok niej brykał i dokazywał mały brązowy koziołek. U stóp wzgórza, niczym oaza, zieleniła się La Marinaia. Zatrzymaliśmy się u Bazzottiego, mieliśmy tutaj otrzymać klucz od Renaty, odpowiedzialnej za opiekę nad gospodarstwem u poprzednich właścicieli. Córka Bazzottiego o czarujących oczach musiała rozpoznać samochód, ponieważ zeskoczyła ze schodów, wbiegła do środka domu i wróciła z wielkim stalowym pierścieniem, na którym wisiał klucz do naszego domu. Dziewczyna uśmiechała się nieśmiało.

Minęliśmy staw. Olbrzymie kępy martwego zimowego sitowia tłoczyły się przy brzegu, pomiędzy nimi pojawiały się jednak pierwsze delikatne zielone pędy. Na szczycie wzgórza otworzyliśmy zardzewiały łańcuch, rozciągnięty pomiędzy dwoma kamiennymi kolumnami, i ruszyliśmy dalej. Pomiędzy koleinami wyrosła wysoko szorstka, zimowa trawa i szorowała o podwozie samochodu. Ogród wyglądał na zaniedbany. Dookoła porozrzucane były kupki liści zebrane przez wiatr w najdziwniejszych miejscach. Trejaż wyglądał jak szkielet z rozciągniętymi na nim nagimi pnączami. Śnieg musiał przygnieść do ziemi wysokie krzewy, zewsząd wyrastało wiosenne zielsko. Dom także wyglądał żałośnie. Drzwi i okna zatrzaśnięte i zakryte okiennicami – jakby czekał na przywrócenie go do życia.

Otworzyliśmy wielkie drewniane żaluzje i oszklone drzwi. Uderzył nas silny zapach drewna, kamienia i starości, powietrze było wychłodzone długą zimą. Weszliśmy do środka i po omacku szukaliśmy włączników światła, ale elektryka nie działała, dlatego obszedłem pomieszczenie dookoła i otworzyłem okiennice od środka. Zamrugałem zaskoczony tym, co zobaczyłem. Wielka jadalnia była rzeczywiście pusta, ale przy schodach do *soggiorno* majaczyły kształty, których nie spodziewałem się tutaj zobaczyć. Poza antykami znaleźliśmy jeszcze cztery tapicerowane krzesła, stary perski dywan oraz niski stolik z trawertynu. W kuchni także czekało na nas kilka niespodzianek: stalowy stolik ogrodowy nakryty wypłowiałym obrusem, dwa drewniane krzesła ogrodowe, a na półkach kilka garnków, patelni, talerzy, misek i kubków.

Candace zawołała mnie z góry. W wielkiej sypialni czekało na mnie podwójne łóżko z poduszkami i bawełnianą narzutą. Candace stała przy otwartym kredensie. Na półkach leżały prześcieradła, poszewki i ręczniki, wszystkie ładnie wyprasowane i poukładane. Ktoś, kogo ledwie znaliśmy, martwił się tym, że przyjedziemy do pustego domu. Otworzyliśmy na oścież okna i okiennice, by wpuścić do środka ogrzane słońcem wiosenne powietrze i wygonić resztki zimy.

Wyszliśmy na podwórko, aby wyjąć z samochodu swoje bagaże, ale skończyło się to wałęsaniem po ogrodzie, przyglądaniem malutkim listkom wyrastającym na różanych krzewach, napawaniem się cierpkimi zapachami wydzielanymi przez białe kwiaty *lentaggine*, które tworzyły żywopłot wzdłuż ścieżki prowadzącej do budynku gospodarczego. Rozkopywaliśmy stosy liści i włóczyliśmy się po łące tak długo, aż wylądowaliśmy przy wschodnim urwisku, gdzie podgrzane słońcem powietrze wspinało się w górę zbocza. Tutaj, w polu, kilka lat później – wtedy nie śmieliśmy jeszcze o tym marzyć – miał przez długie godziny bawić się nasz rozczochrany syn przyodziany w krótkie spodenki, trzymając z całej siły latawiec szybujący w ciepłym letnim wietrze.

Staliśmy na skraju urwiska i patrzyliśmy na otoczoną sosnami ruinę po drugiej stronie doliny, kiedy usłyszeliśmy samochód jadący po gliniastej drodze biegnącej na grzbiecie wzgórza. Pojazd skręcił na naszą działkę, zatrzymał się na polance ponad domem. Ze środka wysiadł Piccardi, w rękach trzymał skrzynkę po owocach, pełną słoików. Wyjaśnił nam, że zobaczył z okna swojego domu w mieście, że nasze okiennice są otwarte, a jego żona, której zamiłowanie do robienia przetworów jest nieposkromione, martwiła się, że zastaniemy pustą spiżarnię. Dlatego sprezentowała nam dżem z wiśni i śliwek oraz śliwki, morele i karczochy marynowane w oliwie. Do tego naturalnie butelkę oliwy z uprawianych przez nich oliwek. Zapytał nas, czy wszystko jest w porządku, zaciągnęliśmy go wtedy do środka i pokazaliśmy wszystkie rzeczy pozostawione przez poprzednich właścicieli. Piccardi skomentował to po prostu: *normale*. Według nas wcale nie było to takie normalne. Na odchodnym dodał jeszcze, że wpadnie jutro zobaczyć, jak się mamy, a następnie w chmurze kurzu odjechał z powrotem w kierunku miasta.

Słoiki ustawiliśmy na półkach w spiżarni i zaczęliśmy się rozpakowywać. Zanieśliśmy walizki na górę i ledwo zaczęliśmy zapełniać półki i wieszaki, kiedy pojawił się następny gość. Okazał się nim Bazzotti. Wszedł drzwiami frontowymi bez pukania i dopiero kiedy znalazł się w samym środku domu, zawołał *Permesso?* Czy można? Typowe toskańskie zachowanie. W jednej ręce trzymał gąsior wina w wiklinowej osłonie, a w drugiej poplamioną tłuszczem papierową torbę. Wewnątrz znajdowały się zrobione przez niego kiełbaski oraz pół bochenka chleba. Mówił, mrugając co chwila małymi oczami, był prostolinijny, bezpośredni i pozbawiony sentymentów. Od czasu do czasu wielkie wgłębienie na czole się rumieniło. Jego żona, Renata, chciałaby opiekować się domem, tak jak robiła dla poprzednich właścicieli, ale ostatnio nie czuła się najlepiej. Przesyła nam te rzeczy, ponieważ nie jest pewna, czy aby jedliśmy obiad. Następnie pożegnał się i ruszył w górę swoim sapiącym cinquecento.

– Czuć, jakby szły święta Bożego Narodzenia – oświadczyła Candace.

Wyłożyliśmy na stole swoje skarby. Następnie rozpoczęliśmy poszukiwania zaworu gazowego, by odpalić kuchenkę, skrzynki elektrycznej, by uruchomić ciepłą wodę, oraz włącznika pieca, którego w końcu nie znaleźliśmy, dlatego postanowiliśmy rozpalić ogień w kuchni. Usiedliśmy przed nim i upiekliśmy kiełbaski Bazzottiego, nalaliśmy sobie jego wina, zjedliśmy karczochy żony Piccardiego i dolaliśmy sobie jeszcze więcej wina. Jedliśmy i piliśmy aż do zachodu słońca. Gdy zrobiło się ciemno, przypomniało się nam, że nie znaleźliśmy jeszcze pieca. Dlatego wzięliśmy zimny prysznic w wychłodzonym domu, rozpaliliśmy ogień w *soggiorno*, przytargaliśmy materac z góry i położyliśmy go na starym dywanie tuż przed paleniskiem. Rozłożyliśmy prześcieradła, powlekliśmy przywiezioną z Paryża kołdrę, zgasiliśmy światło i zaczęliśmy wsłuchiwać się we wszechogarniającą ciszę oraz obserwować odległe pokrzepiające światła miasta z bajki.

Pogrążyliśmy się we śnie. Głębokim, pełnym marzeń śnie ludzi, którzy odnaleźli swój dom.

Obudziła nas powódź słonecznych promieni, ptasi śpiew i uderzanie dzioba w blachę. Jakiś ptak wił sobie gniazdo w rynnie. Podeszliśmy do okien. Na wschodzie majaczyły kontury miasta na tle porannego słońca, każda z wież i każdy dach odcinały się na czarno, można było wyczuć tajemnicę czającą się na zacienionych ulicach. Na zachodzie wyrastało wzgórze pokryte krzewami lawendy, rozmarynu i granatów oraz dziko rosnącym żywopłotem pełnym ptaków. Ubraliśmy się i wybiegliśmy na zewnątrz, jakbyśmy się gdzieś wybierali, następnie zaczęliśmy się włóczyć bez celu po okolicy. Candace oznajmiła, że umiera z głodu, i wróciła do domu po kawałek chleba, ten jednak zostawiony na blacie wysechł i zamienił się w kamień, dlatego postanowiła wyjeść palcami trochę śliwek ze słoika. W końcu powiedziała, że ciągle jest głodna, więc pojechaliśmy do miasta na zakupy.

Zatrzymaliśmy się przy domu Bazzottiego, gdzie zastaliśmy tylko jego matkę, niską, uśmiechniętą kobietę. Podziękowaliśmy jej gorąco za wczorajszy podarunek, aczkolwiek do dzisiaj nie jesteśmy pewni, czy miała pojęcie, co do niej mówiliśmy. Następnie pożegnaliśmy się i ruszyliśmy w dalszą drogę do miasta.

Był zwyczajny środowy poranek, ale czuliśmy się, jakbyśmy obchodzili najważniejsze święto w roku. Przed bramą wjazdową do miasta, w cieniu dębów ostrolistnych, napotkaliśmy ape z zamontowanym z tyłu małym stołem warsztatowym. Przy nim, na stołku siedział łysiejący mężczyzna, który ostrzył noże. Właśnie kończył robotę nad jednym z nich, obok niego stali gawędzący ze sobą ludzie. Candace podeszła do niego, wyciągnęła swój scyzoryk i powiedziała.

– *Per favore.*

Mały kamień zajęczał i posypały się iskry. Kiedy wróciła do samochodu, oświadczyła, zadowolona z siebie:

– Pierwszy kontakt.

Po drodze do bramy wychyliliśmy się za nisko położony kamienny murek i spojrzeliśmy na rozciągającą się poniżej dolinę, by upewnić się, że to wszystko dzieje się naprawdę, i że La Marinaia – mała zielona wyspa – nie zniknęła. Wszystko znajdowało się w jak najlepszym porządku. Uspokojeni, dokonaliśmy inwazji na Montepulciano.

Miasto zostało zbudowane dla ludzi, a nie samochodów, dlatego główna ulica była szeroka na tyle, aby umożliwić załatwianie interesów w ciągu dnia, nocne spacery i pomieszczenie uczestników małej uroczystości. Zabrania się ruchu obcych samochodów, dlatego od początku do końca szliśmy środkiem spokojnej ulicy, aż do Piazza Grande, który leży zaledwie dziesięć minut na piechotę pod górę i sporo krócej, jeśli schodzi się ze zbocza. Minęliśmy małego gnoma pilnującego *cantina* pełnej butelek i słojów z turystycznymi atrakcjami. Spojrzał na nas, uśmiechając się z nadzieją. Do diaska, mieliśmy wielką ochotę uświadomić mu, że jesteśmy miejscowymi, a nie turystami. Byliśmy jednak zbyt nieśmiali, dlatego po prostu go minęliśmy. Spiorunował nas wzrokiem.

Po drugiej stronie ulicy znajdował się zakład szewski, a przed nim ulokowała się grupa starszych panów siedzących przy ścianie na starych krzesłach. Jakieś sto metrów za bramą napotkaliśmy pierwszy sklep, na którym nam zależało. Tak jak wiele sklepów w małych toskańskich miasteczkach, ten także miał wiele twarzy, powiedzmy, że był sklepem wielobranżowym, ale nie prowadził sprzedaży narzędzi. Na półkach stały garnki, patelnie, naczynia, kieliszki do grappy, wycieraczki, wiatraki elektryczne na upały, grzejniki elektryczne na zimowe dni, prezenty z okazji ślubu i narodzin dziecka oraz to, czego szukaliśmy najbardziej – ekspres do kawy. Do kuchenki potrzebowaliśmy także wielkich, brzydkich butli z gazem, od dźwigania których można nabawić się przepukliny, dlatego syn signory właścicielki sklepu miał przywieźć je nam w swoim ape. „A tak, La Marinaia; mój syn wie, o co chodzi".

Za następnymi drzwiami znajdował się kolejny sklep z mieszanym asortymentem: pocztówkami, aparatami, okularami i filmami do aparatu, na których nam zależało. Drzwi były otwarte, ale wnętrze świeciło pustką. Aparaty i okulary leżały na otwartych półkach.

– *Buongiorno!* – zawołaliśmy.

Nikt nam nie odpowiedział. Czuliśmy się jak pozostawieni samym sobie złodzieje, dlatego cofnęliśmy się na *corso* i stanęliśmy na środku ulicy w sposób rzucający się w oczy, z dala od drzwi wejściowych. Czekaliśmy na sprzedawcę. Nikt się nie pojawiał. W końcu usłyszeliśmy kroki i odwróciliśmy się w ich kierunku. Nadchodził tęgi rzeźnik w fartuchu poplamionym na udach, tam gdzie najczęściej wycierał ręce.

– *Sta per arrivare dal parrucchiere.* – Niedługo wróci od fryzjera – powiedział.

Czekaliśmy więc dłużej, myśląc, że właściciel zniknął tylko na chwilę. Czekaliśmy i czekaliśmy. Dopiero kiedy pojawił się dość młody mężczyzna o przyciętych, kręconych, rudych włosach, zdaliśmy sobie sprawę, jak długo go nie było. Tymczasem sklep został otwarty, a aparaty leżały na wierzchu. Mimo to, jak mieliśmy odkryć, mężczyzna okazał się ostrożnym, oddanym młodym człowiekiem: oficjalnym miejskim fotografem. Często mieliśmy spotykać go na koncertach, sztukach i innych publicznych wydarzeniach, zawsze miał przy sobie aparat, zapisywał dla potomności wrażenia z miasta.

Dowiedzieliśmy się potem, że pusty sklep nie był wcale czymś wyjątkowym. Toskańczycy to ludzie towarzyscy i poza koniecznością chodzenia do fryzjera, banku oraz na *merendina*[44] w miejscowym barze, często potrafią zabłąkać się do innego sklepu na pogawędkę, na schody kościelne, by zażyć kąpieli słonecznej, na róg ulicy, by pogadać z *vigile*, zamiataczem, czy pójść do szewca i usiąść przy ścianie razem z resztą starszych panów.

Przeszliśmy kilka kolejnych kroków, minęliśmy sklep z antykami, mały zakład jubilerski, fryzjera, sklep z butami, bar – udało się nam naliczyć już trzy, od kiedy przyjechaliśmy do miasta – oraz malutki warzywniak naprzeciwko kościoła z Chrystusem w koronie cierniowej oraz Madonną z przeszytą sztyletami piersią. Owoce i warzywa były starannie wyłożone na ulicy w drewnianych skrzynkach. Z kołków zwisały warkocze czerwonej cebuli i czosnku; w pobliżu stały małe beczułki pełne fasoli, soczewicy i ciecierzycy; wielkie słoje z ziarnami słonecznika i orzechami; oraz skrzynki z figami, daktylami i poskręcanymi korzeniami imbiru.

Z Paryża przywieźliśmy trzy siatki na zakupy. Poprosiliśmy po kilogramie tego i owego: czerwonych pomarańczy, mandarynek, pomidorów, marchewek, cebuli i całej masy czosnku. Właścicielka, spokojna kobieta, zapytała, gdzie nocujemy, przekonana, że jeste-

[44] *Merendina* (wł.) – rolada, ciastko.

131

śmy na wakacjach poza sezonem. Rozpromienieni wytłumaczyliśmy, że od wczoraj jesteśmy miejscowymi z La Marinaia. Kobieta zaśmiała się i oświadczyła, że chodziła tam jako dziecko do księdza na nauki religii, który jednak kończył je szybko, ponieważ lubił niedzielnymi popołudniami chodzić do lasu na polowania. Dlatego sama wybrała nam wszystkie towary i odłożyła na bok nawet lekko stłuczone owoce, pozostawiając tylko te najlepsze.

Torby się wypełniły, a ramiona wyciągnęły od ciężarów. Candace jednak ciągle umierała z głodu. Zatrzymaliśmy się w barze Cafe Poliziano i napchaliśmy się *permuta* wyciśniętym z czerwonych pomarańczy, bułeczkami maślanymi i *caffé*.

– To z pewnością przebija zakupy w supermarkecie – oświadczyła Candace.

Kiedy zaspokoiliśmy pragnienie i głód, ponownie wyszliśmy na ulicę. Musieliśmy jeszcze odwiedzić sklep mięsny, piekarnię i miejsce, w którym można kupić ser. Zauważyliśmy kobietę taszczącą wielki okrągły bochenek w papierowej torbie. Candace zapytała, gdzie kupiła swoje *pane*, a ta wskazała na krętą uliczkę za małą *piazzetta*, na szczycie której stała olbrzymia i stara rzeźba w karnawałowym przebraniu uderzająca co pół godziny w dzwon wydający z siebie najbardziej głuchy dźwięk, jaki w życiu słyszałem.

Przeszliśmy wzdłuż i wszerz uliczkę wypełnioną zapachem świeżych wypieków, ale nie natrafiliśmy na najmniejszy ślad piekarni. Znaleźliśmy się z powrotem na *corso*. Bez kromki chleba. Ale ten zapach. Szukaliśmy dalej i dalej, aż do chwili, kiedy byłem gotów poddać się i pogodzić z zakupem paczkowanego pieczywa z supermarketu. Zbliżało się południe, a nie było widać końca zakupów. Po drodze minęliśmy trzy sklepy spożywcze, niewiarygodnie małe, wciśnięte w różne zakątki, w każdym wyłożono po kilka bochenków chleba, ale Candace uparła się, by odnaleźć piekarza albo w ogóle nie jeść chleba.

Było coś cudownie osobistego w sklepikach wyglądających jak dziuple w ścianie. Sprzedawano w nich te same rzeczy: makaron, świeżą mozzarellę, ser i jajka oraz parę innych przydatnych w gospodarstwie rzeczy – to wszystko w pomieszczeniu nie większym od szafy. Mimo to w środku zawsze było kilku klientów, którzy nie tylko odwiedzali je, by zrobić zakupy, ale też by zabić trochę czasu. Wyglądało to dla mnie – i zostało potwierdzone w trakcie mijających lat – jakby ludzie przychodzili tam dla towarzystwa, zupełnie jak starsi panowie przed zakładem szewskim. Pod miastem znajdował się bezosobowy supermarket, jednak oni – tak jak i my – unikali go jak zarazy. Oni także woleli stracić dwa razy więcej czasu na wędrówkę od sklepu mięsnego do spożywczaka, a potem do piekarni, czekając w kolejce i ciesząc się pogawędką o pogodzie, dzieciach, o tym jak zła jest szkoła, jak leniwy jest burmistrz, i że jeśli *vigile* wlepi im jeszcze jeden mandat za złe parkowanie, to każą mu go zjeść, o bólu pleców, o tym co robili w niedzielę, o tym jak można być tak głupim, by schodząc z własnej werandy, skręcić sobie kostkę. Być może to wszystko banalne sprawy, ale z takich błahostek składa się życie, miasto i sympatyczne w obyciu społeczeństwo.

Tymczasem dookoła zaczęły bić dzwony, a my staliśmy na *corso* bez okruszka chleba. Wpadliśmy w panikę. Wślizgnęliśmy się do pierwszego z brzegu małego sklepu, kupiliśmy dwa rodzaje sera i poprosiliśmy o najzwyklejszą w świecie rzecz: zapałki. Sprzedawczyni oznajmiła, że nie dostaniemy u niej zapałek i musimy iść do *tabbaccaio*. Staliśmy jak wryci, zaskoczeni tym, że w sklepie spożywczym nie można kupić zapałek. Wtedy, jak na zawołanie, pojawił się gadatliwy Piekarz z wiklinowym koszem pełnym chleba, którego zawartość bezceremonialnie wrzucił do drewnianego pojemnika. Wyszedł ze sklepu, ciągle mówiąc coś do sprzedawczyni.

– Idź za nim. Dogonię cię – nakazała mi Candace.

– Jak, do diabła, masz zamiar mnie znaleźć?

– To małe miasto.

Ruszyłem śladem piekarza. Minęliśmy dzwon i skręciliśmy w boczną uliczkę wypełnioną zapachem pieczywa, tutaj znajdował się jego mały zakład, tuż za drzwiami przesłoniętymi zasłoną. Raj. Skrzynki pełne wielkich okrągłych i podłużnych toskańskich bochenków wypieczonych z mąki pszennej, płaskiego pieczywa wyglądającego jak zgniecione kapcie nazywane odpowiednio *ciabatta*, małych mocno wypieczonych, chrupiących i śliskich od oliwy kulinarnych cudów świata *ciaccia* oraz bułek. No i zapach. Kupowałem coraz to nowe rzeczy, byle tylko zostać w środku i się nim rozkoszować.

Następnie pogoniliśmy do sklepu mięsnego, gdzie musieliśmy odstać swoje w kolejce. Włosi nie kupują mięsa; wyrywają je tak, jak dentyści wyrywają zęby; powoli i w bólach. To prawda, że lśniące, wykafelkowane na biało sklepy mięsne są miejscami przyprawiającymi o podziw, na hakach wiszą wielkie płaty szynki *prosciutto*, kilometrowe zwoje kiełbasy, pleśniejące malutkie kiełbaski *cinghiale*, oprawione króliki z odrobiną sierści zostawioną przy nogach i ogonie po to – jak mi powiedziano – by dowieść, że nie jest to kot sąsiada, który zaginął jakiś czas temu, oraz wielkie kurczaki wyścigowe o szczupłych nogach zwane *ruspante*, które spędzają większość swojego życia na powietrzu, radośnie biegając od jednego gnojowiska do drugiego, a teraz dyndały na hakach ze związanymi nogami i skrzydłami oraz grzebieniami przekrzywionymi nonszalancko na jedną stronę. Oczywiście znajdzie się też miejsce dla kawałków baraniny i cielęciny, żeberek wieprzowych, gołębi oraz przepiórek. Dlatego trudno jest cokolwiek wybrać, a łatwo zapatrzyć się w te wszystkie frykasy. Większość czasu nie spędza się jednak w milczącym zamyśleniu, lecz na niekończącej się wymianie zdań pomiędzy klientem a rzeźnikiem. Jedną z takich konwersacji zapisałem sobie kilka lat później:

Rzeźnik: Co powiesz, Carlotta?

Carlotta: Ani słowa. Za każdym razem, kiedy coś mówię, nie mam racji. Zapytaj mojego męża.

Rzeźnik: A jak on się ma?

Carlotta: Doskonale. Płuca silne jak nigdy. Kiedy wyszłam, słyszałam jego krzyk, nawet gdy minęłam już kościół.

Rzeźnik: Przyrządź mu coś smacznego.

Starsza pani obok (wtrąca się): Najlepiej trutkę na szczury z olejem rycynowym. Kiedy wróci do zdrowia, będzie wdzięczny, że przeżył.

Carlotta: Pewnie i tak to rozgotuję, a wtedy ciśnie mi to w twarz i to ja skończę marnie. Daj mi coś, Augusto.

Rzeźnik: Może smakowitą perliczkę?

Carlotta: To było wczoraj.

Rzeźnik: Pieczoną wieprzowinę?

Carlotta: Nienawidzi wieprzowiny. Twierdzi, że przypomina mu moją matkę.

Rzeźnik: W takim razie cielęcina.

Carlotta: A ile tej cielęciny?

Rzeźnik: Może parę ładnych kawałków jak ten tutaj?

Carlotta: To za dużo. Cieniej pokrojonej.

Rzeźnik: Jak to?

Carlotta: Połamie sobie na tym protezę i o to też mnie oskarży. Jeszcze cieniej.

Rzeźnik: Jak cienko?

Carlotta: Powiedzmy, żeby były na tyle grube, żeby zawinąć trutkę na szczury.

Zanim nadeszła nasza kolej, słanialiśmy się na nogach z głodu, więc kupiliśmy to, co zostało w sklepie. W ostatniej chwili, dzwony wybiły pierwszą i Toskania ruszyła do schronienia, które mógł zapewnić tylko stół kuchenny.

Matra skrzypiała pod ciężarem zakupów. Candace straciła nad sobą panowanie i zaczęła pożerać kiełbasę i kromkę ciepłego chleba. Kiedy dotarliśmy do domu, szybko rozładowaliśmy zakupy i błyskawicznie rozstawiliśmy stolik ogrodowy pod trejażem, na którym piął się w najlepsze wiciokrzew, gdzieniegdzie nawet rozkwitając. Wielkie trzmiele buczały pomiędzy niebieskimi kwiatami rozmarynu na zboczu wzgórza. Polaliśmy pomidory, kawałki mozzarelli i strzępy bazylii oliwą, a następnie przystąpiliśmy do szturmu na kiełbaski i oliwki, popijaliśmy to wszystko winem od Bazzottiego. W końcu zanieśliśmy materac z powrotem do sypialni ze skosami, otworzyliśmy okiennice, by wpuścić do środka słoneczne płomienie, i skąpani w nich pogrążyliśmy się w naszej pierwszej, wielkiej, radosnej i wkrótce mającej stać się tradycyjną *pisolino* – drzemce.

Obudziłem się oszołomiony, miałem ochotę spać jeszcze przez następnych tysiąc lat. Candace, już rozbudzona, wpatrywała się

w wiszącą nad naszymi głowami olbrzymią belkę i płytki ceramiczne. Słońce stało nisko nad horyzontem, ściany miasta lśniły.
Próbowałem opatulić się kołdrą i znowu odpłynąć, kiedy głos rozsądku oznajmił:

– Ktoś musi wstać i wytropić piec.

Głos miał rację. Byliśmy pewni, że mamy gdzieś takie urządzenie,
widzieliśmy grzejniki, otworzyliśmy nawet zawory i puściliśmy wodę,
upewniając się, że nie są atrapą założoną, by wprawiać w zachwyt
gości. Przeszukaliśmy jednak każdy zakątek domu i znaleźliśmy
wszystko, co było większe od igły – wszystko poza zaginionym piecem. Dlatego wstaliśmy, by kontynuować poszukiwania. Usunęliśmy
dywany i poprzesuwaliśmy meble, aby sprawdzić, czy coś nie kryje
się pod podłogą; szukaliśmy strychu, ale naturalnie na nic takiego
nie natrafiliśmy, skośne sufity stanowiły przecież nasz dach; wal-
czyliśmy więc dalej. Candace wpadł do głowy niedorzeczny pomysł,
by sprawdzić budynek gospodarczy stojący jakieś dwadzieścia metrów
od domu. Przecież nikt zdrowy na umyśle nie umieściłby tam pieca,
ale do jasnej cholery, właśnie tam go znaleźliśmy. W zboczu wzgórza
wykuto miejsce na małe pomieszczenie, do którego wiodły stalowe
drzwi, na pierwszy rzut oka wydające się prowadzić do schowku
na rozpadające się meble ogrodowe. A jednak za oszukańczą fasadą
krył się olbrzymi niemiecki kocioł-potwór. Pstryknęliśmy przemysło-
wym włącznikiem umieszczonym na ścianie. Kocioł ryknął niczym
rakieta V2 odpalona w kierunku Coventry. Candace krzyknęła:

– Uciekajmy do schronów!

Tej nocy mieliśmy ogrzewanie. Późnym wieczorem, kiedy siedzieliśmy w ciepłym i cichym domu, musieliśmy przyznać, że ktokol-
wiek go wyremontował, miał klasę, ponieważ postanowił trzymać
ryczącą bestię z dala od domu.

Po uruchomieniu kotła rozpoczęliśmy spacer po ogrodzie w promieniach zachodzącego słońca. Na *piazzetta* wpadliśmy na kolejnego gościa – śliczną jedenastoletnią blondynkę. Stała, trzymając
w rękach nakryty suknem talerz. Widziałem ją wcześniej w pobliżu
domu stojącego na prawo od drogi – zapamiętałem, jak pedałowała,
kołysząc się na zbyt dużym na nią rowerze. Wyciągnęła naczynie
w naszym kierunku i powiedziała cienkim głosem:

– *Sono Eleanora Paolucci. Lo manda la nonna.* – Jestem Eleanora Paolucci. To jest od babci.

Candace przyjęła podarunek. Bez słowa więcej, nie bacząc na nasze podziękowania, dziewczynka pożegnała się krótkim *Arrivederci*, popędziła w górę schodów i z pośpiechem, czasem podskakując, ruszyła w drogę powrotną do domu. Położyliśmy talerz na kamiennym murku i podnieśliśmy nakrycie. W środku leżał wielki liść figowy, a pod nim kawałek bardzo miękkiego, świeżego i oślepiająco białego koziego sera, który leżał na kolejnym liściu figowym. To był najbardziej wzruszający podarunek ze wszystkich. Niezwykle prostoduszny. Dostarczony przez wnuczkę od babci, której nie mieliśmy okazji poznać osobiście, a która jeden raz uśmiechnęła się do nas z daleka, trzymając w rękach kurczaka.

15
NONNA I WIEDŹMA

Następnego ranka siedzieliśmy na *piazzetta* i kończyliśmy jeść kozi ser babci oraz śliwki od Piccardich, kiedy uświadomiliśmy sobie, że poza łóżkiem, czterema krzesłami, czterema antykami i dywanem, w zasadzie mieszkamy w pustym domu. Przypomniałem sobie, że widziałem na Monte San Savino miejsce z szyldem głoszącym *Trovaroba* – co tłumaczy się dość niezręcznie jako „wyszukiwacz rzeczy" – gdzie znajdowała się intrygująca mieszanina antyków i śmieci. Wyruszyliśmy w drogę po śniadaniu.

Kiedy minęliśmy staw, zatrzymaliśmy się przy domu Paoluccich.

Paolucci pracował w małej, przydomowej winnicy, razem ze swoją tęgą i barczystą matką. *Nonna* rzadko się uśmiechała, ale kiedy już zdarzało jej się śmiać, robiła to z całego serca. Wreszcie poznaliśmy też Rosannę, żonę Paolucciego, krzepką i sprawiającą wrażenie poważnej z wyglądu, ale jak mieliśmy się przekonać później – kiedy nasza znajomość włoskiego wykroczyła poza zwyczajowe dzień dobry, dziękuję oraz do widzenia – mającą zjadliwe poczucie humoru. Cała trójka przywiązywała konopnymi sznurkami winorośle do starych drutów. Paolucci podszedł do nas jako pierwszy, przywitaliśmy się niezręcznie, podając sobie ręce. Miał grube, jakby wyciosane w kamieniu dłonie, zresztą równie twarde. Podeszła do nas Rosanna i zrobiła to samo. *Nonna* stała jednak daleko przy krzewach i przyglądała się nam zza swoich wielkich okularów. Musieliśmy się do niej pofatygować. Candace podziękowała jej wylewnie za *formaggio di capra*, na co *Nonna* odparła, prawie obrażona, że było to *di nulla*. Nic takiego. Następnie wypowiedziała jeszcze bardzo wyraźnie kilka słów, z których niewiele udało nam się zrozumieć, co przeraziło Candace, ponieważ całą zimę uczyła się włoskiego. Później dowiedzieliśmy się, że *Nonna* – tak nazywaliśmy ją od samego początku i nazywamy teraz, chyba spodobało jej się, że adoptowaliśmy ją bez pytania – mówiła wyraźnie, ale tylko w swojej gwarze, używając wyrazów, których nie mieliśmy okazji poznać do tej pory.

Tak naprawdę wyglądało na to, że kilka słów wymyśliła i wprowadziła do swojego słownika. Być może wpływ na to miała młodość spędzona samotnie w polu niedaleko Montechiello. Miała wtedy zaledwie siedem lat i była najstarsza z pięciorga rodzeństwa. Zaczęła wychodzić na spacery między wzgórza, a jej jedynym towarzystwem było zaniedbane stadko owiec. Szukała im lepszego pastwiska na skraju lasu lub schodziła niżej wzdłuż *fossi*, głębokich, porośniętych drzewami jarów. Czas spędzała w samotności, mówiła do zwierząt, których doglądała, nie miała okazji porozmawiać z nikim innym, może poza resztą otaczającego ją świata.

Nonna stała przed nami w szerokiej spódnicy, popękanych butach z niezawiązanymi sznurowadłami, bez skarpetek. Wsłuchiwaliśmy się w to, co mówiła, bez odrobiny zrozumienia, i nawet przez chwilę nie przyszło nam do głowy, jak ważną częścią naszego życia stanie się w przyszłości dzięki swej wrodzonej łagodności, sile, pokorze i mądrości. Nie wiedziałem wtedy jeszcze, że wracając z każdej długiej podróży drogą pięknych gołębi, będę się bał, że jej już nie ma.

Jechaliśmy na północ bocznymi drogami w kierunku znanych nam wzgórz.

Orientowaliśmy się w okolicy i czuliśmy się pewni siebie, jak miejscowi. Do tego stopnia, że zupełnie zignorowaliśmy swoją nieznajomość choćby jednego słowa dotyczącego umeblowania. Dzięki Bogu, ponieważ w przeciwnym wypadku z pewnością byśmy zawrócili.

Niewiele rzeczy przynosi tyle radości co polowanie na antyki w Toskanii. Sklepy ze starociami są – a przynajmniej były – tak tajemnicze i niejasne, jak działalność Neriego. Bardzo często można znaleźć coś ciekawego w starej szopie czy gospodarstwie i przyjemnie spędzić godzinę na pogaduszkach i targowaniu się z *contadino*. U *trovaroba* było otwarte. Przód jego rozsypującego się domu wyglądał, jakby po budynku przetoczyła się wysoka fala i pozostawiła za sobą śmieci po huraganie. Sterty starych garnków, waz po oliwie, łóżek, nóg od stołów, krzeseł i kawałków krzeseł, dzwonów i ławek kościelnych, na wpół spróchniałych świeczników i zupełnie zbutwiałych jarzm. W końcu pojawił się sam *trovaroba*. Potężny mężczyzna z rękami jak bochny chleba, o pospolitej twarzy, na której malował się uśmiech szczery jak u dziecka, a spojrzenie budziło sympatię. Jego pomarszczone dłonie były poplamione, a pod paznokciami znajdowały się resztki lakieru z mebli. Rękawy starej wełnianej kurtki – zdecydowanie za małej na niego – sięgały mu zaledwie do łokci. Candace zaczęła wskazywać na różne rzeczy i pytać *Quanto costa?* Wtedy wpadł mi do głowy doskonały pomysł. Dałem mu ten sam wykład co Neriemu o starym domu etc., z tym że słowo „szukamy" zmieniłem na „mamy".

– *Molto semplice* – dodałem na koniec.

– *Roba rustica di contadino.* – Rzeczy jak u biednego rolnika, odparł z błyskiem w oku.

Zaprowadził nas do najgłębszych zakamarków swojej jaskini. Przypływ wypchnął tam rzeczy aż po sam sufit. Można było znaleźć dosłownie wszystko, od starych ołtarzy, po furmanki i porcelanowe głowy lalek. Zaczęliśmy przekopywać kolejne sterty. Czułem się jak święty Bernard szukający ocalałych ludzi po przejściu lawiny. Udało mi się znaleźć piękną nogę. Nogę od krzesła. Kontynuowałem wykopaliska. Małe, ręcznie strugane siedzisko z obiciem z szorstkiej tkaniny. Następnie natrafiłem na następne, całkiem podobne, przynajmniej w założeniu: drewno było wytarte od używania, idealnie nadawało się do kuchni. Gawędziliśmy i kopaliśmy dalej, z minuty na minutę poznawaliśmy coraz to nowe słowa, dzięki cierpliwości *trovaroba*, który tłumaczył nam, do czego służą określone przedmioty, opisywał rodzaje drewna i sposoby jego łączenia. Gdzieś w połowie stosu znaleźliśmy trzecie krzesło, spoceni już jak myszy. Nagle jakiś przenikliwy głos przerwał nasze nabożne skupienie. „Roberto!". Po czym usłyszeliśmy dalsze równie piskliwe słowa. Twarz Roberta się zachmurzyła.

– *La moglie.* – Żona – powiedział z posępną miną.

Na scenie pojawiła się rzeczona żona. Miała proste, zafarbowane na kruczoczarno włosy, tajemnicze spojrzenie, usta, które nigdy się nie zamykały, i zastygły grymas na twarzy mówiący „Śmiej się, i tak cię wypatroszę". Roberto wytłumaczył jej, kim jesteśmy i czego szukamy, podczas gdy *la moglie,* której na chrzcie dano na imię Maria – nigdy nie dowiemy się, czemu kapłan nie został natychmiast ekskomunikowany za świętokradztwo – szczerzyła zęby, wietrząc krew. Naszą krew. Jej ręce zaczęły poruszać się szybciej niż usta, wyrywały, wyciągały i wyszarpywały ze sterty rzeczy, które już odrzuciliśmy – najohydniejsze plugastwa, jakie stworzył na ziemi człowiek, kiedy Bóg ucinał sobie drzemkę. Powtarzaliśmy co chwilę „nie, nie, nie", ale Przekleństwo Roberta ryło dalej jak pies szukający trufli i próbowało wcisnąć nam kolejne potworki. Na dodatek musiała chyba być krótkowidzem, ponieważ podchodziła do mnie tak blisko, że byłem w stanie policzyć jej sztuczne rzęsy. Nie miała zamiaru przestać. Pokazywała nam imitacje krzeseł w stylu Ludwika XIV, blaszane stoliki platerowane mosiądzem, wypchanego lisa i tak dalej, i tak dalej. Candace, na początku uprzejma, zaczęła wpadać w morderczy nastrój, chociaż nawet nie była głodna, wreszcie, po setnym „nie", straciła panowanie nad sobą, wzięła dwa ohydztwa, które Maria próbowała nam sprzedać, i powiedziała spokojnym głosem po angielsku: „Maria, to wszystko jest bardziej przerażające od ciebie. A teraz idź precz!". I wcisnęła jej w ręce oba potworki. Marii odebrało mowę. Stała jak wryta, trzymając małą wieżę Eiffla i wyszczerbiony talerz z podobizną królowej. A potem wyszła. Roberto spojrzał na Candace z wyrazem wdzięczności, jak psiak na swoją panią. Zyskała przyjaciela na całe życie.

To był dobry urobek. Wydobyliśmy cztery rustykalne krzesła, solidny stół z kasztanowca do kuchni i *madia* wykonany z drewna wiśni. Wszystkie meble wymagały odnowienia i nawoskowania, ale Roberto obiecał wykonać te prace bez dodatkowych opłat i dostarczyć nam meble w przyszłym tygodniu. Ponadto udało nam się trafić na kilka wspaniałych drobiazgów: stare miedziane sito i garnki, opiekacz do orzechów z zamykaną pokrywką, bardzo starą ramę pojedynczego łóżka dla gościa wykonaną z kutego żelaza, przeżarte przez korniki świeczniki oraz najważniejszą rzecz w zupełnie pustym domu – rzeźbione, podwójne jarzmo dla mułów. Przede wszystkim jednak zyskaliśmy przyjaciela, którego odwiedzaliśmy jeszcze wiele razy w ciągu następnych lat, w trakcie których złagodniał nawet charakter Marii.

Kiedy wjechaliśmy do miasta – naszego miasta – słońce powoli zachodziło i zbliżał się wieczór. Przechadzaliśmy się Il Corso. Spacerowaliśmy pomiędzy miejscowymi, a miejscowi robili to samo każdego wieczora przez ostatnie kilkaset lat, z tą różnicą, że miejscowi mogli ze sobą swobodnie porozmawiać, a my nie znaliśmy nikogo. Do czasu aż zobaczyliśmy Piccardiego. Wybiegł z *palazzo*, w którym mieściło się jego biuro – o wysokim, sklepionym suficie, z freskami przedstawiającymi idylliczne krajobrazy z dużą dbałością o szczegóły – i powitał nas jak dawno niewidzianych przyjaciół. Pochwaliliśmy doskonałe przetwory jego żony, wspomnieliśmy o tym, że udało się nam odnaleźć kocioł, rozmawialiśmy tak długo, aż skończyły się nam słowa i zostaliśmy zmuszeni do powiedzenia sobie do widzenia. Była to nasza pierwsza wieczorna przechadzka i spotkanie towarzyskie na *corso*.

Zadowoleni z siebie pomaszerowaliśmy w górę *corso* do biura Marca Lenniego, aby odebrać obraz San Filippo. Uradował się na nasz widok – Marco, a nie święty; święty miał to w nosie, gapił się tylko na łysą czaszkę, którą trzymał w ręce. Jednak kiedy zabraliśmy go do domu i zawiesiliśmy na gwoździu na szerokiej ścianie w jadalni, wyglądał na zadowolonego ze zmiany otoczenia i kątem oka rozglądał się po swoich nowych włościach. Za pomocą gwoździa przypieczętowaliśmy nasze prawo własności La Marinaia.

16
KSIĘŻYC NAD TOSKANIĄ

Kiedy szukaliśmy miejsca do zawieszenia świętego, stało się jasne, że wnętrze rozpaczliwie potrzebuje malowania. Wyglądało to na prostą robotę; dom był niewielki, sufity przykrywały niepomalowane i nierówne płytki ceramiczne, ściany kuchni i łazienki w większości pokryte były glazurą, a reszta z pewnością pójdzie jak z płatka. Jeśli zaczniemy wcześnie rano, skończymy połowę malowania do południa. Podjechaliśmy do sklepu po niezbędne nam dwadzieścia litrów farby lateksowej. Ale w Toskanii takich spraw nie załatwia się w prosty sposób. Nie da się poprosić o coś w sklepie bez pytania sprzedawcy: *per che cosa?* – A po co to? Po pytaniu zaczynają się dobre rady. I nie tylko od właściciela sklepu, ale od wszystkich obecnych w pobliżu. Rady nie są zwięzłymi informacjami mówiącymi, że dana marka farby kryje lepiej, a inna gorzej, o nie. Każda porada łączy się z anegdotami o tym, jak czyjś brat używał jakiejś farby, co za bałwan, i koniec końców musiał wytynkować od nowa cały dom albo jak użył innej farby, spadł z drabiny i przeleżał w łóżku cały miesiąc. I tak dalej, i tak dalej. Do domu wróciliśmy w okolicach południa. Przywieźliśmy ze sobą dwa wiadra wapna.

Wapno żre. Do kości. Wytłumaczono mi to, kiedy miałem dziesięć lat, w trakcie bielenia chlewu w maleńkim gospodarstwie mojego wujka. Później przeczytałem kryminał, w którym ciało ofiary wrzucono do dołu z wapnem, by pozbyć się go raz na zawsze. Nie została nawet kosteczka. Dlatego opatuliliśmy się jak mumie, założyliśmy okulary przeciwsłoneczne i zabraliśmy się do malowania. Nie za pomocą wałków, jak nowocześni ludzie, ale wielkimi przeraźliwie ciężkimi pędzlami. Wieczorem ramiona zwisały mi bezwładnie, jak szmacianej lalce. Przynajmniej nie zlazła mi skóra przez kontakt z wapnem. Robotę skończyliśmy po tygodniu. Kiedy Roberto przyjechał z meblami, wnętrze było oślepiająco białe i pachniało jak świeżo wybielony chlew.

Trzeciego dnia naszych zmagań z wapnem, wracając z miasta, przejeżdżaliśmy powoli przez gaje oliwne i winnice, gdzie prace zawsze posuwały się w niespiesznym tempie.

Paolucci stał na wąskiej, ręcznie zbitej drabinie, ukryty między konarami wielkiego drzewa oliwnego, przycinał pędy za pomocą specjalnej zagiętej piły i sekatora. *Nonna*, z owiniętą chustą głową ze względu na wiosenną bryzę, zbierała opadłe liście dla kóz. Rosanna nadchodziła od strony stajni z drewnianą tacą pełną małych cebulek nieznanej rośliny, którą chciała zasadzić w swoim *orto*. W Toskanii *orto* oznacza tylko i wyłącznie ogródek warzywny, a posiada go każdy szanujący się Toskańczyk. Innym słowem, *giardino*, nazywa się ogród ozdobny. Wyrazu nie używa się jednak zbyt często, ponieważ niewielu ludzi ma w swoich ogrodach więcej niż kilka kwiatów, i to głównie w doniczkach. Któż o zdrowych zmysłach poświęcałby tyle wysiłku i czasu na zajmowanie się niejadalnymi roślinami? Rosanna podeszła do nas i bez skrępowania położyła tacę na dachu samochodu, zajrzała przez okno i zapytała, jak się mamy po pięciu dniach mieszkania we Włoszech.

– Pewnie już dobrze mówicie po włosku – powiedziała z poważnym wyrazem twarzy.

Roześmialiśmy się. W tym akurat byliśmy dobrzy.

Krok po kroku opanowywaliśmy La Marinaia, a może to ona opanowywała nas. Z każdym dodanym starym meblem, który udało się nam upolować, z każdym starym obrazem, który zawieszaliśmy na ścianie, dom stawał się coraz bardziej swojski. Nadszedł czas na przypuszczenie szturmu na ogród. Poprzedni właściciel musiał kochać stan Kentucky, ponieważ po dwóch stronach domu trawnik ciągnął się aż po horyzont. Naszym pierwszym zadaniem było jego zniszczenie – w brutalny sposób mieliśmy zmienić *il giardino* w *orto*. Paolucci rozpromienił się, kiedy wyjawiliśmy mu nasze plany, pomagając sobie przy tym gestykulacją. Następnego ranka usłyszeliśmy warkot silnika w pobliżu domu. Za zakrętem koło budynku gospodarczego pojawił się Paolucci zmagający się z gigantyczną glebogryzarką, która szarpała się gwałtownie na wszystkie strony, próbując ze wszystkich sił wyrwać spod jego kontroli i najlepiej wystrzelić go prosto na księżyc. Sąsiad bez pytania wprowadził swoją bestię na nasz trawnik z tyłu domu i przerył go w całości. Patrzyłem na to wszystko z przerażeniem. Candace promieniowała radością. Kiedy Paolucci skończył dzieło zniszczenia, wyłączył maszynę, usiadł na murku, zapalił jednego ze swoich okropnie śmierdzących papierosów i zaczął podziwiać swoją robotę. Miejsce, w którym kiedyś był trawnik, wyglądało jak po bombardowaniu. Cały dzień ładowaliśmy poharataną darń na taczkę, którą bezustannie woziliśmy tam i z powrotem, wyrzucając zawartość w zagłębienie przy zaroślach. Ptaki były wniebowzięte. Nigdy wcześniej nie miały takiej ilości świeżych robaków z dostawą do domu.

Następnie musieliśmy zabrać się do wybrania resztek trawy i korzeni z ziemi. Candace, podekscytowana perspektywą założenia ogrodu warzywnego, postanowiła poświęcić *pisolino* i zabrać się do pracy zaraz po obiedzie, wespół ze swoją potężną toskańską motyką. Wyszła na dwór ubrana w szorty i podkoszulek, jej chude ramiona i nogi raziły bladością po długiej zimie. Cała w skowronkach pomachała mi ręką, kiedy zmierzałem w kierunku zacisza sypialni.

Zamknąłem okiennice, by słońce nie przeszkadzało mi w drzemce. Zacząłem wpadać w objęcia Morfeusza, kiedy usłyszałem pierwsze ogłuszające uderzenie. A potem następne. Brzmiało to jak dźwięk topora walącego w pień drzewa. Łup. Poderwałem się i podszedłem do okna. Candace podniosła swoją monstrualną motykę i opuściła z całą mocą: łup. Pod cienką warstwą gleby leżała glina. Glina twarda jak kamień, od miesiąca pozbawiona wilgoci, sucha jak pieprz. Z tego robi się cegły. Jedyną różnicą pomiędzy cegłami a naszą ziemią jest to, że cegły da się pokruszyć. Nasza glina sprawiała wrażenie, jakby była z żelbetu. Po zrobieniu kilku płytkich bruzd motyką zlana potem Candace oparła się o murek, próbując złapać oddech. Stała tak, żałośnie sama jak palec, moje serce wyrywało się z piersi. Wtedy, niczym rycerz z bajki na zardzewiałym, pomarańczowym rumaku pojawił się znikąd Paolucci siedzący dumnie na małym traktorze. Silnik terkotał, stalowe gąsienice brzękały wesoło, z tyłu ciągnął się potwór o pięciu szponach zwany *il ripper*. Kierowca nie zwolnił ani odrobinę i z impetem spuścił bronę w glinę, która zaczęła rozpadać się w oczach. Candace przyglądała się temu z niekłamanym podziwem. Zamiast jednej kolosalnej cegły mieliśmy ich tysiące, a każda wielkości ludzkiej głowy. W żadnym wypadku nie nazwałbym tego piaskiem gliniastym. Mimo to Paolucci nie wyglądał na zniechęconego. Oświadczył nam, że co większe kawałki gliny muszą zostać usunięte, i że może nawieźć nam w wielkiej szufli dołączanej do traktora dobrej jakości muł leżący w rowach. Następnego dnia dokonaliśmy transplantacji gleby. Glinę wrzuciliśmy do zagłębienia, a w jej miejsce ułożyliśmy kruchą i sypką ziemię. Przez następne dwa dni rozrzucaliśmy ją wspólnie z Candace, spulchnialiśmy, oczyszczaliśmy i układaliśmy w grządki z wydeptanymi między nimi ścieżkami. Kiedy kilka dni później zawitał do nas Paolucci, stanął jak wryty i powiedział:

– *Bel lavoro, ragazzi.* – Dobra robota, dzieciaki.

Kiedy największy *contadino* pochwalił nasze wysiłki, poczuliśmy się jak obiecujący toskańscy rolnicy.

W ciągu następnych tygodni Candace zmieniła starą kopalnię gliny w urodzajne *orto*, które żywiło nas przez cały rok. Na cotygodniowym targu w mieście – który wszyscy nazywali *la piazza*, ponieważ odbywał się na placu, dopóki miasto nie rozprzestrzeniło się poza swoje mury – kupiliśmy sadzonki pomidorów, trzy gatunki sałaty, pęczki młodej cebuli, malutkie sadzonki ogórków, cukinii, bakłażanów, selera, pieprzu i melonów. Przytargaliśmy je do matry i wepchnęliśmy pomiędzy łopaty, motyki, rolkę siatki ogrodowej, która miała trzymać z dala jeżozwierze będące w stanie zniszczyć ogród w ciągu jednej nocy. Po powrocie do domu rozpoczęliśmy sadzenie. Wysialiśmy rzodkiewkę, fasolę, pietruszkę i tak dużo rukoli, że kiedy wzeszła, przypominała dżunglę. Ponieważ wodę ze stawu powyżej doprowadzono do domu pod ziemią, mieliśmy jej tyle, że wyrósł nam najwspanialszy ogród warzywny, jaki tylko można sobie wymarzyć. Wszystko robiliśmy, stosując się do nieustających porad Rosanny. Paolucci sprezentował nam wóz obornika z należącej do niego *stalla*[45], którego smród prześladował nas jeszcze przez cały tydzień po rozrzuceniu, ale dzięki temu nasz ogród obrodził warzywami, jakie miałem okazję oglądać tylko w prasie fachowej.

Przez resztę wiosny i lata Franco i Rosanna zasypywali nas niespodziankami. Kiedy wracaliśmy do domu z polowania na meble, czekała na nas długa rama wykonana z tyczek w kształcie litery A, do której należało przywiązywać łodygi pomidorów, albo nasza cebula i czosnek pięknie powiązane w warkocze i powieszone pod okapem dachu, albo przerzedzoną rukolę, albo wypielone grządki. Kiedy dziękowaliśmy im wylewnie za szczodrą pomoc, niezmiennie wzruszali ramionami, mówiąc, że od jakiegoś czasu nie mieli nic do roboty – cóż za kłamstwo – a poza tym jesteśmy sąsiadami.

W końcu udało się nam częściowo odwdzięczyć, pomagając im przez kilka dni w koszeniu trawy przeznaczonej na siano, a po długich zmaganiach namówić Paolucciego do przyjęcia zapłaty przynajmniej za jego pracę na traktorze. Zgodził się na to, utyskując, ale zawsze obciążał nas za mniej godzin, niż w rzeczywistości przepracował, było to ciągłym przedmiotem sporu i często musieliśmy przemycać dodatkowych kilka tysięcy lirów ukrytych między innymi banknotami. Przecież nigdy nie przeliczał pieniędzy.

Pewnego wyjątkowo ciepłego wiosennego wieczoru, kiedy mury domu i cegły *piazzetta* oddawały nagromadzone w ciągu dnia ciepło, postanowiliśmy zjeść kolację na zewnątrz. Miał to być lekki posiłek złożony z oliwek, serów i sałatki. Włożyliśmy swetry i kurtki i rozstawiliśmy stół pod trejażem. Zapaliliśmy dwie świeczki i podziwialiśmy światła miasta migoczące niczym sznur bursztynów.

Róg *piazzetta*, tam gdzie znajdowały się trejaż i stół, został wycięty w zboczu wzgórza i obudowany kamienną ścianą, na końcu któ-

[45] *Stalla* (wł.) – obora.

rej znajdowało się wykończone cegłami palenisko. Rozpaliliśmy mały ogień. Światła w domu były wygaszone, tylko płomienie ogniska i świec rozświetlały noc. Nasze cienie tańczyły na ścianach, na których przez stulecia musiało tańczyć wiele innych cieni. Dalej, na grani, migotała delikatna poświata dochodząca zza zakurzonych okien stajni Paolucciego, ale kiedy skończył karmić krowy i wyszedł na zewnątrz, zagasło nawet to. Po długiej zimie żaby przy stawie zaczęły wygrzebywać się z mułu i rozpoczęły uwerturę.

Jedliśmy i popijaliśmy rozgrzewani przez żarzące się polana.

Candace podpiekła trochę chleba do *bruschetta* nad żarem. Kiedy wracała do stołu, zatrzymała się nagle i zaczęła wpatrywać w niebo za moimi plecami.

– Dopij swoje wino, kochanie. Nie uwierzysz własnym oczom – powiedziała.

Delikatny blask rozświetlał jej twarz. Odwróciłem się.

Spodziewałem się, że na tle nieba zobaczę ciemne kontury miasta z ledwo widocznym oświetleniem, ale zamiast tego mogłem podziwiać niższą część miasta płonącą pomarańczowym ogniem. Domy i wieże odcinały się czernią na tle rozchodzącego się światła, niektóre domy lśniły, inne płonęły, płomień wystrzelił także przez kościelną wieżę, zawieszony w niej dzwon rysował się smolistoczarnym kolorem. Za dzwonnicą i domami lśnił olbrzymi, pomarańczowy księżyc. Kiedy tak patrzyliśmy z niedowierzaniem, wielka pomarańczowa kula zaczęła wznosić się powoli nad wzgórzem, dachami i wieżami niczym dostojna primabalerina wchodząca na scenę.

Od tamtej nocy, za każdym razem, kiedy nadchodziła pełnia księżyca, siadywaliśmy w *piazzetta*, ciepło ubrani jesienią i wiosną, tupiąc nogami zimą, rozparci leniwie na krzesłach w gorące lata, wsłuchując się w ogłuszające żabie chóry dochodzące znad stawu i podziwialiśmy olbrzymi księżyc oblegający Montepulciano.

17
Toskańska Wielkanoc

Chłonęliśmy włoski język. Zdeterminowani zmierzaliśmy do celu, ryzykując, że w trakcie poznawania narzecza, którym wszyscy dookoła porozumiewali się z rozwścieczającą nas łatwością, ucierpi nasze zdrowie psychiczne. Uczyliśmy się z podręczników. Czytaliśmy włoskie gazety, podkreślając słowa, których nie znaliśmy, sprawdzaliśmy ich znaczenie i zapisywaliśmy na marginesach. Niestety, prasę wypełniały tematy związane z polityką, której zresztą nie rozumieją sami Włosi, pewnie dlatego, że w kraju zarejestrowanych jest ponad cztery miliony partii. Dlatego czytaliśmy o wyścigach Grand Prix, ponieważ łatwiej było za tym nadążyć, a uczestnicy wydawali się normalniejsi. W ten sposób poznaliśmy potoczne wyrażenia w rodzaju płata nośnego, przyczepności na zakręcie czy automatycznej skrzyni biegów. Czytaliśmy także porzuconą przez Eleanorę Paolucci „Teleromanzi", coś w rodzaju opery mydlanej w formie komiksu z fotografiami głupiutkich panienek i dryblasów, nauczyliśmy się kluczowych dla toskańskiej wsi sformułowań, takich jak *„Oooooh, ooooh, Tesoro. Baciami, baciami, bacia tutto il mio corpo"*, co oznaczało dosłownie „Och, och, kochanie. Całuj mnie, całuj, całuj całe moje ciało".

Zrobiliśmy nawet coś, co wcześniej byłoby nie do pomyślenia: kupiliśmy telewizor i oglądaliśmy *Telegiornale*, wiadomości stanowiące włoską wersję rzeczywistości: mieszankę świeżych wiadomości, starych zdjęć oraz fragmentów filmów ze Steve'em McQueenem.

Angielskiego unikaliśmy jak zarazy. Kiedy nasze oczy napotykały w mieście turystę, odwracaliśmy głowy w przeciwnym kierunku; w trakcie kolacji z przyjaciółmi mówiącymi w różnych językach posługiwaliśmy się tylko naszą barbarzyńską wersją języka włoskiego; nawet jeśli siedzieliśmy w restauracji jedynie we dwoje, to rozmawialiśmy ze sobą po włosku, popełniając przy okazji tyle błędów i kalecząc akcent do tego stopnia, że wielu z gości musiało to przyprawiać o niestrawność. Wzięliśmy nawet udział w dwutygodniowym kursie językowym w mieście, w trakcie którego Candace osiągnęła doskonałe wyniki, a ja pobiłem wszelkie rekordy braku jakichkolwiek rezultatów. Przeżyliśmy to wszystko. Na prawo i lewo łapaliśmy nowe słowa i wyrażenia – kiedy robiliśmy zakupy, odwiedzaliśmy przyjaciół czy gdy dzwoniliśmy po instalatora Vittiego, aby przyjechał, bo zepsuł nam się kocioł.

Giovanna spełniła swoją straszliwą groźbę – opuściła swego trzeciego męża i przeniosła się do Włoch. Zrobiła nam najlepszy prezent na Wielkanoc, na który mogła wpaść – postanowiła przyjechać do nas na weekend z Mediolanu.

Czekaliśmy na nią na małej stacji w miejscowości Chiusi. Pociąg wyłonił się z ciemności, chwilę potem po schodkach zbiegła nasza przyjaciółka, a kiedy wymienialiśmy uściski, powiedziała:

– Jeśli nie dacie mi prezentu wielkanocnego, to wracam do pociągu.

Dlatego zatrzymaliśmy się w pierwszym napotkanym barze i kupiliśmy gigantyczne czekoladowe jajo, jakie w Wielkanoc dosłownie zalewają całe Włochy. Następnie ruszyliśmy do domu.

W dolinie podniosła się rzadka mgła i zaczęła gonić za nami, w miarę jak wjeżdżaliśmy coraz wyżej. Było ciemno, żółte reflektory matry nadały mgle upiorną barwę. Nie widzieliśmy Giovanny od listopada, dlatego gorączkowo nawijała nam o swojej nowej pracy, życiu i obawach związanych z Mediolanem oraz o tym, jak bardzo jest podekscytowana odwiedzinami. Wreszcie, okazując niepokojącą zmianę osobowości, zaczęła nie tylko wypytywać nas o nowe życie – o dom, sąsiadów i jak się dostosowujemy do obcego kraju – ale także wysłuchiwać tego, co mieliśmy do powiedzenia. Włochy ją zmieniały.

Wyjechaliśmy z mgły prosto w gwiaździstą noc z cienkim rąbkiem księżyca wiszącym nad Apeninami. Dochodziła dziesiąta i umieraliśmy z głodu, ale przed kolacją postanowiliśmy przejść się na krótki spacer ulicami Montepulciano, aby poczuć jego atmosferę. Do miasta można się dostać przez pięć ogromnych bram, wybraliśmy tę przy La Fortezza, twierdzy za murami miejskimi, którą otaczają ciche ogrody, a stare drzewa porastają najwyżej położoną i najspokojniejszą dzielnicę. Wąskie uliczki były puste i ciche, słabo oświetlone żółtym światłem padającym z latarni z kutego żelaza, wiszących w nierównych odstępach na ścianach mijanych domów. Dzwon wybił dziesiątą. Spokojnym krokiem skręciliśmy w wąskie, mroczne *vicoli*, szliśmy w górę i w dół ciemnymi schodami, błądziliśmy po ślepych uliczkach, które czasem kończyły się zardzewiałymi bramami, kapliczką, malutką *piazzetta* pełną doniczkowych kwiatów rzucających uporne cienie na mury. Bezgłośnie przemykaliśmy pod łukowatymi sklepieniami *palazzi*, by rzucić okiem na nieruchome klasztorne dziedzińce, łukowate *loggia* wsparte cienkimi kolumnami oraz wilgotne rzeźbione kamienne mury.

Za ciemnym *comune* trafiliśmy na ceglany murek, skąd ponad dachami domów mogliśmy popatrzeć na rozciągającą się poniżej dolinę. Słabo oświetlona La Marinaia wyglądała jak malutka łódka dryfująca samotnie na ciemnym morzu. Nagle przesłoniła ją mgła, miasto pozostało samotne w mrocznej toni.

Gdzieś w mieście ktoś zamknął ciężkie drewniane drzwi, po chwili znowu zapadła cisza. W drodze powrotnej na Piazza Grande żadne z nas nie odezwało się ani słowem. Dzwon kościelny wybił dziesiątą trzydzieści. Zaczęliśmy schodzić, gdy usłyszeliśmy czyjeś kroki. Ktoś powłóczył nogami. Zwolniliśmy. Szuranie robiło się coraz głośniejsze. Do tego doszło mamrotanie. Zatrzymaliśmy się. Mieszkaliśmy kiedyś w Nowym Jorku i wiedzieliśmy, kiedy nie wolno ignorować oznak niebezpieczeństwa.

W wyciszonym mieście, kiedy zewsząd otaczają nas kamienne mury, niosące się echo może być dużo głośniejsze od źródła dźwięku i praktycznie nie da się określić, skąd on dochodzi. Spoglądaliśmy na siebie nawzajem, oczekując wskazówek, co robić dalej, było jednak zbyt ciemno, by dostrzec, co malowało się na naszych twarzach. Usłyszeliśmy czyjeś kaszlnięcie. I jeszcze jedno. Znowu szuranie nogami. W końcu zapadła cisza. Giovanna chwyciła mnie za ramię, kiedy zza rogu wyszedł zakapturzony mężczyzna w czarnej pelerynie, za nim jeszcze jeden i następny. Pojawiły się kolejne dwie odziane na czarno sylwetki niosące pochodnie. Trzymano je nisko przy ziemi, zataczając równocześnie kręgi, jakby szukano czegoś do podpalenia. W końcu z uliczki wymaszerowało kolejnych sześć cieni w czarnych pelerynach. To byli żałobnicy niosący zmarłego. Ciało leżało pogrążone w dostojnym bezruchu. Nagie, pozbawione życia kończyny lśniły na żółto w migoczących płomieniach. Zmarły miał białą twarz figury woskowej. Zakapturzeni mężczyźni uginali się pod jego ciężarem. Za nimi kroczył kapłan, cały w bieli. Ręce miał złożone do modlitwy, a oczy wlepione w ziemię. Dalej kroczyli poważni ludzie niosący wysokie świece z kolorowymi papierowymi kielichami zamocowanymi mniej więcej w połowie każdej z nich, żeby ochronić dłonie przed kroplami rozgrzanego wosku. Przeszli powoli obok nas, jakbyśmy byli dla nich niewidzialnymi duchami. Następnie pojawiła się grupa kobiet niosących białe lilie. Potem czwórka mężczyzn, również żałobników, tym razem jednak bez kapturów. Kobieta, którą nieśli, była wyprostowana – Madonna w niebieskiej szacie, z poważną twarzą i piersią przebitą sztyletami, aby ukazać jej ból. Za nią kroczyło całe miasto, starzy i młodzi, niektórzy ze świecami, inni bez. Wszyscy wspinali się krętą drogą w kierunku katedry, a tam wchodzili do środka prowadzeni przez księdza.

– A to, moi drodzy, była nasza radosna wersja parady wielkanocnej – powiedziała Giovanna.

– *Accidenti alla brutta Mamma della Madonna.* – Niech przeklęta będzie paskudna matka Maryi Dziewicy, ryknął Paolucci chrapliwym głosem.

Byliśmy na porannym spacerze, pokazywaliśmy Giovannie dolinę. Kiedy przechodziliśmy obok zagrody Paoluccich, zobaczyliśmy

Franca próbującego zapędzić za pomocą zielonego kapelusza na wpół oszalałą, długonogą kurę w kierunku babci. *Nonna* stała przy drodze, miała na sobie znoszone buty oraz haftowaną małymi kwiatkami, pozbawioną rękawów suknię i fartuch w jednym, typowy strój roboczy toskańskich kobiet do prac domowych i w ogrodzie. Stała z łopatą podniesioną ponad głowę, jak wojownik gotujący się do walki. Tydzień wcześniej pytaliśmy Paoluccich, czy moglibyśmy kupić od nich kilka kurczaków, perliczek i gołębi, o ile będą mogli pozwolić sobie na sprzedaż. Zapewnili nas, że następnym razem, kiedy ubiją i oczyszczą coś dla siebie, to przygotują też coś dla nas, ale nie wcześniej, ze względu na trud związany z zagotowaniem wody w schowanym pod małym dachem, wielkim, opalanym drewnem kotle służącym do zanurzania w nim drobiu przed oskubaniem. Teraz jednak ogień palił się w najlepsze, w końcu nadchodziła Niedziela Wielkanocna. Czułem, że za chwilę staniemy się świadkami egzekucji.

Kury nie bez powodu nazywa się głupimi ptakami. Ta naganiana przez Paolucciego biegła prosto w kierunku babci. *Nonna* wypowiedziała pod nosem kilka słów, być może modlitwy, i machnęła łopatą. Łup. Kura się zatoczyła. *Nonna* wymamrotała coś jeszcze, szturchnęła ją delikatnie nogą, po czym kura przewróciła się na bok, następnie umieściła czubek łopaty na jej szyi, spojrzała na nas wzrokiem mówiącym „co za życie", położyła wielki bucior na krawędzi łopaty i do widzenia.

– *Buon appetito* – wybełkotała prawie niesłyszalnie Giovanna.

Paolucci wytypował kolejną ofiarę i cała historia się powtórzyła: brutalna, śmiertelna, tak stara jak kura i człowiek. Łup.

Franco podszedł do nas i przedstawiliśmy mu Giovannę. Powiedział, że mogą przygotować dla nas parę sztuk i powieszą je na dzień, aby skruszały. Będą gotowe do odbioru jutro rano.

– *Perfetto* – powiedziała Giovanna, a jej twarz pojaśniała w uśmiechu, w głowie natychmiast nastąpiła przemiana kurzej ofiary w jedzenie. – Zjemy świeżego kurczaka na wielkanocne *pranzo*.

– Nie potrzebujecie drobiu na *pranzo*, ponieważ jutro jecie z nami – oświadczył Paolucci.

To było pierwsze oficjalne zaproszenie na posiłek do ich domu.

Kiedy wracaliśmy ze spaceru, *Nonna* siedziała na krześle na podwórzu, przed nią stała mała emaliowana miska, unosząca się z niej para osiadała jej na okularach. Wielki kocioł stojący za jej plecami parował jeszcze mocniej, Rosanna wrzucała do środka martwe kury. Na kolanach babci leżała jedna z długonogich kur, w większości oskubana z piór, które leżały teraz na ziemi. Na zardzewiałych gwoździach wbitych w ścianę wisiało głowami do dołu na związanych ze sobą nogach całe stadko oskubanego drobiu: kur, gołębi, perliczek oraz jedna kaczka.

– Kiedy będziemy mogli dostać własne trupy? – zapytała Giovanna, na co wszyscy wybuchli śmiechem, a kurczak babci wyśliznął się z rąk, wpadając z efektownym pluskiem prosto do miski z wodą.

Obiad w Niedzielę Wielkanocną u Paoluccich trudno było nazwać ucztą, raczej bankietem. Ich była piątka, a nas trójka, zsunęli więc dwa stoły kuchenne i odpowiednio zastawili. W obu opalanych drewnem piecach płonął w najlepsze ogień, podobnie jak wszystkie palniki kuchenki gazowej, każdy centymetr kwadratowy zastawiono szczelnie garnkami i patelniami, w oba piekarniki wstawione były blachy. Paolucci, ogolony gładko jak papież, bez kapelusza na czubku głowy i z dokładnie uczesanymi szczeciniastymi włosami, wyszedł z *cantina* z parą dwulitrowych butli wina, wprowadził nas do domu i pożyczył *Buona Pasqua*.

Daliśmy babci bukiet wielkanocnych lilii, spojrzała na nas przez szkła okularów, Candace przysięgała później, że spostrzegła w nich łzy. *Nonna* przez całe swoje życie robiła coś dla innych, to że prawie obcy ludzie pomyśleli o niej, musiało okazać się miłą niespodzianką.

Zabraliśmy się do jedzenia.

Na początek podano dwie wielkie tace z *crostini*, małymi grzankami z bagietek. Przygotowano cztery rodzaje: z *porcini*, z drobiowymi wątróbkami, z pomidorami i bazylią oraz z tuńczykiem i kaparami. To wystarczyło, by nas napełnić. Potem wjechały makarony. Jeden półmisek po drugim. I tak przez całą wieczność.

Franco ciągle dolewał nam wina. Carla, najstarsza córka, która skończyła tamtego roku dwadzieścia pięć lat, ciągle wydawała mu rozkazy i wyglądał, jakby miał już tego dosyć. Carla, jako idealna gospodyni, postanowiła nalać wszystkim wody mineralnej, miły gest z jej strony, tyle że rozstawiła szklanki do góry dnem i o tym zapomniała, a teraz, gorączkowo wydając polecenia ojcu, z wielką precyzją rozlewała wodę po całym stole. Wszyscy jak jeden mąż parsknęli śmiechem, który trwał i trwał, młodsza siostra Eleanora popłakała się ze śmiechu.

Zatopiliśmy zęby w makaronie. Był domowej roboty – cóż za głupie stwierdzenie, pewnie, że był domowej roboty! Wszystko było domowej roboty! Nawet cholerny drób! Carla zrobiła delikatne małe naleśniki nadziewane serem ricotta i szpinakiem, pieczone jak lasagna – smakowały wybornie. Nawet Giovanna, która uważa się – zresztą słusznie – za dobrą kucharkę, przewracała oczami z zadowolenia. Piliśmy wino i rozmawialiśmy – my głównie za pomocą gestów. Następnie podano *tagliatelle* z ragoût z królika. Ostre i z pomidorami. Wydaje mi się, że zemdlałem z rozkoszy. Potem na stół wjechał kolejny makaron. Nie mogłem uwierzyć własnym oczom, to było ręcznie robione *pici*, obtoczone w bułce tartej zarumienionej na oliwie. Kiedy byłem dzieckiem i mieszkałem w Budapeszcie, należało do moich ulubionych dań. Po trzecim daniu głównym Candace powiedziała, że jest tak najedzona, że chyba zaraz straci przytomność. Giovannie i mnie wydawało się, że lada chwila umrzemy. Dlatego napiliśmy się jeszcze wina.

Wino i chwila odpoczynku musiało ani chybi rozpuścić cały makaron w żołądku, ponieważ kiedy pojawiły się trzy rodzaje mięsa, nawet nie mrugnęliśmy okiem.

Zdążyliśmy się już przyzwyczaić do głośnych rozmów, ale nagle doszło do ostrego spięcia między Carlą i Frankiem. Paolucci krzyczał gniewnie. Córka nie pozostawała dłużna, i tak w kółko. Ani Candace, ani ja nie rozumieliśmy ani słowa, ale było oczywiste, że jesteśmy świadkami jakiejś rodzinnej kłótni. Candace nachyliła się do mnie i powiedziała:

– Wydaje mi się, że postanowiła wyprowadzić się z domu.

W miarę jak krzyki osiągały apogeum, zapytaliśmy Giovannę – która jadła niczym nieporuszona i gawędziła z babcią – jakie to nieszczęście się wydarzyło. Spojrzała na nas, jakbyśmy oszaleli.
– O czym oni mówią? – Candace nie dawała za wygraną.
– O soli – odparła.
– O czym!?
– O soli. Franco poprosił o sól, a ona odparła, że przecież jest koło niego, on zapytał gdzie dokładnie, na co ona odpowiedziała, że sól jest za koszykiem z chlebem, on powiedział, że jej nie widzi, a ona oświadczyła, że mu ją poda. I tyle.
– To dlaczego tak wrzeszczą?
– Ponieważ, moja droga, jesteśmy we Włoszech! – wrzasnęła.
Nikt nawet nie mrugnął okiem.

Na stole pysznił się pieczony gołąb pokrojony na małe kawałki, pieczony przez dwie godziny w piecu opalanym drewnem, dlatego delikatne mięso okrywała chrupiąca skórka grubości pergaminu. Podano też gulasz z dzika, a na sam koniec pieczoną baraninę. Pojawiły się także pieczone ziemniaki, które Candace pochłaniała w niesamowitych ilościach, oraz dobrze posolona i poszatkowana sałatka. Wszystko w toskańskim stylu. Do tego jeszcze więcej wina. Kobiety z rodziny Paoluccich piły bardzo mało, co oznaczało, że na naszą czwórkę wypadło mniej więcej po litrze na głowę. Wszystko w ciągu dwóch godzin. Litr wina i z kilogram jedzenia. Wreszcie nadeszła pora na *il dolce*.

Przynieśliśmy wielką owocową tartę przygotowaną przez Candace i Giovannę. To było jak przywiezienie drewna do lasu. Rosanna podała *tiramisu*, biszkopt nasączony mocną kawą z dużą ilością kremu, pewnie dlatego deser nazywa się „ocknij się", Carla upiekła *crostata di albicocca*, kruchą tartę z morelami, naturalnie nie mogło zabraknąć *colomba*, tradycyjnego włoskiego wielkanocnego ciasta bez lukru i w kształcie gołębia. Do tego wypiliśmy stawiające na nogi espresso oraz brandy i grappę. Paolucci nalegali, abyśmy napili się grappy ze względu na to, że jest *digestivo*; dobrze robi na żołądek. Poza tym trunek wprawia gościa w doskonały humor i pomaga zapomnieć, że za chwilę eksploduje się z przejedzenia. Poprosiliśmy Franca, by oprowadził nas po domu i okolicy, bo chociaż mieszkaliśmy w La Marinaia od trzech tygodni, nie mieliśmy okazji podziwiać toskańskiego gospodarstwa z prawdziwego zdarzenia w całej okazałości. Nie posiadał się z radości, że go o to poprosiliśmy.

Dom Paoluccich nazywał się Pallazzo dei Diavoli – Dom Diabłów. Nikt nie miał zielonego pojęcia, dlaczego akurat tak, ponieważ gospodarstwo liczyło kilkaset lat, zresztą nikt też nie wiedział dokładnie ile. Wedle rodzinnej tradycji, na strychu znajdował się kiedyś ołtarz ku czci Szatana. Mówi się, że księża wspominają po cichu między sobą o tajemniczych rytuałach, oddawaniu czci diabłu, dziwnych ofiarach znalezionych w ścianach domu, mimo to każdej wiosny przychodzą i błogosławią dom, tak jak robią z innymi gospodarstwami należącymi do parafii (jeśli tylko ktoś sobie zażyczy, mogą pobłogosławić nawet samochód). W każdym razie wątek diabelski nie jest do końca sprawdzony, ołtarz za to rzeczywiście istnieje, przynajmniej jego cokół. Widziałem go na własne oczy.

Dom został wzniesiony jako *casa padronale*, co oznacza, że mieszkańcy byli właścicielami ziemi i okolicznych domów. Dlatego wyglądał na bardziej wielkopański niż zwykłe *podere*, które miało stajnie na parterze i część mieszkalną na piętrze. Do długiego i szerokiego holu dzielącego dom na dwie części wiodły trzy stopnie z polerowanego trawertynu. Po lewej stronie znajdowały się trzy wielkie sypialnie, wszystkie ogrzewane – mniej więcej – ciepłem, które czasem przypadkiem wpada do pokojów z wielkiego paleniska w kuchni po drugiej stronie holu. Zimą między szybami można czasem zauważyć lód. Rodzina jednak sypia bardzo dobrze.

Po prawej stronie od wejścia znajdują się drzwi do olbrzymiej kuchni, która równocześnie pełni funkcję jadalni oraz pokoju dziennego. Tutaj w razie potrzeby cerowano, szyto, prasowano ubrania i co tam jeszcze komuś wpadło do głowy. Dalej umieszczone są drzwi wiodące na diabelskie poddasze, a za nimi kolejne drzwi i trzy stopnie w dół prowadzące do *cantina* wypełnionej setką zapachów. Tutaj, na niezliczonych półkach, znalazły swoje miejsce słoiki z przetworami, wisząca na krokwiach dojrzewająca szynka *prosciutto*, pęta kiełbasy, warkocze cebuli i czosnku, worki z ziemniakami, jabłka na macie z trzciny oraz gąsiory wina przelanego z wielkich beczek.

Wyszliśmy na zewnątrz. *Nonna* siedziała na krześle przy schodach, wygrzewając się w słońcu. Niebo było bezchmurne. Do tego lekka bryza. Cóż za cisza i spokój. Tylko kaczki człapiące w rzędzie przed schodami kwakały sobie w najlepsze.

– *Domani piove.* – Jutro będzie padać – powiedziała *Nonna*. Giovanna zapytała ją, skąd o tym wie, na co babcia odparła: – *Quando le anatre cantano, le piogge cadono.* – Kiedy kaczki kwaczą, niebiosa płaczą.

Franco zaprowadził nas za dom.

To tam zaczynało się ich gospodarstwo. Naprzeciw *cantina* leży ulubione miejsce Paolucciego, *stalla* okupowana przez cztery krowy i kilka cielaków tłoczących się przy wymionach swoich matek. Z budynku dochodziły zapachy siana, krów i starych cegieł, naprawdę kojąca mieszanka – zapach życia.

Franco kocha swoje krowy. Wstaje o świcie, by je nakarmić. Przenosi przez pustą, zakurzoną drogę bele siana na ramieniu. Następnie oczyszcza zagrody, wrzuca widłami obornik i słomę na taczkę, którą zrobił Pasquino, jego hałaśliwy szwagier. Zawozi to na gnojowisko, gdzie w pogotowiu czekają gołębie i kury. Wieczorem, tuż przed zamknięciem obory, powtarza cały rytuał. Pomiędzy tymi czynnościami pracuje w gaju oliwnym, winnicy albo w polu – rzadko kiedy dotyka się *orto* lub kur, ponieważ jest to robota dla kobiety – parę razy w ciągu dnia pojawia się w oborze, by sprawdzić, czy krowy dobrze się mają. Nazywa to po swojemu *governare le bestie* – zarządzaniem zwierzętami.

Koło *stalla* leży druga *cantina* przeznaczona dla fermentującego i dojrzewającego wina, w której na masywnych drewnianych stelażach kryją się beczki i kadzie.

Pomiędzy *stalla* i *cantina* znajduje się *forno*, gigantyczny ceglany piec w kształcie kopuły, gdzie *contadini* z okolicznych gospodarstw mogli równocześnie piec chleb lub w dni świąteczne przygotowywać góry mięsiwa i ciast. Olbrzymie pęki łamliwego i suchego janowca spalały się w środku, nie zostawiając po sobie zbyt wiele popiołu, i rozgrzewały cegły prawie do białości. Ciepło utrzymywało się w piecu aż do rana, wystarczająco długo, aby upiec owcę, pułk kur lub pizzę dla pięćdziesięciu osób.

W dzisiejszych czasach rozpala się go tylko na wieczorną pizzę z przyjaciółmi i rodziną lub specjalne *dolci* Rosanny na Boże Narodzenie i *caroli* na Wielkanoc. Za każdym razem, kiedy płonie w nim ogień i jesteśmy przy tym, powietrze wypełnia świąteczna atmosfera, wszyscy próbują pomagać, coś przynoszą, rozpalają w piecu, coś wynoszą, odganiają koty, wyciągają blachy za pomocą chwytaków na długich rączkach, dźgają, sprawdzają, popychają, parzą się w palce, wołają, że już gotowe; jest niegotowe; przypalone; surowe; jak jesteś taki mądry, to sam gotuj; bo nie zwykłam piec węgla drzewnego; i w końcu wszystko dobrze się kończy.

Przy *forno* stoi wielki, wiedźmowy kocioł, do którego trafiają martwe kurczaki i gdzie w lecie Rosanna, *Nonna* i Anna, potężna i bardzo głośna siostra Franca, gotują na zimę setki słoików z pomidorami i dżemami.

Następnie mamy zagrodę. Są tam: mały spichlerz, szopa kryjąca zabytkową sieczkarnię oraz niski, dwuizbowy chlew. W jednej jego części mieszkają dwie młode, zabłocone, dokazujące i chrumkające świnki, zupełnie nieświadome tego, że pewnego nieuchronnego mroźnego dnia następnej zimy podwórze przy kotle zmieni się w rzeźnię, a one same w cudowny sposób przemienią się w szynkę *prosciutto*, kiełbasy, kotlety i pikantny salceson. Drugą część chlewika zamieszkuje maciora wielkości fiata cinquecento, leży na boku z powodu olbrzymiego brzucha, który kryje kolejne pokolenie prosiaków.

Paolucci otwiera bramę zbitą ze starej ramy szczytowej żelaznego łóżka. Za zawiasy robi drut, a za rygiel sznur. Wolnym krokiem wchodzimy na podwórze za domem, skąd roztacza się widok na dolinę. W cieniu trzech patykowatych cyprysów leży królestwo drobiu. To stąd bez ograniczeń mogą wychodzić na przechadzki, terroryzując całą okolicę: pola, rowy, gnojowisko, stajnię, schody wejściowe, a w przypływie samobójczych myśli zapuszczają się nawet do *orto* babci. Paolucci musi mieć w żyłach krew Noego, ponieważ w jego gospodarstwie żyje każdy gatunek drobiu, jaki stworzył u zarania dziejów Bóg. Ptaki żyją w kurnikach, na kurnikach i obok kurników, między drzewami, na dachu domu, na wozie i na płocie, ciągle coś dziobią, rozgrzebują, trzepoczą skrzydłami, skrzeczą, przechadzają się, wysiadują jajka, śpią, gonią koty, są gonione albo po prostu ćwiczą głupotę. Mamy tutaj kury i koguty, perliczki i przepiórki, chińskie kaczki, toskańskie kaczki, kaczki z małżeństw mieszanych, bażanty, gęsi, indyki, gołębie oraz czarnego ptaka przybłędę, który po wykurowaniu zamieszkał u Paoluccich i gwiżdże jak człowiek, przez co za każdym razem odwracam głowę, by zobaczyć kto to. Na koniec Franco pokazuje nam trzy małe winnice i gaje oliwne – idealne małe królestwo. Dziękujemy wszystkim za gościnę i wolnym krokiem wracamy do domu.

Około północy tamtego dnia – tak jak przewidziały to kaczki – niebo otworzyło się i zaczęło padać.

18
ŻABY

Z nową energią przystąpiliśmy do polowania na stare meble. Piccardi i inni sąsiedzi podpowiedzieli nam, które gospodarstwo może mieć coś na sprzedaż i gdzie może się znajdować pracujący na pół etatu *trovaroba*. Poza kilkoma praktycznymi przedmiotami trafiliśmy na niezwykłe rzeczy, tak piękne i obezwładniająco bezużyteczne, że tylko bezduszny człowiek pozostawiłby je w zarośniętych pajęczynami kątach. Odkryliśmy także nowe, przepiękne rejony Toskanii. Poznaliśmy miasteczka, gospodarstwa leżące na końcach ukrytych dróg, a przede wszystkim, spotkaliśmy różne czarujące postaci.

Jedną z nich był *Nebbia* – Mgła. Tak przynajmniej brzmiało jego *soprannome*, czyli przezwisko. W Toskanii przydomki są na porządku dziennym. Dlatego Don Flori, poeta i kapłan w jednym, który miał dwa lata później ochrzcić naszego syna, miał ze względu na wzrost przezwisko *Don Chilometro*; syna Scacciniego nazywano *Pagnotta*, ponieważ był okrągły jak bułka; burmistrza przezywano *Brioche*, bo składał się głównie z powietrza; Nebbię nazywano *Nebbia*, bo ciągle myślał o niebieskich migdałach, był młody i miał gęstą czuprynę jasnych, kręconych włosów, które z daleka wyglądały jak wznosząca się mgła. Był jedynym człowiekiem, którego mógłbym określić mianem „wesołka". Jeśli istnieje Święty Mikołaj, to musi być Nebbią w przebraniu.

Nebbia – *trovaroba* – żyje w przepięknym toskańskim miasteczku. Jest ono jednym z wierzchołków małego trójkąta miasteczek wyjętych żywcem z obrazka, wewnątrz którego znajdują się trzy zamki, dwa klasztory, mnóstwo ruin i tyle krętych, zakurzonych wiejskich dróg, że zwiedzania wystarczy na całe życie. Wzgórza są niższe, a doliny węższe niż gdzie indziej, co tworzy wrażenie tajemniczości. Nie ma tutaj bardzo poszukiwanych winogron, jak w Montepulciano czy Montalcino, dlatego na przestrzeni stuleci nie nastąpiło wiele znaczących zmian w krajobrazie, a malutkie gospodarstwa nazywane *azienda* pozostały nienaruszone, zróżnicowane i nie zatraciły wiejskiego charakteru.

Przybywaliśmy od wschodu, zjeżdżając powoli krętą, jednopasmową drogą, raz brukowaną, innym razem wysypaną żwirem, pewnie w zależności od nastroju miejscowych budowlańców. W miasteczku mieszka nieco ponad setka ludzi, a prowadzi do niego tylko jedna brama. Główna ulica – poza nią są jeszcze dwie – ma kształt okręgu okalającego miasto i ciągnie się wzdłuż murów obronnych. Domy są niemal miniaturowe, wiele z nich ma zewnętrzne schody wiodące do pomieszczeń mieszkalnych na piętrze. Partery były niegdyś maleńkimi stajniami, teraz jednak na próżno w nich szukać zwierząt i wykorzystuje się je w charakterze *cantina*, do składowania opału i wieszania na belkach wielkich udźców szynki *prosciutto* do peklowania.

Szliśmy przez miasto w porze popołudniowego *pisolino*, minęliśmy zamknięty sklep mięsny i miniaturowy sklepik spożywczy. Jedyną napotkaną osobą okazał się stolarz sterczący przed przypominającym jaskinię zakładem i przyglądający się staremu stołowi kuchennemu, którego nogi były do połowy spróchniałe, ponieważ ktoś przez lata trzymał go w wilgotnym miejscu. Zapytaliśmy, gdzie możemy znaleźć Nebbię. Wybuchnął śmiechem, słysząc cudzoziemców używających *soprannome*. Wreszcie, hołdując najlepszym włoskim tradycjom, zamiast dać nam wskazówki, osobiście nas poprowadził.

Nebbia spał, kiedy przyszliśmy, dlatego zaraz po otworzeniu drzwi wyglądał na jeszcze bardziej *nebbioso* niż zazwyczaj. Mrugał co chwila, oślepiony popołudniowym słońcem, rozglądał się dookoła, jakby próbował rozpoznać miejsce, w którym budził się przecież codziennie. Głos miał cichy i wesoły, kiedy mówił, wydawało się, że śpiewa. Naciągnął na siebie szerokie i luźne ciuchy i powiedział, że rzeczywiście ma kilka drobiazgów, ale nic szczególnie interesującego, ponieważ znalezienie czegoś dobrego w Toskanii było bardzo trudne. Przedmioty leżały w kamiennej szopie poza miastem. Nebbia powiedział, że z przyjemnością nam je pokaże, ale musimy poczekać, aż nakarmi psa, którego niedawno kupił i szkolił do szukania trufli.

Nie mając nic lepszego do roboty, ruszyliśmy na spacer po miasteczku. Główna ulica przechodziła przez tunel o wysokości wzrostu przeciętnego człowieka i skrzyżowanie prowadzące na małą *piazza*. Po jednej stronie wyrastał budynek kościelny wielkości kaplicy, a po drugiej *municipio*, którego rozpadające się drewniane okiennice nie były zamykane przez lata, *piazza* z pozostałych stron otaczały małe domy z powywieszanym na rozciągniętych pomiędzy oknami sznurkach praniem. Za wysokim murem z jedną wąską i zardzewiałą bramką krył się dziki ogród jak z bajki, pełen mieszających się ze sobą cieni i kolorów, drzew, krzaków, roślin oraz kwiatów, znajdowała się tam także ceglana studnia oraz mała altana ze starym żelaznym stołem i krzesłami. Wyglądało na to, że ogrodnik nie mógł się zdecydować, czy powinien posadzić warzywa czy kwiaty, dlatego goździk rozkwitał obok cukinii, róże obok cebuli, a czosnek rósł między pelargoniami, wszystkie rośliny były odrobinę przerośnięte i beznadziejnie ze sobą splątane. Miejsce wyglądało na doskonałe źródło pięknych baśni.

Na skraju murów miejskich znajdowała się mała *piazzetta* z ławką pod kwitnącą *acacia*, pęki żółtych kwiatów zwisały z gałęzi jak winogrona i rozsiewały w powietrzu piękny zapach. Na ławce siedziały trzy rozgadane starsze panie, jedna z nich dziergała na drutach. Za nimi rozciągały się porośnięte lasem wzgórza, gdzieniegdzie wyrastał gaj oliwny, czasem *podere*, a na wzniesieniu wybijała się kościelna wieża.

Nebbia znalazł nas wałęsających się po mieście. Minęliśmy *falegname*[46], ciągle usiłującego samym spojrzeniem naprawić zniszczony stół, zeszliśmy w dół w kierunku cmentarza i dotarliśmy do jedno-

[46] *Falegname* (wł.) – stolarz.

piętrowej *casetta*[47] pod wielkimi sosnami. Właściciel otworzył drzwi osadzone w łukowatym otworze, tak niskim, że musieliśmy przykucnąć, aby dostać się do środka. Otoczyła nas ciemność. Zapaliła się pojedyncza żarówka wisząca na poskręcanym kablu. W półmroku stały jedne z najpiękniejszych starych mebli, jakie dane było nam do tej pory zobaczyć. Piętnastowieczna *cassapanca* – skrzynia – o idealnych proporcjach, niska, długa, z czterema intarsjowanymi panelami, czarna od pomieszanych ze sobą przez stulecia brudu, dymu z palenisk oraz niezliczonych warstw wosku; wygięta pośrodku ławka kościelna z poręczami wytartymi na gładko przez wieki modlitwy; prosty i mały stół z drewna wiśni, którego powierzchnia została mocno wytarta; *inginocchiatoio* – klęcznik – z miejscem do złożenia rąk do modlitwy; żelazna rama łóżka, bardzo prosta, z dwoma pięknymi malowidłami na owalnych, blaszanych elementach przedstawiającymi stare ruiny o zmierzchu, jednym umieszczonym u wezgłowia, a drugim w nogach łóżka – jakby autorstwa De Chirico podczas gorszego dnia.

Nebbia usiadł w starym fotelu, który był wprost do tego stworzony, umościł się w nim jak ptak w gnieździe i zaczął brylować. Nawet nie próbował nam niczego sprzedać. Gawędził tylko o tym, co go interesowało, akurat wtedy zafascynowała go Kanada. Tyle przestrzeni. Odludzie, jeziora, góry i zamglone wybrzeże wydawały się idealnie pasować do jego marzeń. Uczył nas włoskiego, poprawiał, tłumaczył, a po wielu zachętach opowiedział co nieco o starych meblach, w jaki sposób określić ich wiek, źródło pochodzenia, rozróżnić rodzaj drewna, ponieważ *noce* i *ciliegio*, orzech i wiśnia, były cennymi gatunkami, ale już *pioppo*, topola, i inne miękkie gatunki nie były warte nawet połowy tego co tamte, ponieważ miękkie drewno nie mogło wytworzyć głębokiego i zróżnicowanego nalotu przypominającego powierzchnię jeziora.

Po godzinie światło dzienne w otworze wejściowym zaczęło blednąć i wreszcie zaczęliśmy rozmawiać o interesujących nas meblach oraz cenach. Nebbia żądał zaskakująco niewiele, dlatego, ku jego zaskoczeniu, nie targowaliśmy się. Postanowiliśmy

[47] *Casetta* (wł.) – chatka.

nabyć ławę kościelną, stół, klęcznik, łóżko z malowidłami i pięćsetletnią *cassapanca*, po czym Nebbia ponownie obniżył cenę ze względu na to, że postanowiliśmy wziąć to wszystko razem i zaoszczędziliśmy mu wielu godzin gorzkich targów ze znudzonymi i nudnymi rzymianami podróżującymi po okolicy i psującymi mu wszystkie niedziele. Na koniec, kiedy się żegnaliśmy, podarował nam dwa krzesła, ponieważ, jak oświadczył, miał sentyment do Kanady.

Kiedy wracaliśmy do miasta i nie posiadaliśmy się ze szczęścia, wielkie czerwone słońce opadało pomiędzy wzgórzami.

Od czasu do czasu Paolucci odwiązywał kilka krów od żłobu w stajni i zabierał na spacer, tak jak ludzie z miasta wychodzą na spacer z psami. Z wycieczkami wiązał się swego rodzaju rytuał. Najpierw wyprowadzał krowy ze *stalla* i wchodził na zakurzoną drogę, zawsze w kierunku przeciwnym do miasta. Prowadził je na grubej konopnej linie uwiązanej z jednego końca dookoła ich głów i rogów, a z drugiego do swojej ręki. Krowy szły za nim, wzbudzając tumany kurzu wielkimi kopytami. Wspólnie mijali stodołę, najniżej ulokowaną winnicę, mały ceglany domek ze studnią, w której stała ciemna woda, następnie schodzili z drogi w kierunku stawu. Na miejscu odrzucał linę i pozwalał krowom na wgryzienie się w świeżą trawę rosnącą przy brzegu. Za pomocą scyzoryka, którego ostrze zrobiło się bardzo wąskie od częstego ostrzenia, wycinał witkę z jednego z wiązów, kilka razy przecinał nią powietrze i wsłuchiwał się w dźwięk, jaki wydawała. Następnie wyszukiwał długie źdźbło trawy i wtykał je sobie w zęby, brał do ręki linę, szarpał ją parę razy i ruszał w drogę powrotną. Miał trzy trasy do wyboru. Mógł ponownie przekroczyć ulicę, podążyć jej węższą odnogą do zacienionej dolinki, gdzie mieszkali bracia Scaccini, dwudziestosiedmioletnie bliźniaki, zawsze wyprostowani jak tyczki. Mógł też iść cały czas wzdłuż drogi, wejść głębiej w niezamieszkane okolice i udać się w kierunku ruin. Mógł wreszcie przejść dalej za stawem i skierować się przez winnicę do naszego domu. Odgłos kopyt na bruku wprawiał nas w dobry nastrój. Patrzyliśmy, jak krowy podskubują nasze kwieciste krzewy, a Paolucci przeklinał, szarpał za linę i teatralnie kopał je w zadki.

– *Madonna gonfiata*. – Matko Boska Spuchnięta – krzyczał.

Uwalnialiśmy je w gaju orzechowym, gdzie pod drzewami rosła słodka trawa o właściwościach leczniczych. Franco siadywał na krześle pod trejażem i popijał wino z kieliszka – jeśli wypił ponad połowę, nie pozwalał go uzupełnić, jednak do tego momentu mogłem dolewać tak często, jak mi się podobało – i gawędził z nami. Kochał rozmawiać. Potrafił opowiadać o tym, że nadszedł czas na znalezienie następnego młodego cielaka, ponieważ jedna z krów miała wymiona tak pełne mleka, że ciągnęła je za sobą jak pług, albo o tym, że jego starsza córka nie wyszła jeszcze za mąż mimo trwających od ośmiu lat zalotów pewnego kamieniarza z San Quirico D'Orcia, *porca miseria*, córa prędzej przejdzie na emeryturę, zanim ustalą datę ślubu. Opowiadał też o *Corvo Nero*, Czarnej Wronie, najokropniejszej kobiecie pod słońcem, z niewyparzoną gębą i językiem jak bicz, której wpadały do głowy straszliwe pomysły w rodzaju przestawiania stosów kamieni czy przesadzania małych drzewek w nocy, by poszerzyć granice swoich pól i *far incazzare* – wkurzyć – wszystkich sąsiadów. W nocy potrafiła także uruchomić wielki ohydny traktor wydający z siebie hałas zdolny przebudzić zmarłych. Opowiadał, jak jednego razu w trakcie kłótni o rów położyła biednego Crocianiego prawym sierpowym, czym uszkodziła mu rogówkę i zmusiła do noszenia przez tydzień opaski na oku. A Crociani był *dolce come il pane*, słodki jak miód. Paolucci opisywał też swoją młodość, jak w sobotnie wieczory tańczyli w jednym *podere*, a następnego w innym, w lecie zbierali się na podwórkach, a w zimie w *cantina* ze względu na pobliskie zapasy wina. Opowiadał, jak wracali do domu o świcie, wykończeni, ale równocześnie naładowani energią młodości, i jak pewnego razu jechał rowerem we mgle i spadł ze zbocza prosto na drzewo, odbił się i znowu na nie wpadł, w sumie zdarzyło się to trzy razy, zanim wreszcie się przewrócił.

Po kilku kieliszkach i historiach wracał do stada, pytał krowy, czy najadły się wystarczająco dużo smacznej trawy, i zaczynał zaganiać je, poganiać i od czasu do czasu kopać w zadki, aż nie ruszyły w kierunku dziury w żywopłocie.

W całym Montepulciano rozwieszono plakaty mówiące o *concerto* w kościele San Biagio, widzieliśmy je co krok rozpięte na szybach sklepów i kawiarni, zapowiadały występ chóru dziewczęcego z Walii. Słyszeliśmy bardzo wiele o niezwykłej akustyce w kościelnych murach, dlatego nie mogliśmy doczekać się wieczoru.

Wnętrze kościoła San Biagio nie przyprawia o szybsze bicie serca. Budowla jest w stylu późnego renesansu i nic poza tym. Fasada jest prosta i podobny styl utrzymuje się w środku, wszystko jest poukładane i przypomina raczej bank lub pocztę. Jednak olbrzymia kopuła i strzeliste ściany z trawertynu sprawiają, że rozchodzący się wewnątrz dźwięk jest krystalicznie czysty. Koncert miał rozpocząć się o zmierzchu. Ponieważ kościół leżał nieco ponad kilometr od nas, zdecydowaliśmy się na spacer. Szliśmy w górę gliniastą drogą pomiędzy polami, przez lasek, cmentarz, a potem w dół do kościoła. Zaszło słońce. Wewnątrz budynku było prawie zupełnie ciemno. Jedynym źródłem światła były wysoko zawieszone okna i świece. Na początku wydawało się nam, że ktoś musiał coś przeoczyć. W typowo włoskim stylu zapomniano o oświetleniu kościoła w trakcie koncertu. Wtedy zdaliśmy sobie sprawę, że otacza nas ze trzy razy więcej świec niż zazwyczaj, i poczuliśmy, że tak właśnie oświetlano wnętrze cztery wieki temu. Czemu oświetlać je inaczej dzisiaj? Byliśmy pełni podziwu, rozkoszowaliśmy się blaskiem świec.

We wszystkich toskańskich kościołach można spotkać stojaki na prawdziwe świece, w mniejszych wiejskich kościołach znajdują się blisko ołtarza, a w większych przed posągiem lub obrazem jakiegoś świętego. Stojaki przypominają uchwyty na nuty z małymi metalowymi klamrami. Nowe świece umieszczano pod stojakiem, skąd brali je wierni w zamian za ofiarę kilku monet, następnie wkładali je w zaciski i zapalali, czasem w celu upamiętnienia kogoś, a czasem po prostu wyrażając swoją nadzieję na lepsze jutro. Kiedy nadchodzą święta religijne, stojaki są wypełnione po brzegi płonącymi lampkami, a milczące kościoły lśnią ich blaskiem i pachną roztopionym woskiem, co potrafi zmiękczyć serce nawet najbardziej zatwardziałego ateisty i uczulić na prostą wiarę tych, którzy zapalili świece.

Ławki zaczęły się zapełniać około kwadransa po planowanym rozpoczęciu koncertu. Ludzie rozmawiali między sobą szeptem. Po kolejnych piętnastu minutach – wedle włoskich standardów dokładnie o czasie – rozpoczął się koncert. Z drzwi za ołtarzem prowadzących do zakrystii wyszło około trzydziestu dziewcząt w wieku od trzynastu do osiemnastu lat, każda z nich miała na sobie białą bluzkę i sweterek. Zajęły miejsca w trzech rzędach na szerokich schodach przed ołtarzem i zaczęły śpiewać: pieśni klasyczne i ludowe, melancholijne lamenty oraz hałaśliwe włoskie melodie ludowe. Ich twarze wydawały się lśnić nieograniczonym potencjałem młodości i kiedy tryskające energią głosy rozbrzmiewały pod sklepieniem, widownia, zwłaszcza starsza wiekiem, znowu zaczynała wierzyć, że wszystko jest możliwe.

Wracaliśmy do domu tak, jak przyszliśmy. Noc była bezchmurna i bezksiężycowa. Sklepienie po brzegi wypełniały gwiazdy. W mrocznym stawie chór żab z entuzjazmem wyśpiewywał swoje żabie pieśni.

19
PIKNIK PRZY RUINIE

Po kilku tygodniach leniwe i spokojne życie na prowincji weszło nam w krew. Nieraz przez kilka dni nie uruchamiałem silnika matry, woleliśmy przespacerować się do miasta. Zabierało to niecałe pół godziny, włączając w to chwilę na obejrzenie się za siebie na dolinę lub krótki odpoczynek na kamiennej ławeczce przy kapliczce zwieńczonej kopułką, tuż przed murami miejskimi.

Wszystkie przystanki były przewidywalnie krótkie, chyba że postanowiliśmy wstąpić po drodze do sąsiadów. Przed domem Bazzottiego zawsze można było spotkać jego matkę, myjącą okna, zamiatającą lub podlewającą ich garstkę kwiatów. Albo samego Bazzottiego, który po pracy siadywał w cieniu na małej ławeczce i wyplatał wiklinowy koszyk na żołędzie i grzyby lub wiklinową osłonę na gąsiory z winem albo robił miotły z gałązek wrzośca, których używał potem rankiem, zamiatając w mieście ulice.

W gospodarstwie Paoluccich zawsze widać było babcię pracującą w *orto*, polującą na jaja w stodole i krzakach lub oporządzającą podwórze i kierującą na nim ruchem za pomocą miotły. Czasem spotykaliśmy Eleanorę wracającą na rowerze ze szkoły albo Rosannę w opanowany sposób sprawującą rządy nad całym domostwem. Franco imał się różnych prac i od czasu do czasu zatrzymywał się przy schodach – gdzie trzymał butelkę wina i kieliszek – na odpoczynek oraz *una goccia*, kropelkę, zanim wracał do pracy, *piano con calma*.

Dalej w górę drogi mieszkali państwo Anselmi, starszy pan i pani, z szeroko otwartymi ramionami witający wszelkie towarzystwo.

Jeszcze dalej mieszkał Crociani z żoną, matką, ojcem o najcieplejszym uśmiechu na świecie i synem Markiem, który był nieśmiały, ale jego uwagę przykuwały nasze rozmowy, a nawet nasze głupie pytania: dlaczego używali gałęzi wierzby do podwiązywania winorośli, czy pielili chwasty przy drzewach oliwnych czy też pozwalali rozrastać im się do woli. Tego rodzaju spotkania spowalniały nasze wyprawy, ale pozwoliły nam stać się częścią otaczającego nas świata.

Dzień po dniu, zdanie po zdaniu, kłopotliwa sytuacja po kłopotliwej sytuacji, kolejne spotkania udoskonalały naszą znajomość języka włoskiego. I na Boga, ileż krępujących historii nas spotkało. Jednego łagodnego czerwcowego wieczora wybraliśmy się zobaczyć szeroko reklamowanego „Świętego Franciszka z Asyżu" w *cinema sotto le stelle*, kinie pod gwiazdami. Po drodze zatrzymaliśmy się u Paoluccich. Pewny swoich umiejętności oświadczyłem, gdzie się wybieramy, sądziłem, że mówię nienagannym włoskim. Napotkałem tylko dziwne spojrzenia. Candace, rechocząc ze śmiechu, uświadomiła mnie, że powiedziałem, że udaję się do kina obejrzeć Świętego Franciszka *sotto le stalle*, pod stajnią.

Innym razem kiedy Bazzotti nazwał z podziwem Candace prawdziwym *campione*, mistrzem, po tym jak zobaczył ją uprawiającą jogging na drodze, postanowiłem odpowiedzieć mu dowcipnie.

– Jest mistrzem, pewnie, ale tylko w mieleniu ozorem.

Bazzotti nie zaśmiał się, ale zaczerwienił. Wyglądał na zmieszanego. Wstrzymałem oddech. Rozpaczliwie próbowałem wyjaśnić, o co mi chodziło.

– Za dużo gada.

Bazzotti zamyślił się na chwilę, z twarzy zszedł mu rumieniec i zaczął trząść się ze śmiechu. Cała wina leżała po mojej stronie, w końcu najpierw powiedziałem mu:

– Jest mistrzem, pewnie, ale tylko w robieniu ustami.

Kto naprawdę widzi różnicę pomiędzy *bocca* i *buco*, niech pierwszy rzuci kamieniem.

Staliśmy się mieszkańcami prowincji, najwięcej radości przynosiło nam życie w zasięgu widoku naszego domu, w okolicy miasta i doliny. Wycieczki do tak odległych miejsc jak leżąca osiem kilometrów dalej Pienza wymagały od nas tyle samo zaangażowania co wyprawy do Ameryki.

W pewnej chwili zauważyłem ze zdziwieniem, że przez cały tydzień nie postawiłem nogi na brukowanej drodze, żyłem zadowolony nawet bez miasta. Nie prowadziliśmy jednak wcale siedzącego trybu życia. Nasza siedziba była ostatnim zamieszkanym domem przy drodze; dalej szlak stawał się coraz bardziej wyboisty, aż w końcu zmieniał się w ścieżkę. Kiedy łaknęliśmy samotności, a nie towarzystwa, wyruszaliśmy w górę zarośniętej drogi i zamiast skręcić w lewo, ruszaliśmy w prawo. Droga opadała i kręciła się, szliśmy dużo wolniejszym tempem i z ciszy zagłębialiśmy się w ciszę absolutną. Za plecami zostawiliśmy winnice i gaje oliwne, w których ludzkie głosy często wypełniały powietrze. Ogarniała nas pogrążona w bezruchu zieleń pól pszenicy i łąk. Miasto niknęło w oddali i wyblakło w pamięci. Polne skowronki latały nad głowami i śpiewały samotne trele. Wiatr marszczył pszenicę jak powierzchnię morza. Pod stopami czuliśmy miękką i delikatną białą glinę, im dalej szliśmy, tym bardziej zwalnialiśmy i to nie z powodu zmęczenia, ale dlatego, że czerpaliśmy coraz więcej przyjemności z podziwiania okolicy. Oddychaliśmy głęboko.

Droga skończyła się przy pierwszej ruinie.

Było to masywne, dwurodzinne *podere* wyrastające na najwyżej wyniesionej części grani, bardzo stara kupa cegieł i kamieni na glinianym wzgórzu. Podłoże pozapadało się z powodu deszczu, co zebrało swoje żniwo, tutaj rysa, gdzie indziej pęknięta ściana, wszystkie naprawione zaprawą, dlatego stary dom sprawiał wrażenie, jakby miał się zaraz zawalić, stracił dawną formę, drzwi i okna były wypaczone, ale ciągle wyglądały dość solidnie. Mury czekały, aż czyjeś marzenia znowu tchną w nie życie.

Droga skręcała w kierunku doliny przy małym stawie zarośniętym sitowiem. Polne kwiaty porastały gęsto zbocza wzgórz, roiło się od kwiatów dzikiej marchwi, krwistoczerwonych maków, rumianku, margerytek, jaskrów i koniczyny, które na nowo prowadziły podbój swoich dawnych włości. Na samym dnie doliny, wzdłuż strumienia, w cieniu wzgórz rosły stare dęby i topole, wiatr przyniósł od nich przyjemny chłód. Obok strumienia leżała opuszczona dawno temu winnica z przechylonymi tyczkami, upadłymi słupkami, gęstymi i poskręcanymi winoroślami z pnączami zwisającymi jak pozostawione same sobie wierzby. Jeśli w tym miejscu odwrócisz się i spojrzysz za siebie, zobaczysz ciągnące się po horyzont wzgórza porośnięte zieleniącą się pszenicą i wyglądające jak gigantyczne morskie fale wspinające się aż do nieboskłonu. Między nimi, jak na środku oceanu, widać skąpane w słońcu Montepulciano kołyszące się między niebem a ziemią.

Przekroczenie strumienia wcale nie było takie proste. Kiedy woda płynęła swoim zwyczajnym nurtem, dało się przez niego przeskoczyć, jednak wkrótce po ulewie należało pozbierać tyczki z winnicy, zmoczyć się trochę i naprędce sklecić prowizoryczny mostek. Po drugiej stronie na odwiedzających czeka dolina pełna ruin. W dole potoku leżą zachwaszczone rozpadające się mury młyna, zarośnięta mała tama i podziemne koryta tak duże, że można się nimi swobodnie przechadzać. Kiedy dookoła panował oszałamiający upał, okolice młyna oferowały przyjemny chłód. Tutaj mieszkała wiedźma, tak przynajmniej opowiadałem swojemu synowi w trakcie wspólnych spacerów wiele lat później, jego oczy rozjaśniły się z radości zmieszanej ze strachem. Jego zadowolenie wzrastało jeszcze bardziej, kiedy wymykałem się po cichu i wydawałem z mroku koryta przerażające dźwięki.

Otaczające nas wzgórza są pełne ruin: dużych, małych, z wieżami i bez, niektóre z nich są prawie nienaruszone, inne to tylko sterty gruzu, a jeszcze inne to pagórki zarośnięte sięgającymi do kolan chaszczami, tak jak mój pierwszy dom marzeń, na który trafiłem w Toskanii. Do najlepszej z nich właśnie się zbliżaliśmy.

Z tego miejsca nie widać było nawet jednego zamieszkanego domu, ani żywej duszy. Cisza absolutna. Niczym nieskażony krajobraz. Z łatwością można było poczuć się jak ludzie mieszkający tutaj sto lat temu, albo dwieście i więcej; po pewnym czasie zatracało się poczucie teraźniejszości. Wiosną kolory świeżości i rozkwitające dookoła życie napełniały człowieka entuzjazmem i energią. Latem silne i przytłaczające upały wymuszały leniwy bezruch. Razem z Candace odwiedziliśmy nasze ulubione miejsce pewnego gorącego i słonecznego dnia, kiedy piknikiem postanowiliśmy uczcić naszą rocznicę ślubu.

Najlepsza ruina na świecie miała pozbawioną dachu, walącą się z jednej strony wieżę. Strome wewnętrzne schody pozostawiły po sobie jedynie otwory w ścianach, w miejscach gdzie były niegdyś przytwierdzone. Zewnętrzne kamienne schody także zniknęły; pozostał tylko jeden stopień, ostatni świadek lepszych czasów. Jedna z krokwi próchniała, przełamana na pół w stryszku na siano, dookoła czerwieniły się jak kwiaty wśród chwastów opadłe wraz z nią dachówki. Drzewo figowe oszalało, jego konary weszły do środka przez okna i dach, poprzebijały się przez ściany i przesłaniały niebo na całej długości aż do chlewu. Jedyny cień w pobliżu rzucał figowiec – drzewa wycięto pewnie, by zrobić więcej miejsca dla wypasu zwierząt – dolina rozciągająca się dookoła ruiny była otwartą falującą łąką.

Rozłożyliśmy na polnych kwiatach postrzępiony obrus, oliwki i sery, małą, jeszcze ciepłą perliczkę upieczoną rano, pomidory, rzodkiewki i truskawki świeżo zebrane w naszym ogródku. Przełamaliśmy bochenek chleba, ponieważ zapomnieliśmy zabrać ze sobą nóż, otworzyliśmy butelkę wina i we wszechogarniającej ciszy wznieśliśmy toast. Wszystkiego najlepszego z okazji rocznicy.

Zaledwie kilka ptaków ćwierkało niedaleko strumienia, cykady grały w popołudniowym upale, a chleb wysechł krótko po podzieleniu. Wspominaliśmy wszystkie latka, które przeżyliśmy ze sobą, próbowaliśmy przypomnieć sobie każdą z rocznic, śmialiśmy się i uroniliśmy łzę, opowiadając sobie o wszystkim dobrym i złym, co nas spotkało. Skończyło się jedzenie i wino, pozostało kilka okruchów chleba i truskawek, pojawiło się parę nieproszonych mrówek w pośpiechu uwijających się między resztkami. Upiliśmy się zapachem siana, truskawek i ciepłym winem z dna kieliszków.

– Jak okiem sięgnąć, nie widać żywej duszy – powiedziała Candace.

– Ani jednej – przyznałem.

– I nas też nikt nie widzi.

– Znowu masz rację.

– To jak myślisz? – zapytała z figlarnym uśmiechem.

– Teraz?

– Chcesz wrócić tutaj później, kiedy zasną ptaki?

Wyglądała olśniewająco. Otulił nas wszechogarniający upał.

Było ciągle po południu. Candace spała owinięta obrusem, wyhaftowany brzeg leżał na jej ramionach. Rude włosy wyglądały w promieniach słonecznych na jaśniejsze, a piegi rozkwitły. Nigdy nie wydawała mi się piękniejsza. Poczułem coś na kształt strachu z powodu miłości, którą czułem do niej przez te wszystkie lata.

„Święty Franciszek z Asyżu" został wyświetlony podczas pięknej gwieździstej nocy. Ekran rozciągnięto na ścianie benedyktyńskiej biblioteki zbudowanej w piętnastym wieku, wzniesionej na jednym z najwyższych miejsc w mieście, z którego można było podziwiać całą dolinę. Rozkładane krzesełka – około pięćdziesięciu – postawiono na bruku dziedzińca. Wygaszono światła i wszystko utonęło w ciemnościach, wielki projektor zafurkotał, na ekranie zaczęły migotać litery O i liczby.

Za nami wznosiła się kolejna ściana, po prawej cztery wielkie łuki *loggia*, a po lewej znajdował się tylko wysoki do pasa murek, na którym przycupnęły dwa nadgryzione zębem czasu kamienne gargulce wpatrujące się przed siebie w rozgwieżdżoną noc niewywołującymi już strachu ślepiami.

Na ekranie uśmiechał się do nas młody święty Franciszek. Przechadzający się między łukami w rodzinnej Perugii, czasem trudno nam było określić, gdzie kończyła się sceneria filmowa, a zaczynała rzeczywistość, w mgnieniu oka przenieśliśmy się w czasie o osiem wieków i razem z bohaterem kroczyliśmy przez *piazza*. Film okazał się długi. Gwiazdy robiły się coraz jaśniejsze, noc chłodniejsza, a krzesła trzeszczały na kamieniach coraz bardziej, w miarę jak ludzie przysuwali je coraz bliżej siebie, by zatrzymać jak najwięcej ciepła.

Po północy cała dolina utonęła w mroku i ciszy. Płynęliśmy przez morze gwiazd, przysłuchując się słowikom. Nietrudno było nam zrozumieć, skąd wzięła się silna wiara świętego Franciszka.

Franco Paolucci urodził się w domu niedaleko malutkiego, leżącego na wzgórzu miasteczka Petroio, przez które przebiegała tylko jedna ulica wijąca się i zwężająca, w miarę jak wspina się po zboczu wzgórza. Jego ojciec znajdował się w związku *mezzadria*[48] z miejscowym właścicielem ziemskim. *Mezzadria* to forma dzierżawy ziemi dominująca w Toskanii od trzynastego wieku do końca lat czterdziestych dwudziestego wieku, a w kilku miejscach funkcjonująca aż do dzisiaj. Właściciel ziemi oddawał gospodarzowi w dzierżawę grunt oraz dom i opłacał połowę kosztów związanych z pracą, zakupem nasion i zwierząt. *Contadino* oddawał drugą połowę oraz swój pot i znój. Kiedy nadchodziły zbiory lub *vendemmia* – winobranie – lub ubijano świnię, to właściciel ziemi i *contadino* otrzymywali z tego *mezzo* – połowę. Franco wyrósł w takim świecie i, tak jak wszyscy jego przyjaciele, opuścił szkołę po skończeniu trzeciej klasy. Chociaż ma problemy z czytaniem, pisze powoli i niezdarnie, nauczył się rozumieć świat, a co bardziej imponujące, ludzi. Kocha odwiedzać i być odwiedzanym, uwielbia też rozmawiać.

Kuchnia jest sercem każdego toskańskiego domu. U Paoluccich kuchnia jest zdominowana przez olbrzymie, zadymione palenisko, którego nie rozpala się tylko w najgorętsze dni. Pod rozległym, glinianym kapturem znajdują się naprzeciw siebie dwie małe ławeczki, pomiędzy którymi zazwyczaj płonie ogień. W rogu pomieszczenia stoi piecyk opalany drewnem, a obok niego kuchenka gazowa, na której prawie zawsze coś się piecze albo gotuje na wolnym ogniu. Wieczorami *Nonna* siada na jednej z ławeczek przy płonącym ogniu i zabiera się do szycia, cerowania, robienia na drutach dla całej rodziny przed zimą. Franco zajmuje miejsce przy stole, zmęczony po całym dniu pracy. Ożywia się, kiedy przybywają goście, rozkłada przed nami pękate kieliszki i nalewa wina. Po wymianie plotek zaczyna snuć jakąś historię.

Wspomina czasy swej młodości, kiedy żadna rodzina nie podjęłaby się sianokosów, żniw, *vendemmia* czy wyrębu drzew bez pomocy sąsiadów. W maju wszyscy zbierali się na łące jednej z rodzin. Ostrza kos błyskały w słońcu, głosy rozmów rozchodziły się po okolicy,

---

[48] *Mezzadria* (wł.) – połownictwo.

a kolejne kępy świeżego siana padały na ziemię. W południe kobiety podawały ciepły posiłek w nakładanych na siebie przenośnych garnkach, by zaoszczędzić mężczyznom długiej wędrówki do domów, wszyscy razem ucinali sobie *panzo* w cieniu rozłożystego dębu czy sosny pozostawionych na polu tylko w tym celu. Po zakończeniu pracy na polu jednej rodziny przenoszono się do następnej. Kiedy siano trochę przeschło, to wrzucano je na wozy, tworząc olbrzymie sterty, które mogły przyprawić ludzi z lękiem wysokości o zawroty głowy. Muły ciągnęły je potem na podwórza, gdzie po rozładunku ustawiano je w stogi. Po pracy rozpoczynała się uczta. Pod koniec zawsze pojawiała się harmonia, ludzie zaczynali śpiewać i tańczyć aż do świtu, kiedy bez odrobiny snu i odpoczynku ponownie chwytali *attrezzi*[49] i w porannym słońcu ruszali na pola kolejnego sąsiada na sianokosy. Wystarczyło, że usłyszałem raz tę historię, a wiedziałem, że za nic w świecie nie przegapię tego wydarzenia u Paoluccich.

Tamtego roku końcówka maja była gorąca, przez co siano wyrosło wysoko i wypuściło wiele kwiatów. Na szczęście dla mojego kiepskiego kręgosłupa nie trzeba było go kosić ręcznie. Paolucci wsiadł na starą trzykołową kosiarkę z długimi, niezabudowanymi ostrzami przypominającymi nos ryby miecznika i bez kapelusza na głowie wpadł na pole. Siano pozostawiono do wyschnięcia. Kilka dni później rozpoczęły się prace w polu. Sąsiedzi przestali pomagać sobie nawzajem dawno temu, dlatego zameldowali się tylko Franco, Rosanna, *Nonna* i w duchu ożywiania dawnych tradycji ważąca czterdzieści pięć kilo Candace i ja.

Zabraliśmy się do grabienia.

Paolucci dołączył do traktora urządzenie, które zgarniało siano w rzędy gotowe do zebrania po obiedzie, niestety, urządzenie nie zbierało dokładnie wszystkiego i resztę trzeba było zagrabiać ręcznie. Candace radziła sobie całkiem nieźle. Wszystko robiła metodycznie, z rozsądkiem i spokojem, ze mną było inaczej. Jak idiota

---

[49] *Attrezzi* (wł.) – narzędzia.

próbowałem dorównać tempem Rosannie, która miała silniejsze plecy i ramiona od moich. O dziesiątej skręcałem się z bólu. Moje plecy błagały o litość. Na pęcherzach porobiły mi się pęcherze, pył z siana okazał się tak gęsty i suchy, że pod oczami pojawiły mi się czerwone kręgi. Mimo to grabiłem dalej, często przystawałem, by napić się wody i otrzeć pot z czoła. *Nonna* opuściła nas o dziesiątej, by przygotować *pranzo*, Candace zniknęła o jedenastej, by załatwić papierkową robotę związaną z ubezpieczeniem zdrowotnym – zresztą bardzo mądrze, akurat przed moją śmiercią – ale Rosanna i ja podążaliśmy za tym cholernym traktorem dalej i grabiliśmy jak opętani. Z nieba lał się żar. Ramiona zrobiły się ciężkie jak kamienie. Ledwo co widziałem na oczy. Usta miałem pełne pyłu z siana. Mimo to z uporem grabiłem. W końcu Bóg ulitował się i zagrały dzwony kościelne, akurat kiedy miałem paść na ziemię i zasnąć, być może na zawsze.

Nie pamiętam drogi powrotnej do domu Paoluccich. Pierwszą rzeczą, którą pamiętam, była zimna woda spływająca po twarzy i karku. Ożyłem na tyle, by zawlec się po schodach do kuchni.

Zabraliśmy się do jedzenia. To akurat pamiętam doskonale. Podano *lasagna al forno*, z ciasta własnoręcznie rolowanego o świcie przez babcię, *pollo in umido*, kurczaka duszonego w pikantnym sosie pomidorowym, trochę *osso buco*, domowe frytki, sałatkę, krojone pomidory oraz *crostata*[50] przygotowaną przez Rosannę dzień wcześniej z moreli wyciągniętych ze słoika. Po obiedzie Rosanna i Candace umyły naczynia, a *Nonna*, Franco i ja wyszliśmy z powrotem na palące słońce, by ułożyć bele słomy, przygotowane wcześniej przez mężczyznę obsługującego maszynę jeżdżącą z terkotem po polu i wypluwającą zbitą ze sobą słomę. Bele pozostały jednak na ziemi, kaczki kwakały i robiło się pochmurno. Dlatego zaczęliśmy opierać bele o siebie po trzy sztuki i nakrywać jak indiańskie tipi, by osłonić je przed deszczem. Późnym popołudniem pole zaroiło się od tipi. Myślałem, że jestem wykończony, ale nagle całe wypite wino, kawa i grappa przestały działać, przez co poczułem każdy mięsień i ogarniającą mnie drętwotę. Wymamrotałem pożegnanie

[50] *Crostata* (wł.) – tarta.

177

i chwiejnym krokiem ruszyłem do domu. Brałem prysznic, wznosząc modły do Boga, by mnie nie opuścił, następnie położyłem się na chwilę – aż do świtu. Spałem jak zabity. No może poza tym, że śniłem o grabieniu siana.

Tak minął mój pierwszy dzień w roli *contadino*.

Kilka dni później, wczesnym rankiem, usłyszałem gąsienice traktora Paoluciego brzękające za oknem. Zaczęli ładować bele siana. Po cichu wymknąłem się z łóżka, by nie zbudzić Candace, ubrałem się i poszedłem pomóc sąsiadom.

Franco stał w rdzewiejącej naczepie, *Nonna* ze stalowym hakiem w ręku podeszła do beli. Następnie trzymając za rękojeść w kształcie litery T, wbiła go zdecydowanym ruchem w belę, zaciągnęła do naczepy i rytmicznym zamachem podrzuciła ją do góry. Franco przyciągnął ją do siebie i ułożył obok innych jak cegłę.

Powitali mnie, podśmiewając się z nadzwyczajnie wczesnej jak na mnie pobudki, i zabraliśmy się do pracy. Dostałem taki sam hak jak *Nonna* i zaczęliśmy ładować siano. *Nonna* wbijała hak z jednej strony beli, a ja z drugiej, w ten sposób bez przeszkód podawaliśmy je Francowi. Szybko ułożyliśmy dwie pierwsze warstwy, potem jednak musieliśmy wkładać całą naszą siłę, by umieścić je wyżej. Późnym rankiem grunt zaczął przypominać powierzchnię rozgrzanej patelni i każda następna bela wydawała się cięższa od wcześniej załadowanej. Dzięki nadludzkiemu wysiłkowi udało się nam załadować naczepę do czterech warstw beli siana. Związaliśmy ładunek sznurem i zawieźliśmy go do stodoły. Zjedliśmy śniadanie w ciemnej i chłodnej kuchni. Podali mi *lombo* – wędzony boczek – oraz zieloną cebulę i wino.

Kiedy wyszedłem z domu, nie czułem żadnego bólu. Rozładowaliśmy naczepę i wróciliśmy na pole. Dotrzymywałem babci jej nieludzkiego tempa, czasem tylko nie byłem pewien, czy dobrze stawiam stopy na nierównej i kamienistej ziemi, a czasem hak wypadał mi z ręki lub zostawał wbity w belę. Ładowaliśmy dalej. Sterta siana robiła się coraz wyższa, a upał coraz bardziej nie do zniesienia. W okolicy południa, pływając w pocie, szedłem za babcią, potykając się co chwila. Modliłem się, by dzwony kościelne oznajmiły koniec pracy. Oboje solidnie wbiliśmy haki w belę siana i przygotowaliśmy się do zamachu, by wrzucić ją na najwyższy poziom. *Nonna* dała z siebie wszystko, ja również, bela wzbiła się do góry, a ja poczułem, że moje stopy odrywają się od ziemi – *Nonna* podrzuciła mnie razem z belą siana w powietrze. Ale przecież minęło już dziesięć lat. Wtedy jeszcze była młoda. Miała tylko siedemdziesiąt trzy lata.

Dzień targowy przypominał święta Bożego Narodzenia, tyle że zdarzał się co tydzień. Chociaż coraz rzadziej chadzaliśmy do miasta, to nigdy nie przegapialiśmy czwartkowych wycieczek, kiedy wczesnym rankiem na drodze do miasta ciągnęły się sznury ciężarówek. Ustawiały się na placu Świętej Agnieszki i ulicach pod murami miejskimi. Jak za dotknięciem czarodziejskiej różdżki otwierały się ich boki, z dachów wypuszczały markizy zawieszone na długich metalowych wspornikach i wyrzucały z siebie niezliczone ilości owoców, warzyw, ryb, mięsa i drobiu – żywego lub świeżo upieczonego – kanarków w klatkach, piskląt, malutkich królików i czarnych ptaków, które powtarzały zachrypniętymi głosami *Ciao, come stai?* – Cześć, jak się masz? Wykładano buty, trzewiki, wełniane kapcie, sukienki, koszule, staniki z miseczkami o wielkości wiadra, spodnie, słomkowe kapelusze z daszkiem lub rondem, obrusy, ręczniki, tkaninę sprzedawaną na metry w setkach kolorów i wzorów, stalowe wiadra, grabie, drabiny, nakrętki i śruby oraz żelazka z duszami. Można było tutaj znaleźć narzędzia na każdą okazję i garnki w każdym kształcie, do tego góry perfum i mydła, a na dzieci, które miały później zbiec całą chmarą ze zbocza, wracając ze szkoły, czekały stosy orzechów, słodyczy, czekolady i trufli.

Całe miasto przychodziło na targ. Ludzie własnoręcznie sprawdzali, czy melony są dojrzałe, badali, czy młotki dobrze leżą w dłoniach, wąchali kwiaty, próbowali serów, kupowali kanapki na ciepło z kawałkami mięsa odkrojonymi ze świeżo upieczonej świni patrzącej przechodniom prosto w oczy. Wszyscy plotkowali, targowali się, śmiali i kłócili, „Nie, nie, pani była pierwsza; nie, pan był; a co tam, mam mnóstwo czasu", każdy sprawdzał, co kupił jego sąsiad i w jakiej cenie, jakby cały świat zatrzymał się i nikt nie pracował, bo cały czas trwa tłusty czwartek. Na targ przybywali rolnicy z całej doliny, zawsze wyszorowani, ogoleni i uczesani. Paolucci, Bonnari, Carlo, bliźniaki i pięćdziesięciu innych takich jak oni, wszyscy trzymali się w grupkach jak kury, wszyscy ubrani w marynarki, spodnie prasowane w kant oraz zapięte pod szyje nakrochmalone koszule. Wymieniali plotki i wieści o tym, kto w ciągu ostatniego tygodnia umarł lub się urodził, czyj traktor nawalił i czyja pszenica została zniszczona przez grad, kto sprzedał krowę i za ile, „co za złodziej", a kto ją kupił i za ile, „co za głupiec", co za kawaler pojechał do miasta, by znaleźć sobie towarzyszkę na noc. Zachowywali się jak chodzące i mówiące dzienniki podające wiadomości ze wsi.

Na dzień targowy zabieraliśmy ze sobą matrę i wypychaliśmy zakupami tak szczelnie, że aż uginała się pod ich ciężarem. Następnie jechaliśmy do domu, mijając po drodze opuszczone pola, na których nikt nie miał zamiaru się pojawić, dopóki nie złożono ostatniego kramu, nie wciągnięto ostatniej markizy, a miasta nie opuścił ostatni sprzedawca.

Piccardi ciągle się u nas pojawiał, można się było zazwyczaj go spodziewać między obiadem a trzecią trzydzieści po południu, kiedy na nowo otwierał swoje biuro. Uwielbiał dawać nam dobre rady, począwszy od gotowania, a skończywszy na hodowli kwiatów, odnawianiu starych drzwi i remontowaniu kominów. Jego animusz, silny głos i niezachwiane przeświadczenie, że wszystko jest możliwe, przeganiały wiele naszych lęków związanych z układaniem sobie nowego życia. W zasadzie Piccardi adoptował nas jak bezradne dzieci – chociaż miał już trójkę nastolatków – a Anna Maria, jego żona wyrabiająca cudowne przetwory, zapraszała nas na obiady i kolacje, w trakcie których poznaliśmy taką różnorodność smaków i zapachów, że przez długie miesiące zbieraliśmy się na odwagę, by zaprosić ich do nas.

To Piccardi znalazł pracownię malarską dla Candace. Nadzorował też jej odnowienie, ponieważ w przeszłości w pomieszczeniu mieściła się drukarnia. Środek krył w sobie obszerną przestrzeń z wielkim łukiem i olbrzymimi dębowymi belkami pod sufitem, okna wychodziły na najciekawsze *vicolo*[51] w mieście. *Vicolo* zaczynało się od szerokich krętych schodów, pomiędzy którymi rosły krzewy i kwiaty, korony dwóch drzew szeleszczące ponad wielkim starym murem rzucały rozległy cień po południu. Przez okna pracowni widać było ogród klasztorny ze zwieńczonymi łukami przejściami, różami i promieniującym spokojem, który może przynieść jedynie ogród otoczony murem. Na początku wnętrze składało się tylko z zagrzybionych ścian, ale wyszorowaliśmy je do czysta, a następnie wyjechaliśmy na dwa miesiące do Kanady do krewnych Candace i poprosiliśmy Piccardiego, by zajrzał tam od czasu do czasu po załatwieniu hydrauliki, na co zgodził się właściciel. Kiedy wróciliśmy, zastaliśmy na nowo wytynkowane i pomalowane ściany, wymienioną elektrykę, belki wypiaskowane i zabejcowane, spękaną betonową posadzkę wyłożoną toskańskimi płytkami oraz piękną nową łazienkę wyposażoną w razie czego w prysznic z ciepłą wodą. Pomimo tych wszystkich zmian czynsz pozostał niezmieniony na poziomie nieco ponad stu dolarów za miesiąc.

Piccardi ułatwił nam także życie codzienne, oddając nam najważniejszą włoską rzecz: swoje kontakty. Przedstawił nas swojemu lekarzowi, dentyście, dyrektorowi banku, proboszczowi, rzeźnikom, winiarzom i mechanikom samochodowym, jednak najważniejszą osobą, dzięki której poznaliśmy wielu innych ludzi; włączając w to przyszłych rodziców chrzestnych naszego syna; księdza poetę, który go ochrzcił, oraz angielskiego malarza, przyszłego dobrego przyjaciela, okazał się *trovaroba*, który miał sklep ze starzyzną tuż pod miastem.

Inaldo był szczupłym mężczyzną po pięćdziesiątce o intensywnym, chrapliwym głosie. Nałogowo palił papierosy, filozofował i okazał się przenikliwym humanistą oraz ostatnim zażartym marksistą w okolicy. Przywitał nas u siebie z otwartymi ramionami i wściekał się, że świat zmierza donikąd, narzekał na bezgraniczną głupotę ludzką, której na każdym kroku było coraz więcej i więcej,

---

[51] *Vicolo* (wł.) – ślepy zaułek.

czego najlepszym przykładem jawiło się skrzyżowanie obok jego sklepu i codzienny pisk opon oraz hałas rozdzieranych karoserii uderzających w siebie samochodów. My tymczasem roztrząsaliśmy przypadłości Włoch i reszty świata, na koniec zawsze okazywało się, że ludzie dookoła są szaleni, więc po co się gryźć tym wszystkim, lepiej zjeść dobry obiad i napić się wina.

20
TORO

Pewnego wczesnego wiosennego poranka, kiedy cała dolina rozkwitała, usłyszeliśmy podekscytowane głosy dochodzące z małego wzniesienia za domem. Ubrałem się i pobiegłem sprawdzić, co się dzieje. Trawa została skoszona, wysuszona, zebrana, siano wypełniło stodołę aż po dach. Puste pola idealnie nadawały się na spacery. Niebo było czyste, a wiosenne powietrze orzeźwiające i przesycone aromatem kwiatów rozkwitających wszędzie jak żółte płomienie. Jeden ze starych bliźniaków Scaccinich stał na grzbiecie łysego wzgórza i wymachiwał wielką chustą na tle nieba, jak rozbitek szaleńczo usiłujący wezwać na pomoc coś, co jak miałem nadzieję, nie było tylko chmurą na horyzoncie.

Głosy dochodziły zza grzbietu wzgórza, rozpoznałem niecierpliwy i chrapliwy ton Paolucciego oraz piskliwy głos Bonnariego, właściciela dużego stada krów w głębi doliny. Podszedłem do Scacciniego – nigdy w życiu nie byłbym w stanie rozróżnić bliźniaków – i zapytałem, co się dzieje.

– *Un toro. É scappato un toro.* – Byk. Byk uciekł, odparł, po czym wskazał na ruinę obok gaju oliwnego. Bonnari sprzątał stajnię – tutaj większość Toskańczyków trzyma przez większość roku swoje bydło – i wyprowadził na chwilę byka do zagrody, jednak młody długonogi samiec przeskoczył przez ogrodzenie i wyszedł na *libertà*. Teraz wszyscy próbowali zagnać go z powrotem do stajni z nadzieją, że kiedy poczuje zapach krów, to wróci do domu.

Kolejne sylwetki zaczęły wyłaniać się z gaju oliwnego, podniosło się jeszcze więcej krzyków oraz wirujących w powietrzu szmat i koszul, wszystkie wymierzone w niewidzialnego byka czającego się gdzieś na dole.

– *Sparito!* – Zniknął!, wrzasnął ktoś.

– *Che sparito?!* – odkrzyknął Bonnari. – Przecież to byk, a nie mucha!

Scaccini się roześmiał. Wszyscy znaleźli się w otwartym polu, sześciu lub siedmiu, zbliżali się do siebie z kawałkami materiału w pogotowiu, zacieśniali w ten sposób kordon wokół pustej przestrzeni. Byka jak okiem sięgnąć nigdzie nie było.

– *Accidenti alla cieca Mamma della Madonna!* – Cholerna ślepa matka Maryi Dziewicy!

Nastąpiło ogólne pokrzykiwanie, frustracja i śmiechy. Krąg mężczyzn rozpadł się, niektórzy z nich zaczęli wałęsać się bez celu, inni połączyli się w pary i zaczęli rozprawiać na temat bieżących wydarzeń. Paolucci szedł pod górę w naszym kierunku, wycierał twarz rękawem koszuli, a w ręku trzymał worek z juty.

– *Piano, piano* – powiedział.

Zatrzymał się przy nas, by odpocząć.

– *Ho fame. Vo'a mangiare* – oświadczył i udał się w kierunku domu na śniadanie. Przeszedł jednak zaledwie kilka kroków w kierunku drzew.

Niczym widmo wyłaniające się z mgły, z gaju wychylił się wielki biały byk. Stał pewnie i dostojnie na tle zielonych liści. Nie wyglądał groźnie i nie wydawał się poruszony; podniósł radośnie głowę i wciągnął w nozdrza wiosenne powietrze.

Wszyscy zamarli w bezruchu. Szmaty w rękach ani drgnęły. Mężczyźni stali i patrzyli tylko na swoją wygrzewającą się w słońcu ofiarę. Skowronek zaćwierkał gdzieś nad naszymi głowami. Przysadzisty i krzepki syn Bonnariego w kwiecie wieku ruszył się pierwszy. Bez wahania i strachu zaczął powoli po prostej linii zbliżać się do byka. Koszulę w kratę miał zawieszoną na ramieniu, jak ktoś, kto wybiera się na spacer, zdjął ją w końcu powoli i chwycił jak matador z filmów. Zatrzymał się jakieś dziesięć kroków od byka i spojrzał mu prosto w oczy.

– Zarzuć mu to na głowę, to się uspokoi – wyszeptał Scaccini, ale jeśli mnie trudno było cokolwiek usłyszeć, to co dopiero chłopakowi. Nikt nie śmiał się poruszyć. Zwierzę wciągnęło powietrze w chrapy, wyczuło słodki zapach janowca, świeże wilgotne powietrze znad strumienia i potrząsnęło łbem, zniżyło go i zaczęło wpatrywać się prosto w chłopaka. Syn Bonnariego się poruszył. Ostrożnie, lecz zdecydowanie rozciągnął koszulę w rękach, potrzymał na wietrze przy boku i potrząsnął delikatnie, wiernie odtwarzając każdy szczegół z obrazu filmowego.

Byk zaszarżował. Narowiście i bezlitośnie wyrwał do przodu z olbrzymią prędkością, odgłosy kopyt niosły się echem po ziemi, zwierzę zostawiło za sobą chmurę kurzu. Chłopak się nie zawahał. Trzymał koszulę w kratę z boku, a my wstrzymaliśmy oddechy w podziwie, prawie zazdrościliśmy mu jego odwagi.

– *Toro!* – krzyknął chłopak wyzywająco i potrząsnął koszulą.

Byk pędził dalej. To był piękny heroiczny widok, przygotowaliśmy się do wiwatowania głośnym „Olé!", a Scaccini podniósł już swoją chustę do góry w wyrazie szczerego zachwytu. Niestety, chłopak miał pecha. Byk nie widział tego samego filmu i koszula nie obchodziła go ani trochę: szarżował prosto na młodzieńca.

Wielki tępy łeb wyrżnął go prosto w klatkę piersiową, całe szczęście chłopak był młody i miał dobry refleks, dzięki czemu udało mu się złożyć szybko ręce do siebie, by zamortyzować uderzenie, które posłało go wysoko do góry ponad rogami i zwierzęciem, koszula poleciała za nim, niczym ogon latawca. Byk nie zamierzał się zatrzymać i pędził dalej w prostej linii wzdłuż grzbietu wzgórza. Po chwili zniknął za wzniesieniem.

Tymczasem chłopak już wstał, masując się po klatce piersiowej, oglądał sponiewierane dłonie i posiniaczone ramiona.

Paolucci spojrzał ze smutkiem w oczach w kierunku, gdzie zniknął byk.

– *Povera bestia.* – Biedne zwierzę. – Teraz musi zginąć – powiedział.

Zaszokowany zapytałem dlaczego.

– Serce mu nie wytrzyma. Nie jest nawykły do biegania.

Krąg mężczyzn zacieśnił się.

– *Io mangio.* – Idę jeść, oświadczył Paolucci i poszedł do domu.

– Zawołaj Cugusiego! Ma konia. Jak przyjdzie, to będzie można zaciągnąć go liną – krzyknął ktoś.

– Zupełnie jak na filmie – zauważyłem głośno, na co Scaccini się roześmiał.

Wszyscy udaliśmy się do Paoluccich, by wrzucić coś na ząb i łyknąć trochę wina. Tylko młody Bonnari ruszył nieprzytomnie, z przygnębieniem wymalowanym na twarzy w kierunku, gdzie pobiegł byk.

Wróciliśmy na pagórek po śniadaniu, jednak wzgórza dookoła były puste i poza ćwierkaniem skowronka zupełnie ciche. Stado szpaków przeleciało dostojnie nad naszymi głowami i przysiadło w gęstym sitowiu. Nagle, niczym *caballiero*, pojawił się Cugusi w płaskim kapeluszu z rondem jadący powoli na koniu w górę wzgórza. Szkapa tańczyła na boki jak na paradzie, parskała i wywijała ogonem. Cugusi siedział sztywno w siodle, głowę miał zwróconą pod takim samym kątem jak jego rumak i przysłuchiwał się z powagą relacji reszty mężczyzn wskazujących, gdzie może się podziewać byk. Następnie powlekliśmy się za nim wzdłuż grzbietu wzgórza jak zbieranina chłopów uzbrojonych w szmaty i podążających za swoim eleganckim panem.

Schodziliśmy w dół strumienia, zanurzając się coraz bardziej w cieniu drzew. Las był tutaj bardzo różnorodny. Kiedy strumień wpływał do parowu, otaczało nas zaledwie kilka drzew, które zagęszczały się do zagajników rosnących na podtopionych łąkach. Po obu brzegach było gęsto od krzaków i topoli, a teraz, w środku wiosny, wypuszczały ku niebu puszyste liście i kwiaty. Idąc przez spokojny las, rozproszyliśmy się i uformowaliśmy półksiężyc, mrużyliśmy oczy, kiedy między drzewami przebijały się promienie słoneczne, i wytężaliśmy wzrok w poszukiwaniu białej sylwetki.

Cugusi prowadził swego rumaka ostrożnie wzdłuż strumienia.

Koń, nienawykły do grząskiego podłoża i woni grzybów płynącej z mroku lasu, opierał się, odrzucając głowę na boki. Cugusi poklepał zwierzę po szyi, by je uspokoić, pogłaskał je powoli, koń bez przekonania ruszył dalej.

Wtedy zaszarżował byk. Najpierw usłyszeliśmy trzask łamanych gałęzi i dźwięk kopyt zasysających powietrze na mokrym podłożu. Następnie zwierzę wpadło do strumienia, dookoła wytrysnęły fontanny wody, biała głowa przedzierała się między liśćmi. Koń, zamiast zerwać się do ucieczki, zamarł ze strachu w kompletnym bezruchu. Nogi tkwiące w błocie czekały na jakiś sygnał płynący z mózgu, a ten nie podawał go, aż wreszcie było już za późno.

Byk uderzył go mocno w zad, a koń, zamiast się przewrócić, wzniósł się komicznie w powietrze. Byk minął go, przebiegł jeszcze kilka kroków i zatrzymał się z powodu stromego wzniesienia, zawrócił wtedy i znowu zaszarżował. Cugusi, przyzwyczajony do wypasania bydła albo jeżdżenia na paradach, siedział oszołomiony i bezwładny w siodle. Koń odwrócił się w kierunku zagrożenia i ledwo co stanął dęba w samoobronie: tylne kończyny zapadły się głębiej w błoto, niż jego przednie wzniosły w powietrze, dlatego byk uderzył go w pierś, przez co rumak przysiadł na nogach jak pies proszący o kość. Cugusi spadł na mokrą ziemię, przeklinając przy tym, ile wlezie, ale udało mu się utrzymać wodze i wdrapał się z powrotem na siodło, zanim oszołomiony wierzchowiec zdążył się podnieść. Koń wyskoczył w te pędy w kierunku suchych wzgórz, ale byk miał już dość. Pobiegł truchtem, zupełnie nas ignorując, i skręcił między drzewa, jakby mieszkał tam całe swoje życie, przebił się przez zarośla i po chwili znalazł się po drugiej stronie zagajnika. Pobiegł dalej między wzgórza w kierunku ruin rozsianych po dolinie, wyglądał wspaniale, galopując w słońcu.

Poszliśmy na obiad. Bonnari szedł powoli za bykiem.

Popołudnie okazało się kopią poranka. Znajdowaliśmy byka, ten na nas szarżował, ale nikogo nie trafiał, torował sobie tylko drogę ucieczki. Późnym popołudniem, ku naszemu zaskoczeniu, zrobił szeroką pętlę na wzgórzach, pełnym pędem w dół długich wąwozów i wolniej, kiedy wbiegał pod górę, odrzucał łeb na boki, wydawał się rozkoszować bezkresną przestrzenią i niebem. Nagle, bez żadnej prowokacji czy zachęty rzucił się całym pędem w dół w kierunku strumienia i zniknął po raz ostatni w gąszczu krzewów.

Zeszliśmy powoli na dół. Została nas już tylko trójka, reszta rozeszła się do swoich zajęć w gospodarstwach. Las wydawał się dziwnie cichy. Nie weszliśmy między drzewa. Bonnari rzucił w mrok garść gliny, ale nic się nie stało. Po chwili weszliśmy w cień drzew, od czasu do czasu rzucając przed siebie glinę. Paolucci zatrzymał się nagle.

– *Povera bestia*. – Biedne zwierzę, powiedział delikatnie.

Podeszliśmy do niego, miał smutny wyraz twarzy.

Byk leżał na boku jak przewrócony pomnik, padł na grząskiej zielonej polanie. Lśnił bielą w promieniach słońca, które przedostawały się pomiędzy pniami drzew. Spoczywał w spokoju, miał otwarte ślepia, głowę lekko odchyloną, jakby napawał się zapachem wolności. Być może była to sprawa światła, ale wyglądał tak, jakby ciągle rozkoszował się bezkresną przestrzenią, niebem i świeżym wiosennym powietrzem pobudzającym świat do życia. Wyglądał na zadowolonego. Z tego, że się tu znalazł. Że nie musiał już wracać do mroku czterech ścian.

21
Muzyka nocy letniej

Straszliwy upał trzymał w okowach całą dolinę. Glina wypalała się na słońcu, ziemia pękała, powietrze bało się poruszyć. Stado owiec po drugiej stronie drogi przestało się paść i zebrało w cieniu wielkiego dębu. Otwarcie okiennic wiodących na *piazzetta* równało się z wejściem do pieca. Cykady dostawały szału. Liście zwisały bezwładnie. W polu można było pracować tylko o świcie, kiedy ziemia jeszcze się nie nagrzała. Kiedy cień znikał z ogrodu warzywnego, Candace znikała razem z nim. *Eva puttana che caldo*, Ewo, ty dziwko, co za upał, mówił Bazzotti w swojej *cantina*: jedynym chłodnym miejscu, które zostało w jego domu. *Solleone* – Toskańczycy nazywali tak upał – lwie słońce. Zamknęliśmy wszystkie okna i okiennice, w domu zrobiło się ciemno, promienie dostawały się do środka tylko przez szpary. W ten sposób więziliśmy w środku chłodne poranne powietrze i wspomnienie wiosny w kamiennych murach i podłogach. Pracowaliśmy na parterze, stąpając boso po chłodnej terakocie. No i drzemaliśmy. Kiedy *piazzetta* dostawała trochę cienia późnym popołudniem, wychodziłem na zewnątrz i solidnie polewałem ją wodą z węża, powietrze wypełniało się wtedy ciężkim i słodkim zapachem mokrej cegły. Do życia przywracał mnie prysznic z tego samego węża. Następnie podlewałem lawendę, przez co jej zapach ogarniał cały dom jak mgła.

Z domu wychodziliśmy przeważnie bardzo wcześnie rano lub późno wieczorem. Śniadanie jedliśmy w altance, do której wpadały migoczące cętki promieni słonecznych. Obiad ograniczaliśmy do sałatek lub rozgrzanych słońcem pomidorów oraz świeżej bazylii z ogrodu Candace z pokrojoną w kostkę chłodną mozzarellą. Jedliśmy w półmroku chłodnej kuchni ulokowanej od północnej strony. Żeby skosztować owoców i napić się espresso, wracaliśmy do altanki, czuliśmy wtedy promieniujące zewsząd ciepło – potwornie silne nawet w cieniu – i obserwowaliśmy promienie słoneczne drżące w dolinie i na kamiennych murach miasta. Na kolacje przyrządzaliśmy sobie makarony na zimno i najwspanialsze toskańskie danie, *panzanella*, sałatkę chlebową z czerstwego chleba, cienko pokrojonej czerwonej cebuli, pomidorów, bazylii, ogórka, czarnych oliwek, czosnku, octu balsamicznego i oliwy. Wybornie smakuje, gdy jest schłodzona, serwowana z tuńczykiem oraz młodym czerwonym winem.

Wieczorne posiłki spożywaliśmy na zewnątrz przy zapalonych świecach, przyglądając się księżycowi oblegającemu miasto, skąpani w falach aromatu z kwitnących krzewów jaśminu oraz słodkim zapachu pól oddających nagromadzone w ciągu dnia ciepło. Po kolacji nadchodził czas na muzykę, teatr i taniec. W lipcu i sierpniu na wzgórzach między Montepulciano i Pienza organizuje się wiele koncertów i festiwali. Imprezy odbywają się w miasteczkach, zamkach, a czasem na rozświetlonych księżycem polach.

Montepulciano jest gospodarzem dwudniowego festiwalu zwanego *Il Cantiere*. Waltornie rozbrzmiewają w katedrze, na ulicach słychać pieśni ludowe, akordeony na *piazza*, oboje i gitary poza miastem. To wspaniałe uczucie, kiedy każdy dzień spędza się w innym miejscu – w etruskim grobowcu słucha się gry na flecie, koncertu orkiestrowego w kościele San Biagio, a na zaciemnionym Piazza Grande ogląda się japońską trupę aktorów w jedwabnych mundurach, którzy wyłaniają się jeden po drugim z mroku otworów wejściowych, łukowatych przejść, studni, wypełniając średniowieczny plac kolorami i światłem.

W Montechiello, około dziesięciu kilometrów dalej, jest jeszcze *Teatro Povero*. Montechiello to malutkie, doskonale utrzymane i otoczone murem miasteczko z mniej więcej setką mieszkańców i krzywą wieżą wyremontowaną wiele lat temu przez fińską rodzinę. Mieszkańcy prowadzą teatr ludowy, do którego sami piszą sztuki i występują po zmroku na *piazza*. Zazwyczaj opowiadają historie o okolicy, zmianach, utracie, końcu jednego życia i narodzinach innego. Usiedliśmy pełni podziwu dla *vicoli* oświetlonej w sposób nadający miejscu dramaturgii, murów miejskich i ludzi. Żaden z mieszkańców nie był zawodowym aktorem, wszyscy przedstawiali swoje życie, nadzieje, lęki, marzenia w objęciach księżyca, gwiazd i wiekowych murów. Dla nas opowieść była jeszcze bardziej osobista. W tym rejonie *Nonna* wypasała w dzieciństwie owce i ponieważ niewiele rozumieliśmy z jej rodzimego akcentu, musieliśmy większość fabuły sztuki dopowiadać sobie sami.

We wszystkich miastach odbywało się także święto *Unità*. Stoły i długie ławy zsuwa się wtedy razem w ogrodach, zastawia się je makaronami i pieczonym mięsem przygotowanym przez miejscowe kobiety. Razem z rodziną Paoluccich pojechaliśmy na święto do Pienzy. Po posiłku, na malowniczym renesansowym rynku pomiędzy katedrą i *palazzo* oraz piękną studnią, wystąpił zespół z gatunku tych, które potrafią zagrać wszystko, od polki do reggae. Wszyscy tańczyli – dzieci z dziećmi, dzieci z babciami, dziewczynka z lalką, wyrostek z psem. Pochodnie płonęły zatknięte w mocowaniach z kutego żelaza zupełnie tak jak setki lat temu.

Być może najbardziej niezwykłym wydarzeniem był koncert w Castel' Luccio, małym odosobnionym zamku w jałowej dolinie Val D'Orcia. Zamek jest ciągle zamieszkany i każdego roku latem na dziedzińcu odbywają się koncerty muzyki kameralnej. Miejsce oferuje poczucie prywatności i może pomieścić tylko sześćdziesięcioro ludzi, a akustyka jest wyjątkowa. Słuchaliśmy tajemniczego Kodálya oraz ulotnego Vivaldiego, mając nad sobą niebo w kolorze indygo, wiał ciepły wiatr, a powietrze raz po raz przeszywały nietoperze. Muzyka kameralna nigdy wcześniej nie brzmiała tak dobrze. A był to dopiero początek. Kiedy koncert się skończył, poszliśmy do ogrodu, w którym znajdowała się *vasca* i rosły wielkie drzewa oraz miękka trawa, wszystko to oświetlone pochodniami i świecami dryfującymi na małych tratwach na wodzie. Na przykrytych białymi obrusami stołach, z widokiem na srebrzący się w świetle księżyca stary wulkan, właściciele Ambrosia, jednej z najlepszych toskańskich restauracji, podali nam nieziemską kolację, po której zachciewa się żyć wiecznie, choćby tylko po to, by wracać tam co roku w łagodną sierpniową noc.

22
KSIĘŻYCOWY PIES

Z błogiego snu wynikającego z całkowitej nocnej ciszy na wsi wyrwało mnie szczekanie psa. Było po trzeciej. Wstałem i zacząłem wpatrywać się we wzgórza oświetlone promieniami księżyca. Obudził mnie pies myśliwski Manettiego w małym *podere*, którego granica zaczynała się tuż przy naszym gaju orzechowym. Przechodziliśmy tamtędy ostatnio skrótem przez pola, prosto do niżej położonej części miasta. Manetti miał około czterdziestki, był kawalerem, pracował na budowach i mieszkał ze starą matką, która prowadziła ich małe gospodarstwo. Miał też przezwisko *Duro*, co oznacza dosłownie „twardy", ale w istocie oznaczało czaszkę, której nic nie było w stanie naruszyć. Rok wcześniej pracował na wysokim rusztowaniu i kiedy coś niósł, potknął się lub poślizgnął i spadł na leżącą poniżej betonową posadzkę, uderzając się w głowę. Złamał ramię, ale głowa pozostała nietknięta. Tego roku montował stalową belkę. Zabezpieczał ją akurat, stojąc na drabinie, kiedy belka odwiązała się nagle, uderzyła go w głowę i zrzuciła z drabiny, prawie cztery metry w dół. Połamał żebra i ręce, ale głowa pozostała nienaruszona. Po ostatnim wypadku Manetti wolno poruszał się o własnych siłach, dlatego biedny pies był dzień i noc trzymany w zamknięciu. Nocą, przytłoczony swoją nędzną egzystencją, szczekał.

Nad ranem postanowiłem odwiedzić sąsiada, zachowując przy tym konieczną grzeczność. Wcześniej miałem kilka razy okazję rozmawiać z Manettim w jego ciemnej piwniczce, popijając równocześnie wino. Opowiadał mi o połamanych kościach i polowaniach na dziki, wytłumaczył mi też, dlaczego jego orzechowce są dwa razy większe od naszych. Rozmawiałem też z jego owdowiałą matką o jej dziesięcioletnim, mocno okrojonym stogu siana oraz o gołębiach i samopoczuciu. Była słodką starszą panią, w młodości dziewczyną o oszałamiającej urodzie. Dlatego udałem się do sąsiadów spokojny i łagodnie usposobiony, nawet jeśli miałem podkrążone oczy z niewyspania.

Ich *podere* było nijakie i częściowo zrujnowane. *Mamma* siedziała w przybudówce obok schodów, szorowała ubrania szczotką na betonowej tarce w betonowym zlewie, szorowała, płukała, uderzała, wyżymała i znowu namaczała pranie. *Buongiorno, buongiorno* – uprzejmości, pogaduszki, jak miewa się pani syn, czy spadł dzisiaj z wieży kościoła, cha, cha, urocza starsza pani. Dopiero wtedy wspomniałem o psie.

– Och, *maledetto*. Przeklęty – jęknęła. – Całą godzinę nie mogłam zmrużyć oka.

– Ja też nie. Czemu go nie skarcicie? – zapytałem.

– Nie wolno bić psa myśliwskiego.

– Czemu nie?

– A kto tam wie.

– Czemu nie umieścicie go na noc w swojej szopie?

– Bo zje kurczaki.

– A w stajni?

– To zje owce.

– A w domu?

– To mnie zje!

– Dajcie mu coś na sen, jakieś tabletki!

– Coś na sen dla psa? Czy ja wyglądam na milionerkę?

– Sam za nie zapłacę.

Położyła mokrą koszulę na nierówności w tarce do prania, nacisnęła na nią z całej siły, aż woda wypłynęła jej między palcami, podniosła łagodny wzrok chłopki, spojrzała na mnie z delikatnym uśmiechem i powiedziała melodyjnie:

– *Non mi rompere i coglioni.* – Nie włáź mi na odcisk.

23
NOCNY PTASZEK

W połowie lata ogród warzywny wydawał się gotowy do zawładnięcia wszechświatem. Dzięki glince i doskonałemu obornikowi od Paolucciego oraz bezgranicznemu poświęceniu Candace wstającej przed świtem i podlewającej ogród popołudniami – przez co wąż wypluwał z siebie bagienną wodę o przykrym zapachu wypompowaną ze stawu – sałata wyglądała jak krzewy, pomidory jak drzewa, cukinie zmieniły się w mutanty, a rozmiar bakłażanów i melonów budził zgrozę.

Kiedy rozpoczęły się upały, Candace wstawała o świcie, wkładała szorty *campione* i zabierała się do motykowania, przerzedzania roślin i pielenia. Pot spływał jej po chudych kończynach, była w stanie zrobić wszystko, byle tylko na naszym stole mogło pojawić się zdrowe jedzenie z jej własnego ogródka, nawet gdyby miało ją to zabić. Ogródek leżał od strony północnej. Na południu rosły drzewka owocowe. Pewnego ranka, bez ostrzeżenia, wszystko dojrzało. Olbrzymi figowiec nad *piazzetta* uginał się pod ciężarem soczystych owoców. Śliwki, morele i brzoskwinie nabrały głębokich kolorów fioletu, różu i żółtego. Gromady ptaków i roje pszczół zaatakowały drzewka ze wszystkich stron, potwierdzając tym samym dojrzałość owoców. Szturmujący dziobali i spijali soki w amoku, jakby prognoza pogody podała, że po obiedzie nadejdzie zima. Poza tym mieliśmy jeszcze zbitą masę truskawek, gęste krzewy malin przy żywopłocie, a porzeczki i agrest w ciągu nocy zmieniły kolor na soczyście czerwony i żółty.

Zmagaliśmy się ze zbiorami, a potem po obiedzie ucinaliśmy sobie drzemkę przy zamkniętych okiennicach. Pewnego dnia przestała płynąć woda ze stawu. Giovanna, która akurat była u nas w odwiedzinach, ubrana w bikini siedziała rozparta na krześle ogrodowym i opalała się w słońcu, kiedy spomiędzy warzyw dobiegły przekleństwa. Candace obwieszczała w ten sposób całemu światu, że z węża nie leci ani kropla wody. Odkrzyknąłem jej, że jest to fizycznie niemożliwe, ponieważ woda płynie ze stawu znajdującego się piętnaście metrów wyżej.

– Proszę, czy możecie zamordować się nawzajem po cichu? Jestem na wakacjach – oświadczyła Giovanna.

Candace krzyknęła, że jeśli nie naprawię wody, to cały ogród uschnie na wiór do zachodu słońca, dlatego zmieszany poszedłem sprawdzić, dlaczego akurat dzisiaj Bóg postanowił wyłączyć grawitację.

Nasz staw znajdował się po drugiej stronie drogi, naprzeciwko domu Bazzottiego. Udałem się tam uzbrojony w kombinerki, wiadro, drut i klucz hydrauliczny. Była sobota, zwyczajowo wolny dzień Bazzottiego od zamiatania ulic Montepulciano, dlatego siedział na ławce w cieniu, strugał nowy trzonek do łopaty i patrzył skonsternowany, jak wspinam się na wzgórze w prażącym słońcu.

– *Mettiti giù*. – Usiądź – powiedział i zrobił miejsce obok siebie. Chętnie na to przystałem i wyjaśniłem mu powód swojej wyprawy.

– Jest za gorąco na wycieczki w słońcu. To cię zabije. Chociaż z drugiej strony, jeśli nie naprawisz wody, to żona cię zabije – powiedział.

– *Preciso*. Jest mistrzynią w zabijaniu – odparłem.

– *Preciso*. W takim razie lepiej napijmy się wina – zawyrokował.

Podreptał do *cantina* w klapkach i koszulce na ramiączkach, drogę torowało mu wydatne brzuszysko. Wrócił z dwoma kieliszkami w ręku i butelką białego wina przed chwilą przelaną z beczki, na której od razu z powodu upału pojawiły się skondensowane kropelki wody. Nalał nam obu, po czym się napiliśmy. Wino od razu uderzyło nam do głowy. Wyszliśmy na słońce.

Staw dusił się w zbitej masie zielonego oraz uschniętego sitowia. Martwe łodygi sterczały we wszystkie strony, a żywe wyciągały się jak struny prosto w kierunku słońca. Razem tworzyły gęstwinę nie do przejścia. To co zostało ze stawu, zieleniło się glonami. Bazzotti pomógł kiedyś zainstalować system nawadniania, dlatego za pomocą wiekowego sierpa zabrał się do wycinania wysokiego zielska na wyższej części brzegu, dzięki czemu udało mu się znaleźć małą betonową studnię. Odsunął pokrywę. Wewnątrz znajdowała się plastikowa rura o średnicy pięciu centymetrów z zaworem kulkowym. Przekręcił go, zawór zassał trochę powietrza, naszym oczom ukazał się ciemny i suchy otwór.

– *Secco*. – Sucho, powiedział.

– Co za niespodzianka – odparłem.

Bazzotti zachichotał. Lubił żarty.

Zawór rozdzielał dwie rury, jedna biegła w stronę stawu, a druga w dół do naszego domu. Ponieważ zepsuł się syfon, woda nie była już dłużej zasysana ze stawu. Zabraliśmy się do pracy. Bazzotti sierpem zaczął wycinać sobie drogę przez sitowie w kierunku wody, ślizgał się przy tym i przeklinał, ile wlezie. Ja tymczasem oczyściłem zawór i poodkręcałem wszystkie śruby na łączeniach, następnie poszedłem do Bazzottiego i razem zmagaliśmy się w błocie. Znaleźliśmy koniec rury z filtrem zanurzonym w mokrym szlamie. Oczyściliśmy go. Następnie wyszedłem na brzeg i krzyknąłem.

Dom leżał niecałe dwieście metrów dalej. Jeszcze kilka miesięcy wcześniej wstydziłbym się publicznie podnieść głos w otoczeniu ludzi, ale teraz wydzierałem się na całą dolinę tak długo, aż z jednej strony domu wyszła Candace, a z drugiej pojawiła się blada sylwetka Giovanny. Krzyknąłem do nich, by zakręciły wszystkie kurki. Następnie, przez zawór, napełniliśmy wiadrami z wodą pustą rurę, wezwaliśmy Candace i Giovannę, by odkręciły wszystkie krany, i rzuciliśmy koniec rury do mętnej wody. Candace podniosła w górę wąż ogrodowy, by pokazać mi tryskającą z niego wodę. Nagle obie zaczęły wrzeszczeć. Przestraszyłem się, że stało się coś złego, i zbiegłem ze wzgórza. Obie kobiety stały zlęknione w bezruchu, wpatrując się w ziemię, gdzie wraz z wodą z końcówki węża wydostawały się podskakujące kijanki.

– Świetny wynalazek. Woda i nawóz w jednym – powiedziała Giovanna z obrzydzeniem.

Tamtej nocy upał nie opuścił doliny nawet na chwilę. Zasiedział się w *piazzetta* i na wzgórzach długo po zmroku. Kolację zjedliśmy późno przy świecach w towarzystwie żabich chórów oraz odurzającego zapachu skoszonej pszenicy wzmocnionego słodyczą rozkwitającej lawendy. Kiedy powietrze się ruszyło, poczułem woń czosnku i pietruszki znad miski świeżej sałatki z owoców morza. Dochodziła północ. Księżyc miał pełnię za sobą, wznosił się za wieżą klasztoru żeńskiego, mała sowa w winnicy wydała z siebie wysoki dźwięk na powitanie jego promieni.

Świece dopalały się w świecznikach, zwisał z nich zastygły wosk ukształtowany przez lekką bryzę. Kiedy płomienie zgasły, pozostaliśmy w ciszy na swoich miejscach i pozwoliliśmy księżycowi skąpać się w zimnym świetle.

Zmęczona upałem Giovanna wstała, pożegnała się i zniknęła w ciemnym domu. Candace oparła się o mnie plecami, wkrótce jej oddech stał się głęboki i miarowy, jak w pierwszych chwilach snu.

– Raj. Cholerny raj. – Słyszałem, jak śniła.

Kiedy także poszła spać, rozkoszując się ciepłem letniej nocy, powoli i leniwie posprzątałem naczynia. Pod wpływem impulsu wyłączyłem światło i zamiast wspiąć się po schodach do łóżka, wróciłem z powrotem na dwór. Księżyc odpłynął od rafy miejskich dachów i niczym niehamowany udał się w rejs na otwarte niebo. Promienie rozganiały nocny mrok. Zacząłem schodzić w kierunku budynku gospodarczego. Nie bardzo miałem pojęcie, gdzie właściwie się wybieram. Skręciłem i zacząłem wspinać się na wzgórze. Cyprysy rzucały długie cienie w kształcie prążków na drodze z białej gliny, zatonąłem w rozważaniach o tych niesamowitych wzorach, z których wyrwało mnie pierwsze spotkanie tamtej nocy. Zapomniałem, że noce są pełne życia. Być może zaskoczył mnie rozmiar zwierzęcia albo jego niedbały, ociężały krok, niczym obładowanej zakupami starszej pani wracającej z targu. Jego zaskakująco długie pióra drżały w świetle księżyca jak stos leżących płasko na ziemi małych strzał wymierzonych do tyłu i nikomu niezagrażających. Zwierzę zniknęło w betonowym kanale odwadniającym, który biegł pod powierzchnią drogi. Noc ponownie należała tylko do mnie.

Na górnym krańcu drogi skręciłem w prawo, szukając odosobnienia. Rozciągająca się przede mną dolina tonęła w mroku rozpraszanym miejscami przez księżyc. Po jakimś czasie zacząłem schodzić w kierunku strumienia kryjącego się gdzieś w ciemnościach. W pobliżu nie było żadnej drogi i szedłem po koleinach zrobionych przez traktory, dwóch białych pasach gliny. Pola po obu stronach zostały niedawno zaorane, ostre kształty zbitych ze sobą brył gliny rzucały na siebie postrzępione cienie. Łagodne zielone pola zmieniły się w niedostępną kamienną pustynię.

Nagle nie wiadomo skąd wyskoczył lis. Oczy lśniły mu w mroku. Musiał obserwować mnie od dłuższego czasu, ponieważ miejsce, w którym się pojawił, leżało w polu mojego widzenia, odkąd zszedłem z drogi. Zobaczyłem, jak przebiegł przez drogę i kotlinę, a następnie znowu się zatrzymał. Wpatrywał się we mnie. Stał oddalony o kilkanaście kroków z podniesioną głową, nie odrywał ode mnie wzroku, opanowany, jak pan na swojej ziemi.

Wreszcie odmaszerował niespiesznym krokiem, trzymając się kolein po traktorze zamiast glinianych bezdroży. Szedł powoli, jakby głęboko zamyślony. Na grzbiecie wzgórza zatrzymał się jeszcze na chwilę i spojrzał na mnie po raz ostatni. A potem znikł na dobre.

Zszedłem ze szlaku na zaoraną ziemię. Grunt nie był najlepszym oparciem dla stóp – wierzchołki zwałów gliny okazały się ostre, dookoła roiło się od większych i mniejszych zagłębień, a odległości między nimi były trudne do określenia. Potykałem się co chwila, ale parłem przed siebie, nie wiem dlaczego, może pod wpływem księżyca? Czułem się, jakbym od nowa uczył się chodzić. Z uporem brnąłem dalej, teren opadał delikatnie, w końcu wszędzie dookoła jak okiem sięgnąć rozciągał się księżycowy krajobraz rozoranej białej gliny, która wydawała się lśnić wewnętrznym blaskiem.

Zakręciło mi się w głowie od ciągłego zataczania się i potykając się, ruszyłem prosto na wzgórze, gdzie majaczył łagodny cień. Znałem to miejsce, a jednak nic nie wyglądało na znajome. Usłyszałem delikatny szmer, ale nie wiedziałem, co to takiego. Coś szeleściło w mroku. Wreszcie domyśliłem się, że to szum szalejącej wody. W półmroku rozpoznałem znajomy zarys: młyn. Ze środka dobiegały odgłosy szamotaniny i szmer wody płynącej w korytach. Po chwili z młyna wyfrunęły nietoperze. Noc zmieniała się, w ciemności pojawiło się nowe światło. Zawróciłem z powrotem na wzgórze. Po dłuższej chwili zobaczyłem dom Scacciniego. Zacząłem się spieszyć. Znany mi kogut zaczął piać jak opętany, a zebrane wokół niego kury gdakały łagodnie. Szedłem szybkim krokiem, by zdążyć do domu przed świtem.

24
DON FLORI

Pod koniec lata, zaraz po zakończeniu inwazji odwiedzających nas przyjaciół, rój szerszeni zaczął oblegać nasz komin. Nie zauważyliśmy tego, dopóki jeden z nich nie wyleciał nam z kominka i zaczął zygzakiem latać po domu. Wreszcie usłyszeliśmy setki jego braci brzęczących gdzieś u góry. Powiedziałem Candace, by się nie denerwowała. Eksmisja wydawała się prostym zabiegiem. Wystarczy przecież rozpalić ogień, silny i mocno dymiący, co z pewnością wygoni drani z naszego komina. Zebrałem stare gazety, zgniotłem je dokładnie i umieściłem w palenisku, a żeby wytworzyć odpowiednio dużo dymu, nakryłem je świeżym zielskiem. Płomienie szybko się rozprzestrzeniły i zaczęło mocno dymić, zawołałem Candace, by wyszła z kuchni i patrzyła, jak gnojki zwiewają z naszego domu. Po chwili dobiegł mnie jej głos z podwórka.

– A gdzie jest dym?

– W środku! – odkrzyknąłem, kasząc, i chwiejnym krokiem wyszedłem na zewnątrz, za mną kłębił się dym.

– To im dopiero pokazałeś, kochanie! – powiedziała Candace czule.

Szerszenie nie są głupie. Zatkały cały komin swoim gniazdem. Nie docierała do nich nawet odrobina dymu. Jedynym rozwiązaniem pozostawały samodzielne zapasy z szerszeniami.

Kiedy koszę trawę czy zielsko, do wyniesienia pozostałości używam gęstej czarnej siatki wielkości prześcieradła. Postanowiłem nałożyć na głowę należący do Candace słomkowy kapelusz z szerokim rondem i narzucić na siebie czarną siatkę, zawiązać na nadgarstkach, zakleić taśmą dziury na rękach, włożyć skórzane rękawice, zakleić taśmą nadgarstki, włożyć kalosze i zakleić taśmą łączenia z siatką. Z pewnością wyglądałem jak szalona wdowa z horroru nakręconego domowym sposobem. Uzbrojony w pozgniatane gazety, zapałki, długi sztywny drut przystawiłem drabinę do krawędzi dachu i wspiąłem się po niej w kierunku brzęczącej bandy. Zbliżał się wieczór i rój szykował się do snu, dlatego po cichu podkradłem się po dachówkach do komina, zatkałem trzy z czterech otworów kominowych papierem – nie zamierzałem brać jeńców – zapaliłem zmięty papier w ręce i wrzuciłem go do ostatniego otworu, a za pomocą drutu przepchnąłem go do dołu, aż do gniazda. Rozpaliło się na dobre, coś zaczęło skwierczeć, dymić i pękać z trzaskiem. Poczułem zapach zwycięstwa. Wepchnąłem do środka jeszcze więcej płonącego papieru, z komina popłynął tłusty czarny dym i wypadło kilka rozwścieczonych szerszeni. Reszta wybrzękiwała swoją śmierć gdzieś w środku komina. Wykonałem taniec zwycięstwa na dachówkach, trzymając w dłoni kolejną płonącą kulę papieru. Nagle usłyszałem grzeczny głos dochodzący z dołu.

– *Mi scusi. Signor Máté?* – Na podjeździe stał policjant.

Nie bez problemów zszedłem z dachu i zakłopotany zacząłem tłumaczyć policjantowi, co się stało, zdarłem taśmę z nadgarstka, zdjąłem rękawicę i podałem mu rękę.

– Przyniosłem pana *permesso di soggiorno*. Pozwolenie na pobyt.

Otworzył torbę i zaczął czegoś szukać. Spojrzał na mnie zaciekawionym wzrokiem, próbował przeniknąć przez czarną siatkę na twarzy, dokładnie obejrzał moje przebranie i w końcu zapytał z przesadną grzecznością:

– Proszę o wybaczenie, ale dokładnie z jakiego kraju pan pochodzi?

Pojechaliśmy na niedzielny obiad do przyjaciół z miasta – Gianniego i Moniki. On zajmował się pisaniem książek o filozofii, a ona była malarką. Mieszkali w małym domu powyżej wałów. Słońce przygrzewało, pszenica była skoszona, winnice i lasy w dolinie wysychały. Podano nam idealny letni posiłek; zimną zupę jarzynową, ciasto szpinakowe, nadziewane cukinie i jagody na deser, wszystko lekkostrawne i chłodne. Jedliśmy na tarasie, po posiłku napiliśmy się grappy i *caffé* oraz przyglądaliśmy się jaskółkom szybującym na niebie. Około piętnastej trzydzieści gospodarze zaproponowali, byśmy przejechali się z nimi do opuszczonego klasztoru Sant' Anna w miasteczku Caprenna – byliśmy tam kiedyś na pikniku – gdzie znaleźli starego księdza poetę, który mówił językiem, z jakim nie spotkali się nigdy wcześniej u innego kapłana. Duchowny odprawiał późną mszę niedzielną dla małej kongregacji siedmiu czy ośmiu osób w zabytkowym kościele z freskami Sodomy.

Uznaliśmy, że przeżyjemy jakoś krótką mszę, dlatego ruszyliśmy w stronę Pienza. Po kilku kilometrach wjechaliśmy na drogę gruntową prowadzącą na zachód przez najspokojniejszą część doliny. Za pierwszym wzgórzem stało *palazzo*, klockowata dwupiętrowa budowla, długa i majestatyczna z odpadającymi warstwami pięknej różowej sztukaterii.

Wjechaliśmy do lasu, pomiędzy drzewami migały nam ruiny, jelenie i pawie. Następnie przejechaliśmy obok drugiego *palazzo* z dwoma okazałymi skrzydłami i ogrodami oraz jeziorem. Droga prowadziła dalej między ruinami. Ciszę mąciły tylko owcze dzwoneczki rozbrzmiewające w okolicy. Po pokonaniu niezliczonych zakrętów znaleźliśmy się pomiędzy cyprysami tuż przed kościołem Sant' Anno. Przed strzelistymi murami stały dwa zaparkowane samochody. Mały dzwon wygrywał melodię i wzywał wiernych na mszę. Weszliśmy do środka.

Wnętrze było białe, przestronne i roiło się od cieni, które pełzały po kopułach i starych freskach w cieniu apsydy. Na posadzce stało z tuzin ławek, ale siedziało na nich tylko kilkoro ludzi. Za wielkim ołtarzem odszukaliśmy sylwetkę wysokiego imponującego księdza – Don Floriego. Nad brwiami kłębiła się bujna czupryna ciemnoszarych włosów. Miał dobrze po siedemdziesiątce, jego potężne, masywne dłonie, szeroka szczęka i głos kojarzyły się jednoznacznie z majestatem porównywalnym do starego wulkanu, na którego zboczach został zresztą wychowany. Nigdy nie darzyłem kapłanów zbytnią sympatią, omijałem kościoły z daleka, chyba że warto było je odwiedzić ze względu na piękne wnętrze, jednak stojący przed nami jegomość mnie zaciekawił. Usiedliśmy.

Don Flori przeprowadził swą małą trzódkę przez rytuały, ale jego głos w niczym nie przypominał bezbarwnego klepania na jedną nutę i powtarzania po raz tysięczny tego samego znudzonym tonem, co robił zazwyczaj każdy przeciętny ksiądz. Od Don Floriego biła świeżość i pasja, jak od młodego człowieka składającego przyrzeczenie. Cokolwiek mówił, głęboko w to wierzył. W każde słowo. Z całego serca.

Rozpoczął kazanie. Ruszył w naszym kierunku i stanął przed nami, przed dziewięciorgiem zgromadzonych osób, w rękach trzymał kartkę, na którą nie spojrzał ani razu. Opuścił lekko głowę, a wzrok skierował gdzieś między ławki, oczy wydawały się jednak skupione na czymś innym, poza naszym światem. Nie zrozumiałem wszystkiego, o czym mówił tamtego dnia, opowiadał o czasie i przemijających cieniach, o chwilach niemożliwych do odzyskania i naszej ludzkiej tożsamości. Przez cały czas, kiedy przemawiał, przez słowa przebijała troska i zaangażowanie, wydawał się też czegoś słuchać, jakby przekazywał tylko zdania wypowiedziane przez kogoś innego, może przez samego Boga.

Potem Eucharystia. Nalał ciemnoczerwonego wina do srebrnego kielicha, ułożył hostie na białym płótnie, umoczył każdą z nich w winie i rozdał trzem osobom, które podeszły do ołtarza, sam spożył ostatnią razem z pozostałymi po niej okruchami. Wypił wino, z dużą dbałością wyczyścił wnętrze kielicha i jego obrzeże białym płótnem – trzymając płótno i obracając kielich – wreszcie odłożył wszystko do tabernakulum i zamknął drzwiczki.

– *Padre Nostro* – powiedział z pokorą.

Zaczekaliśmy na niego na zewnątrz pod portykiem. Wyszedł po dłuższej chwili. Na jego twarzy pojawił się szeroki uśmiech, kiedy zobaczył naszych przyjaciół. Zostaliśmy sobie przedstawieni.

Potrząsnął dłonią Candace, następnie odwrócił się do mnie i powtórzył to, co mu właśnie przekazano z małym znakiem zapytania.

– Węgier z krwi i kości.

Spojrzał mi prosto w oczy i powiedział żartobliwie:

– Synu Attyli, czy przybyłeś do nas zobaczyć Rzym czy go spalić?

25
FUNGHI

Lato się skończyło. Przeżyliśmy w Toskanii sześć miesięcy, ale czuliśmy się tak, jakbyśmy wcześniej nigdzie indziej nie mieszkali. W trakcie upalnych tygodni Candace malowała, a ja pisałem w zaciszu chłodnego, zamkniętego na cztery spusty domu, albo wałęsaliśmy się po chłodnych wnętrzach kościołów i muzeów Florencji, Sieny, Perugii, Assisi, Arezzo czy Orvieto – wszystkie te miasta leżały godzinę drogi od naszego domu – lub na wybrzeżu niedaleko miejscowości Talamone, rozkoszując się chłodną bryzą znad zielonej toni Morza Śródziemnego.

Przyjaciele z Nowego Jorku, Londynu i Paryża przyjeżdżali i wyjeżdżali, niektórzy z ambitnymi planami przebycia całych Włoch, ale kończyli nie dalej niż we Florencji, inni robili jeszcze inaczej, tak jak nasza droga przyjaciółka Patricia z Paryża, która mądrze oświadczyła:

– Jeśli nie wyjadę z Montepulciano, to nawet mi odpowiada.

We wrześniu rozpadało się na dobre i zrobiło się ciemno. Kurtyny deszczu zalewały z zawziętością wysuszoną księżycową scenerię, pył na drodze, dojrzewające winogrona, spaloną słońcem żółtą trawę i drzewa z oklapniętymi liśćmi. Krople rozpryskiwały się na cegłach *piazzetta*, powietrze odżyło i wypełniło się tysiącami zapachów lawendy, janowca, szałwii i rozmarynu, w miarę jak wszystkie rośliny w dolinie brały drugi oddech. Piccardi, wyglądając przez nasze okno i przypatrując się ulewie, wyszeptał z płonącym wzrokiem tylko jedno słowo:

– *Funghi*.

Piccardi był nieuleczalnym nałogowcem. W trakcie pracy przemierzał szmat okolicy i zaraz po pierwszym deszczu jego wzrok dostrajał się tylko do wypatrywania jednej rzeczy – *funghi*. Zrywał się przed świtem, jechał dwie godziny na Wzgórza Umbryjskie – gdzie zaczynało padać wcześniej niż w innych częściach kraju – i spędzał poranek na przedzieraniu się na czworaka przez mokre krzaki z wodą skapującą mu za kołnierz płaszcza, zawsze w możliwie największej do uzyskania ciszy, byle tylko nie przyciągnąć do siebie innych łowców *funghi*. W półmroku wypatrywał najważniejszej rzeczy – mistycznego *porcini*. Kiedy koszyk się wypełniał, Piccardi zakrywał go kawałkiem materiału, by nie zdradzić innym jego zawartości, i spieszył czym prędzej do domu, gdzie delikatnie, jeden po drugim, wykładał na stół swoje skarby. Spokojnymi, czułymi ruchami oczyszczał ich nóżki z ziemi, a następnie rozkoszował się ich widokiem oraz podziwem rodziny. Boże, pobłogosław mu, bo dzięki jego w pocie czoła zebranym *funghi* Anna Maria mogła przygotować tak cudowne potrawy.

Nie zapomnę pierwszej uczty grzybowej u nich w domu. Piccardi zaprosił nas niezobowiązująco, by spróbować jego pierwszych zbiorów w roku. Był sobotni wieczór i szliśmy pod górę w stronę jego domu górującego nad całą doliną w gasnącym świetle dnia. Zabraliśmy ze sobą butelki z vino nobile i pinot grigio z Orvieto. Nie mieliśmy zielonego pojęcia, co będziemy jedli.

Na stole przygotowano nakrycia dla siedmiu osób, ponieważ ich dzieci także miały zasiąść do posiłku: przebojowa Francesca, łagodna Angela i rezolutny Alessandro. Porozmawialiśmy z nimi o szkole, nadchodzącej jesieni, zbliżających się *vedemmia*, ponieważ grona mogą być w tym roku gotowe do wcześniejszych zbiorów z powodu upałów. Na stole pojawiły się pierwsze w sezonie *funghi*, drobno pokrojone i ugotowane w sosie, który rozprowadzało się na okrągłych *crostini*. Trafiliśmy do raju. Ostry, aromatyczny smak *porcini* eksplodował w ustach – słodko-kwaśny, nastrojowy – smaki zyskały jeszcze więcej podlane vino nobile z winnic Avignonesi.

Po przystawkach zapytałem, czy do następnego dania możemy otworzyć pinot grigio, ale Anna Maria odparła nieśmiało:

– Nie, jest jeszcze trochę więcej *funghi*.

Tego wieczoru u Piccardich grzyby spadały na nas co chwila jak manna z nieba. Po *crostini* podano nam *tagliatelle con funghi* i to nie jeden, ale dwa rodzaje, pierwsze razem z pomidorami, a drugie tylko z *porcini*, gotowane przez dwadzieścia minut w posolonej oliwie z pokrojonymi ząbkami czosnku i pietruszką, a na koniec skropionymi winem i podgotowanymi na wolnym ogniu. Następnie skosztowaliśmy *zuppa di funghi*, gęstą ciemną zupę z pokrojonymi grzybami o pieprznym smaku, do której należało napić się więcej wina. Po tym wszystkim byliśmy przekonani, że nastąpił koniec, rozparliśmy się w krzesłach, by dać odpocząć żołądkom, i podziękowaliśmy Annie Marii za niezwykłą kolację. Wtedy zdaliśmy sobie sprawę, że od dłuższego czasu w pobliżu nie ma Piccardiego. Zapytaliśmy, czy aby wszystko jest w porządku, i kiedy Francesca otworzyła usta do odpowiedzi, do jadalni wpadł w fartuchu jej ojciec – szczerzył się od ucha do ucha – a w rękach niósł olbrzymią tacę z pieczonymi na ruszcie *porcini*. Ich zapach rozpłynął się po pokoju i kłębił się wokół nas, a ich smak przyćmił najlepszy stek na świecie. Delektowaliśmy się każdym z kęsów, jakby miał to być nasz ostatni posiłek w życiu. Jadalnia pogrążyła się w grobowej ciszy.

Oto, dzięki Bogu, nadszedł koniec uczty. No może poza tym, że na stole pojawiło się ciasto czekoladowe z bitą śmietaną i gęstym sosem z jagód, odrobina *vinsanto*, kawa i trochę grappy.

Następnego dnia postanowiliśmy wspólnie zapolować na własne *funghi*. Candace poprosiła Bazzottiego o wyplecenie nam nowego koszyka z zamykaną pokrywką, by ukryć naszą zdobycz przed ciekawskimi, przygotowała buty i wycięła laskę z gałęzi janowca. Zapytaliśmy Piccardiego, czy mógłby nas wziąć ze sobą na następną wyprawę, byle tylko, na miłość boską, nie trzeba było wstawać przed świtem, ponieważ pobudka przed wschodem słońca jest dla przestępców skazanych na śmierć. Poprosiliśmy, by zadzwonił do nas, jeśli tylko będzie wybierał się na grzyby o bardziej ludzkiej porze, czego nigdy nie zrobił. Dlatego nasze pierwsze polowanie na *porcini* odbyło się razem z Paoluccim.

Co prawda Franco wstawał za wcześnie jak na nasz gust, ale najpierw zajmował się *governare le bestie*, następnie robił rundkę po polach, potem zjadał śniadanie, dzięki czemu wyruszyliśmy o cywilizowanej godzinie, to jest dziewiątej rano.

Każdego roku, od niepamiętnych czasów, grzyby wyrastają mniej więcej w tym samym miejscu co rok wcześniej, tam gdzie padają zarodniki albo gdzie pozostawiono ich grzybnię – chyba że wyrwał ją wcześniej jakiś bezmyślny zbieracz. Franco znał lasy w okolicy Petroio jak własną kieszeń. Bawił się w nich jako dziecko, zabierał tam świnie, by mogły ryć w poszyciu, dlatego wiedział o położeniu każdego zakątka, parowu, kotliny, drzewa, cienia i skały, w okolicy której mogły rosnąć *porcini*. Zabraliśmy nasz koszyk w dziewiczą wyprawę.

Ruszyliśmy między drzewa śladem kolein po traktorze. Szliśmy, wlekliśmy się, a czasem człapaliśmy w gęstym lesie jak garbate kaczki, nierzadko przecinając pajęczyny znajdujące się tuż przy ziemi. Paolucci narzucił sobie duże tempo, ogarniał jednym spojrzeniem fragment poszycia, następnie znajdował lub nie znajdował *porcini* lub *lecciaioli*, poruszał się szybko jak pająk, w najmniej spodziewanym kierunku. Próbowaliśmy za nim nadążyć, ale po kilku minutach pogubiliśmy się. Wołaliśmy Paolucciego, siebie nawzajem, aż wreszcie zniecierpliwionym głosem Paolucci dał nam znać, gdzie jest, i pospieszyliśmy w jego kierunku. Kiedy dotarliśmy na miejsce, już go tam nie było. Ale przynajmniej odnaleźliśmy się nawzajem z Candace. Nagle Candace krzyknęła: Uważaj! *Porcini!* Ale było już za późno. Z odrazą i smutkiem patrzyła pod moje nogi. Znalazłem swojego pierwszego *porcini*: wielkiego, świeżego, pięknego i rozdeptanego na miazgę pod moją stopą.

Przynajmniej miałem talent do znajdowania grzybów. Musiałem tylko patrzeć pod nogi. Człapałem do przodu, powoli mijałem drzewo za drzewem, z nosem prawie przy ziemi. Wreszcie znalazłem jednego. Candace spojrzała na mnie z nieukrywanym podziwem. Poczułem się dumny jak paw. Człapałem dalej. Gałęzie zdarły mi z głowy kapelusz, chwytały za rękawy i uderzały w twarz, ale udało mi się znaleźć następne trofeum. I jeszcze jedno. Wpadłem w delirium. Candace także znalazła jednego grzyba i powiedziała, bym na nią czekał, aż przyjdzie ze scyzorykiem, by obciąć nóżkę i zachować zarodniki do następnego roku dla innego szaleńca.

Paolucci wyłonił się spomiędzy roślin, połę koszuli miał wypchaną *porcini*. Po godzinie koszyk się zapełnił. Byliśmy podrapani, brakowało nam tchu i bolały nas plecy od ciągłego schylania się, ale nasza radość rekompensowała to wszystko w dwójnasób. Wróciliśmy szybko do samochodu, a potem do domu i babci, by pokazać jej owoce naszej pracy. Spojrzała na koszyk pełen grzybów, ale nie poddała się fali gwałtownych uczuć, tylko powiedziała z aprobatą:

– *Buon lavoro*. – Dobra robota.

Ogień jarzył się przyjemnie. Oczyściliśmy grzyby, odcięliśmy nóżki – razem z uszkodzonymi kapeluszami miały zostać użyte do zrobienia sosu – wybraliśmy najładniejsze kapelusze, ostrożnie usunęliśmy z nich liście i ziemię, polaliśmy oliwą i posypaliśmy odrobiną soli, a następnie delikatnie ułożyliśmy je na ruszcie nad tlącymi się węgielkami. Przerzuciliśmy je raz czy dwa razy, dodając odrobinę oleju, by się lepiej przypiekły, i wreszcie położyliśmy na wielkich talerzach. Z odrobiną chleba, lekką sałatką i czerwonym winem okazały się najlepszym przysmakiem, jaki można sobie wyobrazić, i to bez odrobiny przesady – w końcu zebraliśmy je własnoręcznie.

Nic na świecie nie smakuje równie dobrze.

26
VENDEMMIA

Z niecierpliwością czekaliśmy na swoje pierwsze *vendemmia*, zupełnie jak dzieci na Boże Narodzenie. Obrazy ze starych włoskich filmów migały mi przed oczami; młodzi ludzie zbierający winogrona, krzepcy śmiejący się mężczyźni noszący owoce w *bigonzi* przywiązanych do ramion, bose kobiety rozgniatające je w wielkich kadziach, płynący moszcz, a na koniec dnia wielka uczta – długi stół pod altanką, załadowany jedzeniem oraz winem i otoczony tłumem szczęśliwych oraz hałaśliwych ludzi.

W połowie września winogrona nabrały odpowiedniego koloru, nie mogły się już zrobić ciemniejsze. Kiedy razem z Paoluccim próbowałem owoców z winnicy najbardziej wysuniętej na południe, wydawało mi się, że grona są bardzo smaczne i słodkie, ale Franco zgniótł dwa między palcami, roztarł sok, zetknął dwa palce ze sobą i oświadczył:

– Za mało cukru. Palce mi się nie sklejają.

Dlatego data *vendemmia* została wyznaczona na pierwszy tydzień października.

Wstaliśmy wcześnie rano. Nisko zawieszone jesienne słońce płynęło nad wzgórzami, w dolinie, przy ziemi, ciągle czaiła się mgła, rześkie powietrze na naszych twarzach wskazywało, że lato nas opuściło. Wysoko na grzbiecie wzgórza pojawił się stary pomarańczowy traktor Paolucciego ciągnący za sobą zdezelowaną metalową naczepę, a za nim szła bezładna grupa ludzi pogrążonych w głośnych rozmowach, pouczających siebie nawzajem, kłócących się ze sobą, dających rady i przekomarzających się. Tak wyglądała ekipa do zbiorów złożona z całej rodziny Paoluccich i powinowatych. Zjawiła się Anna, siostra Franca, kobieta o donośnym głosie, okrągłej twarzy, strofująca kogoś lub śmiejąca się; jej mąż, krągły Pasquino, który kochał wszystkie kobiety do szaleństwa; ojciec Rosanny, posępny mężczyzna z nieodłącznym papierosem w ustach; cichy brat Rosanny i hałaśliwy Bazzotti.

Traktor zwolnił, a tłum ludzi zebrał się razem i zaczął debatować, gdzie powinni rozpocząć. To zadziwiające, że zaledwie trzy małe winnice potrafiły wywołać tak skrajne opinie – bo jedna jest wyżej, a inna niżej; jedna jest płaska, a druga nie; ta jest bardziej zacieniona, a tamta nasłoneczniona; powinno się rozpocząć z tej strony albo z naprzeciwka – do tego wszyscy mówili jeden przez drugiego. W końcu Candace cicho, ale stanowczo zauważyła, że powinniśmy wreszcie zacząć, bo jak sądzi, zbliża się deszcz.

– Jak może padać z bezchmurnego nieba? – pisnął Bazzotti.

– *Più ignorante d'una gallina.* – Jest głupszy od kury, odparła na to *Nonna*, patrząc prosto na niego. Pasquino roześmiał się z aprobatą i z radości podrapał się między nogami.

Wreszcie zaczęliśmy. Każdy z nas otrzymał *paniere*, koszyk podobny do tego, jaki Czerwony Kapturek niósł do babci. Rozeszliśmy się pomiędzy dwoma rzędami winorośli i rozpoczęliśmy *vendemmia*.

Kiście winogron były olbrzymie i gęste, zerkały na nas spomiędzy więdnących liści. Po omacku trafiłem na ogonek jednej z nich i pociągnąłem. Nic się nie stało. Znowu pociągnąłem. Winorośl zaczęła się trząść, ale kiść nie chciała puścić. Zauważyłem babcię stojącą obok mnie, z sekatorem w ręku. Powiedziała do mnie, uśmiechając się serdecznie:

– *Sono più forte di noi.* – Są silniejsze od nas.

Dopiero wtedy, ze wszystkich stron doszło do moich uszu delikatne klikanie sekatorów, nie było innego sposobu na przecięcie grubych, zdrewniałych ogonków kiści winogron.

Paolucci przepychał się traktorem z naczepą między wąskimi rzędami winorośli, wszyscy na jego drodze rozpaczliwie walczyli o życie. Kiedy przejechał obok nas, wyłączył silnik, wgramolił się na naczepę i stanął pomiędzy stosami wysokich pojemników nazywanych *bigonzi*, które na razie ziały pustką, oczekując na pierwsze owoce. Obcinaliśmy winogrona w najlepsze i gawędziliśmy, żartowaliśmy, przekomarzaliśmy się, krzyczeliśmy i śmialiśmy się – zupełnie jak na filmach – od czasu do czasu wzywaliśmy kogoś, by zabrał pełne *panieri* i doniósł puste – Madonna Benedetta – gdzie mamy wkładać grona? Do kieszeni? Pasquino, w oczekiwaniu na koszyk, zaczął wymachiwać olbrzymią i gęstą kiścią winogron w kroczu i zawołał do żony Anny:

– Co ci to przypomina?

Ta zaśmiała się głośno i potrząsnęła głową.

– Twoje najskrytsze marzenie.

Echo gromkiego śmiechu rozbrzmiało po całej winnicy.

Taszczyliśmy pełne koszyki do naczepy i podawaliśmy je Paolucciemu, który opróżniał je nad *bigonzi*, wydłubując z dna palcami rozgniecione winogrona. Lepki sok był wszechobecny: spływał z rąk, sekatorów i koszyków prosto do naszych butów. Dookoła brzęczały pszczoły. Zerwał się wiatr; niebo na południu zaciągnęło się chmurami. Późnym rankiem *bigonzi* zapełniły się i stały ułożone ściśle jedno obok drugiego, dla pewności związaliśmy je jeszcze liną. Traktor ruszył do przodu, chybotając się na wszystkie strony, a my podążyliśmy jego śladem do *cantina*.

Paolucci zaparkował tyłem traktor pod starym dachem przykrywającym ceglany *farno* oraz drzwi do *cantina* i zaczęliśmy opuszczać piekielnie ciężkie *bigonzi* na ziemię. A potem zabraliśmy się do zgniatania. Nie wchodziliśmy jednak boso do kadzi, zamiast tego otrzymaliśmy wielkie drewniane i rzeźbione tłuczki. Grona zmieniły się w moszcz – niesfermentowane wino. By zmniejszyć wagę *bigonzo*, przelewaliśmy połowę zawartości do pustych pojemników, wnosiliśmy je do środka, a potem taszczyliśmy w górę po drewnianej drabinie do Paolucciego, pokrzykując co chwilę.

– Oj, moje plecy.

– Mój Boże.

– Moja nieszczęsna przepuklina.

– Jak możesz mieć przepuklinę, jak nie masz jaj?

Wreszcie na koniec przelewaliśmy zgniecione winogrona do kadzi.

Kiedy opróżniliśmy naczepę i wszystkie *bigonzi*, wróciliśmy z powrotem do winnicy. Ciemne chmury zbliżały się coraz bardziej, zimny wiatr przynosił ze sobą zapach deszczu.

– I co ty na to, *Meteorologo?* – Pasquino zażartował z Bazzottiego.

– Na razie ani kropli deszczu – warknął na to Bazzotti.

– Dobrze, że przynajmniej słońce wschodzi i zachodzi – powiedziała *Nonna.*

Ponownie zabraliśmy się do zbierania. Ależ dużo satysfakcji przynosiło zrywanie winogron, wielkich pękających w rękach kiści, z których wiele ważyło sporo ponad kilogram – butelka wina w ręku. Czas zwolnił, poczułem się jak w dawnych, prostszych czasach. Praca fizyczna zbliżała nas do siebie i do starych tradycji, nawet jeśli tylko na chwilę.

Zbliżało się południe, wiatr przyniósł od strony domu zapach pieczonego mięsa, czosnku i duszonej cebuli. Przyspieszyliśmy jak konie czujące zapach stajni. Ciężar *bigonzi* nagle się zmniejszył, kiedy wnosiliśmy je po drabinie, bardzo szybko pozbyliśmy się ostatnich ładunków i udaliśmy się na posiłek. Dzwony kościelne wybiły południe. Ciemne chmury kłębiły się nad San Biagio.

Głośno biesiadowaliśmy. Butelki z winem rzadko kiedy zatrzymywały się na dłużej na stole, nikt nie zwrócił uwagi, że na zewnątrz dzień zmienił się w noc, dopóki budzący przerażenie dźwięk gradu nie zaczął dobiegać zza okien. Wszyscy umilkli. Widelce znieruchomiały w powietrzu, na twarzach pojawił się niepokój. Minuta gradobicia mogła zmienić winogrona w miazgę, przez co spleśnieją w ciągu kilku godzin. Podeszliśmy do drzwi i okien. Chmura wypluła z siebie jeszcze trochę gradu i koniec, dzień ciągle jednak bardziej przypominał zmierzch, a nie wczesne popołudnie. Wielka szara zasłona opuściła się pomiędzy nami a resztą doliny, wzgórzem i miastem.

– Winnica Cannetto dostaje *martellato* – w kość – powiedział Paolucci.

– Co z tego, przecież są ubezpieczeni od gradobicia – odparł Il Suocero.

– A wy nie? – zapytała Candace.

– Ha! My? – odpowiedziała jej Rosanna.

– Może w takim razie lepiej chodźmy zbierać dalej? Wydaje mi się, że będzie padać – oświadczyła Candace.

Nawet Bazzotti roześmiał się niechętnie.

Pracowaliśmy jak opętani. Trudno było nadążyć za ruchem sekatorów, a Paolucci ładował z diabelskim zawzięciem. Z drugiej strony doliny dochodził nas świst padającego gradu. Rzucaliśmy owocami, rzucaliśmy *panieri*, biegaliśmy od winorośli do winorośli, udało nam się załadować naczepę prawie do końca, kiedy wreszcie spadł deszcz. Deszcz? Raczej ulewa. Zarzuciliśmy brezent na *bigonzi*, by woda nie rozcieńczyła wina, na głowy włożyliśmy *panieri* i pobiegliśmy schronić się do *cantina*. Razem z kurczakami i gołębiami obserwowaliśmy, jak na podwórzu tworzą się rzeki wody.

Deszcz szybko przestał padać. Mocny wiatr przegnał czarne chmury znad miasta. Przez noc wysuszył owoce. Nad ranem byliśmy zwarci i gotowi do drugiego dnia *vandemmia*, który miał minąć pod znakiem ślizgania się i tonięcia w błocie. Przybyły posiłki, adorator Carli oraz kuzyni spoza miasta. Zbieraliśmy i narzekaliśmy na błoto.

Tamtej nocy, kiedy zawartość ostatniego *bigonzo* została przelana do kadzi, wszystkie koszyki i *bigonzi* zostały wymyte, opłukane i odwrócone do góry dnem do wyschnięcia, naczepa została oczyszczona z błota wodą z węża, tak jak nasze buty, zasiedliśmy w długim holu, do którego przeniesiono wszystkie stoły. Jedliśmy, piliśmy i śmialiśmy się – tak jak w filmach – napychaliśmy się *crostini* i makaronami *gnocchi* – kluskami ziemniaczanymi z grzybami oraz *pici* z drobiowymi wątróbkami, nadziewaną cielęciną, flakami oraz różnego rodzaju pieczonym ptactwem, wieprzowiną i królikami, a także specjalnością Anny, ślimakami – które zbierała w jakimś tajemniczym leśnym zakątku – ugotowanymi w pomidorach, czosnku, oleju i odrobinie wina, do tego wszystkiego podano pieczone ziemniaki i drobno pokrojoną surówkę polaną oliwą, na koniec pojawiły się sery i tak dużo *dolci*, że nie byłem w stanie ich policzyć, do picia mieliśmy wino musujące i *vinsanto*. Biesiada trwała tak długo, aż Pasquino, ze skórzaną czapką z daszkiem na głowie, oparł się o ścianę, złożył obie ręce na brzuchu i zaczął straszliwie chrapać, aż szyby drżały. Bazzotti był tak pijany, że zrobił się niewyraźny na twarzy; ja byłem tak pijany, że mówiłem nieskazitelnym włoskim; Paolucci był tak pijany, że poszedł po więcej wina. Tak kończyły się nasze pierwsze *vendemmia*. Boże, dzięki ci za winogrona.

Na targu w czwartek dowiedzieliśmy się od przybyszów z okolic, że tydzień temu Nebbia znalazł podobno mnóstwo nowych starych rzeczy. Późnym popołudniem pojechaliśmy zobaczyć, co takiego ma na sprzedaż. Zbliżał się zachód słońca; winorośle zżółkły, pola pszenicy były skoszone, wszędzie dominował jesienny spokój i cisza, przynajmniej przed zasiewami w listopadzie i zbiorem oliwek w grudniu.

Szukaliśmy Nebbii w jego domu, szopie, na *piazza* i w barze, aż wreszcie znaleźliśmy go w klubie z niskim sufitem, gdzie grał w karty, puszczając kółka z dymu tytoniowego. Powitał nas słowami:

– *Oh, chi si vede!* – Kogo widzę!

Podniósł się natychmiast, przebił przez gęsty dym, chwycił Candace za ramię i wyprowadził nas na zewnątrz na świeże, orzeźwiające, jesienne powietrze. Zamieniliśmy kilka słów i ruszyliśmy przez miasto do jego szopy, a potem w górę po kamiennych schodach do pokoju ze starociami. W środku znaleźliśmy niewielki kufer z wiśniowego drewna, który natychmiast kupiliśmy, razem z małą, ale ciężką dębową ławą zrobioną zapewne dla najsilniejszego z siedmiu krasnoludków.

Tymczasem Nebbia siedział na krześle i lamentował, że w Toskanii nie zostało już nic wartego zebrania, i że zastanawiał się nad tym, czy nie zwinąć interesu, nie zamknąć szopy, by rozpocząć razem z psem nowe życie poszukiwacza trufli.

Na dźwięk słowa trufle dostałem szczękościsku, a twarz Candace się rozjaśniła. Nebbia był podekscytowany.

– Ty też lubisz trufle? – zapytał z promiennym uśmiechem.

– Mogłabym dla nich zabić – odparła.

Nebbia wstał z krzesła, powiedział: *Andiamo* i dosłownie wypchnął nas przez drzwi.

– Mój przyjaciel, który uczy mojego psa szukania trufli, już trochę ich znalazł. I to białych. Najlepszych. Wypycha je po zabójczych cenach restauracjom, dlatego nienawidzi sprzedawać ich w normalnych cenach swoim sąsiadom, ale się tym nie przejmujcie.

Ruszyliśmy w górę drogi na spotkanie z Giovannim, królem trufli. Nebbia zawołał: *Permesso*, i bez pukania do drzwi znaleźliśmy się w środku domu Giovanniego, weszliśmy do kuchni, gdzie akurat młoda rodzina szykowała się do obiadu. Król trufli się wzdrygnął. Mimo to poprosił nas, byśmy usiedli i napili się z nim wina. Przystaliśmy na to i zaczęliśmy rozmawiać o truflach, dlaczego rosną pod topolami i orzechowcami, ale nie przepadają za sosnami. Wtedy Nebbia wypalił, że chcemy trochę kupić.

– Nie mam ich zbyt dużo – zaprotestował Giovanni.

– Toteż oni nie chcą zbyt dużo – odparł Nebbia.

– Mam ich bardzo mało.

– Ależ oni właśnie tyle potrzebują.

– Daj nam cokolwiek – powiedziała Candace błagalnym głosem jak narkomanka.

– *Preciso* – dodał Nebbia.

Giovanni zaczął sobie zdawać sprawę, że jego koszmar wcale nie ma zamiaru minąć. Podniósł się, zamknął drzwi frontowe na klucz, wszedł do małego pokoju i wrócił z niewielkim zawiniątkiem w ręku. Położył je na stole poza zasięgiem naszych rąk i powoli rozwinął chusteczkę. Wyjął ze środka coś zawiniętego w brązowy papier, to też rozwinął, ze środka wydobył malutką papierową torebkę, otworzył ją i wysypał zawartość na rozłożoną chusteczkę. Czułem się, jakbym uczestniczył w handlu narkotykami. Na stole pojawił się tuzin szarawych grudek wielkości czereśni, w pomieszczeniu rozniósł się gwałtowny i cierpki zapach. Smutek pomieszany z radością pojawił się na twarzy Giovanniego. Obchodził się z truflami, jakby były brylantami, przesuwał je w naszym kierunku jedną po drugiej, aż przed nami znalazły się trzy. Candace wyciągnęła rękę, by dotknąć jednej z nich, kiedy nagle coś uderzyło mocno w drzwi, po chwili dobiegł zza nich stek przekleństw. Giovanni podskoczył do góry. Zgarnął swoje klejnoty i zawołał: *Arrivo*, ale zamiast do drzwi wejściowych, pobiegł do małego pomieszczenia, zatrzasnął szufladę, a potem drzwi. Wreszcie wyrwał papierosa z ust Nebbii, kilka razy głęboko się zaciągnął i rozpuścił wokół nas chmurę dymu. Na koniec wydał z siebie głos tak fałszywie spokojny, że wybuchliśmy śmiechem.

– *Arrivo! Dio Santo.* – I podszedł do drzwi wejściowych.

Do środka wszedł zakłopotany, dobrze ubrany sąsiad.

– *Buonasera, buonasera* – przywitał się.

Usiadł przy nas i zaczął wygadywać najróżniejsze głupoty, wreszcie wykrztusił z siebie, po co przyszedł. Usłyszał, że podobno Giovanni znalazł białe trufle i w związku z tym chciałby trochę odkupić. Giovanni z twarzą pokerzysty skłamał, że nie znalazł nawet jednego.

– To prawda. Do niczego się nie nadaje – przytaknął Nebbia.

Kiedy sąsiad wyszedł, uzgodniliśmy cenę dziesięciu dolarów i wyszliśmy z domu razem z Nebbią.

– Jest ciągle zły. Dwa tygodnie temu przyjechała z wizytą rodzina z gór, babcia też się pojawiła, wstała wcześnie rano i postanowiła zrobić dla wszystkich śniadanie. Szukała składników w lodówce, znalazła jajka, a potem trufle, całkiem sporą torebkę. Zrobiła jajecznicę i jako przykładna babcia pokroiła trufle i posypała nimi usmażoną jajecznicę. Nadmienię, że pokroiła je na grube plastry, nie oszczędziła ani jednego. Gdyby sprzedać je w restauracji, byłyby warte pięćset dolarów. Zawołała wszystkich do stołu, ponieważ chciała zrobić im niespodziankę. Giovanni nie odzywał się do nikogo przez trzy dni.

Pojechaliśmy do domu. Przekonywałem Candace, że trufle są zatrute, ponieważ nigdy w życiu nie czułem tak ostrego zapachu. Wreszcie poddała się moim narzekaniom i wystawiła je poza okno, dodała przy okazji, że jeśli zgubi chociaż jednego, to nie wrócę żywy do domu.

Po powrocie trufle zasmrodziły cały dom. Wyłożyliśmy je na parapet za oknem, pomiędzy szybą a okiennicami, ponieważ byłem przekonany, że wydzielany przez nie odór zabije nas we śnie.

Przez następny tydzień jedliśmy trufle z każdą możliwą potrawą. Candace robiła sobie nawet kanapki z mozzarellą i truflami. Można powiedzieć, że anielska monotonia podniebienia jest esencją Toskanii.

27
WENECKIE NOCE

Nieuchronnie znowu nadeszły moje urodziny. Candace i ja zawsze woleliśmy rezygnować z ładnie zapakowanych prezentów urodzinowych na rzecz wybrania się tego wyjątkowego dnia na wycieczkę. W ciągu ostatnich lat nie mieliśmy powodów do narzekania, przemierzyliśmy świat od Seszeli do Norwegii, Japonii do Tybetu, jednak najbardziej niezapomnianą wyprawą, która odbyła się wiele lat temu, była podróż do serca Kostaryki.

Znaleźliśmy się w San José, stolicy państwa. W mieście dominowała stara hiszpańska architektura. Na wschodniej stronie kraju rozciągały się według mapy bezdroża i dzicz, aż do Karaibów. Przecinała je cienka czarna linia – tory kolejowe – która zakręcała we wszystkie strony, zmierzając do portowego miasta Puerto Limón. Sześć godzin jazdy pociągiem. Po miesiącach spędzonych w samochodzie kempingowym volkswagena zapowiadał się niezły luksus: obiady w wagonie restauracyjnym, kilka nocy w urokliwym hotelu przy plaży, kolacje w małej restauracji serwującej owoce morza. Raj na ziemi.

Do wyprawy szykowaliśmy się przez kilka dni, pojechaliśmy na stację, kupiliśmy bilety, usiedliśmy i czekaliśmy na pociąg. Stacja była niewielka, wydawało mi się czarujące, że jej część przerobiono na muzeum kolei. Z dala od nas, na ostatnich torach stały trzy bardzo stare, malutkie, wąskie, drewniane pomalowane na jaskrawy czerwony kolor wagony w stanie muzealnym. Miały niewiarygodnie wąski rozstaw osi, malutkie koła i wydawały się tak krótkie, że wyglądały jak wyjęte z wesołego miasteczka. Ludzie wchodzili do środka i siadali przy otwartych oknach. Myśleliśmy, że chcą się poczuć jak za dawnych czasów. Zabytkowa lokomotywa parowa wjechała na stację, wyrzucając z siebie parę i dym z komina, uderzyła mocno w trzy wagoniki, trzęsąc pasażerami, sprzęgała się z nimi i bez robienia wokół tego wiele zamieszania zaczęła je ciągnąć. Na wschód. Wdrapaliśmy się do jednego z wagonów. Nasi współpasażerowie się uśmiechali.

Wagony były drewnianymi pudełkami z dwoma rzędami dwuosobowych ławek z drewnianych listewek. Brakowało półek na bagaże, podnóżków, podgłówków i innych komfortowych dodatków. Nie wspominając o wagonie restauracyjnym. W całym pociągu nie było nawet jednego okruszka do zjedzenia. Poza zapasami wielkiego mężczyzny siedzącego naprzeciw nas, który z papierowej torby zaczął wyjmować kiście brzydkich małych bananów, po czym wpychał je sobie do ust. W końcu postanowił nas poczęstować. Były przepyszne. Po pewnym czasie zaczęliśmy przekonywać się do małego pociągu.

Znaleźliśmy się na wzgórzach porośniętych tropikalną dżunglą; gęsta roślinność wyłaniała się leniwymi falami zza horyzontu, w miarę jak pociąg jechał do przodu. Nagle połowa świata zniknęła. Tam gdzie przed chwilą dżungla wydawała nie do przebycia, była tylko pusta przestrzeń. Jeśli wychyliło się przez okno wagonu i spojrzało w dół, pojawiało się uczucie paniki, ponieważ zaledwie krok od torów zaczynała się bezmierna otchłań.

– Zginęło przy tym pięć tysięcy Chińczyków – przemówił nasz wielki towarzysz podróży z naprzeciwka. – Budowali kolej. Spadli. Daleka droga na dół. Nikt nie zobaczył ich znowu.

Opowiedział nam, częściowo po angielsku, a częściowo po hiszpańsku, o okropnościach związanych z wycinaniem tej małej stalowej linii w olbrzymim porośniętym dżunglą klifie. Położenie zaledwie trzydziestu dwóch kilometrów torów zajęło dziesięć lat. Chińscy robotnicy przed snem przywiązywali się do pni drzew, a lawiny błota i tak porywały ich w dół, razem z drzewami.

Zatrzymaliśmy się na malutkiej stacji, gdzie przypuszczono na nas szturm. *„Papà! Papà! Papà!"* – bose urwisy wspinały się do środka

przez drzwi i okna, ciągnąc za sobą załadowane po brzegi plasti-
kowe worki na śmieci. Zatrzymały się przed nami, ciężko sapiąc
„papà, papà", i wyciągnęły przed siebie ciepłe frytki i parujące kol-
by kukurydzy. Wszyscy kupowali od nich prowiant i zabierali się
do jedzenia. Potem znowu ruszyliśmy w gąszcz.

Przez okna widzieliśmy chatki na palach, do których nie dochodziły żadne drogi, na słońcu wysychały wielkie tace z ziarnami kawy
i kakao, bose dzieci machały w stronę pociągu. Im bardziej zbliżaliśmy się do Karaibów, tym bardziej afrykańskie robiły się miejscowe twarze, a wielkie napisy na rozpadających się i zaniedbanych
stacyjkach głosiły: „Dreszcze? Gorączka? To może być malaria!".
Niebo zrobiło się czarne. Zaczęło padać. Prawdziwa ulewa. Przez
okna pociągu wydawało się, że otaczają nas ściany rwącej wody.
Wiatr zawiewał deszcz do środka, dlatego wstałem, by zamknąć
okno. Ale w otworach okiennych nie było szyb. Wszyscy ścisnęli się
na suchych końcach ławek.

Zapadła noc. Podniosłem się, by włączyć światło. Ale w wagonie brakowało lamp. Zacząłem rozglądać się przy migoczącym
płomieniu zapalniczki, ale nie znalazłem ani gniazd, ani kabli, ani
włączników. Deszcz lał na zewnątrz w nieprzeniknionych ciemnościach. Ze względu na ryk powietrza, terkot pociągu i plusk
deszczu trzeba było krzyczeć, by się ze sobą porozumieć. Dlatego
w akompaniamencie grzmotów postanowiliśmy zachować ciszę.
Jechaliśmy dalej.

Stacja w Puerto Limón nie była wiele jaśniejsza od otaczających
nas ciemności. Ciągle lało. Spytaliśmy kogoś o dobry hotel. Nasz
rozmówca uśmiechnął się; w mieście był tylko jeden hotel. Kropka.
Biegliśmy błotnistymi ulicami w strugach deszczu, przeskakując
ponad kałużami. Budynki z drewnianymi elewacjami wyglądały jak
wyjęte z westernu, poza tym, że każdy przemoczony szyld na prze-
moczonych sklepach miał chińskie napisy. Hotel okazał się wysoką
chatą. Na podeście źle oświetlonych schodów znajdował się salon
hotelarki. Siedziała na krześle, słuchając radia, obok niej, na małym
stoliku, leżał jej stary chudy pies. Wypchany pies. Do pokoju gościn-
nego prowadziły drzwi z przeszkleniami, tyle że brakowało w nich
szyb. W środku nie było materaców. Znaleźliśmy tylko wielki worek

wypchany słomą, który wyglądał jak śpiący słoń. Zdrzemnęliśmy się na nim, nie zdejmując ubrania i butów. Potem wyszliśmy zjeść do jedynej restauracji w mieście, wnętrze było bardzo proste i pozbawione bzdurnych dekoracji, ale zaserwowano nam tam najlepszą chińszczyznę, jaką jadłem w życiu.

Poranek na Karaibach był wilgotny. Skończyłem dwadzieścia sześć lat.

Szesnaście lat później, co do dnia, wsiedliśmy do pociągu mającego nas zawieźć do Wenecji. W środku czekały na nas tapicerowane siedzenia i małe stoliki, okna i zasłony oraz wagon restauracyjny ze srebrami stołowymi na obrusach. Brakowało mi jednak *papà* i wszechogarniającej ciemności.

Powietrze jest nieprzezroczyste i pełne mieniących się kolorów, kiedy Vaporetto 2 uderza w galar[52]. Marynarz zarzuca cumę na pachołek, obkłada koniec na knadze, a pilot utrzymuje *vaporetto*[53] za pomocą silnika naprzeciw barki. Lina się napręża. Łódź kołysze się na fali, ludzie wchodzą i schodzą z pokładu. Zawsze siadamy na rufie, dzięki czemu możemy udawać, że jesteśmy na łodzi sami.

Zapada zmierzch, jest mgliście, wiadomo, że mgła podnosi się na lagunie. Światło nabiera srebrnoróżowej barwy, przypomina zaparowaną perłę. Ślizgamy się po wodzie, kilwater[54] uderza w pokryte glonami kamienne wybrzeże, na którym wznosi się Scuola dei Mori, Bractwo Martwych, wolałbym nie wiedzieć, skąd się wzięła ta nazwa. Przepływamy obok niezgrabnego kościoła, mgła przedostaje się już do Canale di Cannaregio. Nadchodzi przypływ. Powietrze jest gęste od jodu i czuć zapach dna morza. W oknach przy wąskiej Rios zapalają się światła i rozpalają mgłę, tak jak świece zapalają anielskie włosie. Opatuliliśmy się szalikami i przytuliliśmy do siebie.

[52] Galar – czworoboczny płaskodenny statek rzeczny do przewozu towarów.
[53] *Vaporetto* (wł.) – prom.
[54] Kilwater – zawirowanie wody za rufą poruszającej się jednostki pływającej, układające się w widoczny ślad spienionej wody.

Most Ponte di Rialto wyłania się z rozproszonego i migoczącego światła. Dwanaście łuków zwieńczonych jest mistrzowskim podwyższonym łukiem zamiast zwornika: cóż za arogancja, cóż za elegancja. Przy moście Rialto następuje wymiana pasażerów na *vaporetto*. Na rufę przychodzi dziewczynka. Ma piękne krótko ostrzyżone włosy i poważny wyraz twarzy, trzyma papierową torebkę z mandarynkami. Zaczyna obierać jedną z nich ze skórki, ale najpierw szczelniej obwiązuje się szalem i odkłada mandarynki na balustradę. Łódka przechyla się gwałtownie. Mandarynki wypadają za burtę, słychać plusk, po chwili wynurzają się, soczyście pomarańczowy kolor odznacza się na jedwabiście szarych falach. Na twarzy dziewczynki pojawia się nieśmiały i mądry uśmiech, zastanawiam się, czy przypadkiem nie jest z prowincji.

Dopływamy do końca kanału, nadszedł wielki finał: najpierw Palazzo Dario – jest niewielki, ale fasadę ma prowokacyjnie pozbawioną równowagi – następnie majestatycznie koronkowa bazylika Santa Maria della Salute z pełnym wyborem kopuł, wreszcie możemy podziwiać pełną gracji rzeźbę stojącą na jednej nodze na szczycie olbrzymiej złotej kopuły komory celnej. Tutaj także podnosi się mgła. Wysiadamy przy kościele Santa Maria del Giglio. Niedoszła pożeraczka mandarynek uśmiecha się na pożegnanie. Idziemy na piechotę do małego hotelu na końcu wąskiej uliczki. Dozorczyni się śmieje.

– Wy dwoje z małym bagażem. *Ben tornati*.

Zgodnie z naszym życzeniem daje nam pokój wychodzący na nieskazitelny ogród *palazzo* i wielki westybul *soggiorno* z żyrandolem jak stóg siana i meblami, z których każde muzeum mogłoby być dumne. Ponad dachem widać kopuły i lampiony bazyliki Santa Maria della Salute z wielką rzeźbą świętego na szczycie, w perłowym świetle wygląda jak z innego świata, przez co nie można być pewnym, czy to rzeczywiście tam stoi, czy jest tylko wspomnieniem. Otwieramy na oścież oba okna. Róg mgłowy rozbrzmiewa gdzieś na zachmurzonej lagunie.

Nasz przyjaciel i żeglarz Emilio, właściciel jednej z najlepszych restauracji w Wenecji, zaprosił nas na obiad do swego *palazzo* na kanale w najspokojniejszej części miasta. Z powodu ogromnej liczby zakrętów, ślepych zaułków i mostów nigdy nie zdołalibyśmy samodzielnie do niego trafić, dlatego Emilio umawia się z nami o ósmej wieczorem na Ponte della Academia, jedynym moście przecinającym Wielki Kanał na południe od mostu Rialto.

Zbieramy się i ruszamy prosto w mgłę. Błądzimy po ciemnych, bardzo wąskich uliczkach i maleńkich mostach wspartych na wysokich łukach, idziemy w górę po schodach, przechodzimy przez *piazza* i wchodzimy po drewnianych stopniach Accademia. Jesteśmy przed czasem. Wychylamy się przez balustradę i wpatrujemy w migoczący światłami Wielki Kanał, mrużymy oczy i udajemy, że są to wszystko pochodnie i świece, a wiadomości mogą być dostarczane tylko ukradkiem przez zakapturzone osoby lub przekazywane w podnieceniu szeptem, mijając się na ulicy, i wszystko może przydarzyć się we mgle. Być może wielkim magnesem przyciągającym do Wenecji jest ciągle obietnica tajemnicy oraz romansu, który mógł się banalnie rozpocząć wraz z dryfującą na wodzie mandarynką.

– Przypuszczam, że to moi zaginieni goście? – odezwał się miękkim głosem Emilio zza naszych pleców. Uśmiechamy się szeroko i wymieniamy pozdrowienia.

Jego dom jest równie nieprzewidywalny jak reszta Wenecji: ma kręte schody, ledwo oświetlone podesty, tarasy na dachu, ozdobne kominy, a dookoła niego pluszcze woda z kanału. Kolacja z owoców morza przygotowana przez Emilia i jego żonę Annę stanie się na następne lata wzorcem gastronomicznym, do którego będziemy przyrównywać inne posiłki. W charakterze przystawki pojawiły się grzyby i ryby *sottolio, spaghetti alle vongole*, pieczone *dentice* i *orate* z sosem pietruszkowym, deser i wino są delikatne i *giusto* – w sam raz. Rozmawiamy o weneckich cudach i przyjemności płynącej z żeglowania, umawiamy się, że wiosną popływamy po lagunie na jego drewnianym slupie aż do Piazza San Marco, tak jak podróżnicy przypływający do miasta wieki temu.

Opuszczamy ich dobrze po północy, w głowach szumi nam od wypitego na koniec spotkania szampana, wychodzimy z podwórza na wąską aleję niknącą we mgle. Przechodzimy przez mały mostek, potem jeszcze jeden i jeszcze jeden, skręcamy na lewo pod łukowatym przejściem, które mądrze zapamiętałem, by służyło jak punkt orientacyjny w trakcie drogi powrotnej, przecinamy *piazzetta* i kolejny most, po czym błądzimy i nieodwracalnie gubimy się we mgle. Nie dochodzą nas żadne dźwięki, a wszystko dookoła jest nieruchome, czasem tylko słychać dobiegający z dala odgłos rogu mgłowego. Idziemy powoli, niepewnie, zawracamy, kiedy ulice zmieniają się w kanały. Trzymamy się jak najbliżej sporego kanału ze skąpanymi we mgle łodziami przymocowanymi do brzegów, ale szlak kończy się ślepo innym kanałem i ścianami domów wyrastającymi z mętnej wody. Dzwon wybija pierwszą w nocy. Zawracamy. Trafiamy na *piazzetta* wyłożone marmurowymi płytami i szukamy kierunkowskazów na murach, odnajdujemy jedynie fragmenty odpadającej sztukaterii. Zastanawiamy się głośno, co dalej, obserwujemy mosty, nasłuchujemy przytłumionego rogu mgłowego, próbujemy wychwycić dźwięk silnika *vaporetto*, który może nas naprowadzić w kierunku Wielkiego Kanału, niestety, to nie pomaga. Od czasu do czasu dochodzą nas tylko słabe i nierozpoznawalne odgłosy. Jesteśmy podekscytowani jak dzieci na Gwiazdkę. Kiedy znajdujemy wyglądającą znajomo wielką *piazza* z rosnącymi na niej drzewami, niemal czujemy rozczarowanie, humor poprawia się nam jednak, kiedy po kolejnych dwóch zakrętach znowu się gubimy. Wreszcie napotykamy człowieka. Zmęczona kobieta zamiata kawiarnię. Krzesła są już położone na stołach do góry nogami. Kobieta z czystego chrześcijańskiego miłosierdzia stawia przed nami dwie gorące czekolady. Przy okazji daje nam tak szczegółowe wskazówki, że ponowne zgubienie się graniczyłoby z cudem. Mimo to niedługo później ponownie się gubimy. Dwukrotnie wydaje się nam, że wreszcie trafiamy na Wielki Kanał, ale za każdym razem się okazuje, że to ślepy zaułek, i zbici z tropu zawracamy z powrotem w zamglony labirynt. Poznajemy każdy kanał, każdą alejkę, każdy most i każdy dom. Wszystko wydaje się znajome, ale nie pomaga nam to w znalezieniu drogi powrotnej do hotelu. Słychać przytłumione bicie dzwonu.

Jest druga w nocy. Kiedy docieramy na most Rialto, mgłę można niemal kroić nożem. Gdy znajdujemy się na wspaniałym łuku pełnym zamglonych świateł, zarumieniona od wina i chłodu Candace zadziera głowę i mówi z figlarną iskrą w oku:

– Następnym razem, kiedy się zgubisz, obiecaj, że weźmiesz mnie ze sobą.

Obiecuję jej to.

– Sto lat, kochanie.

28
RĄBANIE DREWNA

Leniwe ciepło i jesienne kolory wciąż się utrzymywały i wcale nie wyglądało na to, że zamierzają odejść. Długo po tym, jak zżółkły winorośle, a topole zgubiły liście, dęby i granatowce bledły we własnym tempie. Jakiś czas po *vendemmia* przestaliśmy nosić zegarki. Bez większych problemów mogliśmy określić, która jest godzina, wszystko z powodu późnych zachodów i wczesnych wschodów słońca, upływ czasu wyznaczały też rano, w południe i wieczorem bijące dzwony. Istniały także inne subtelne wskazówki mówiące o porze dnia: dźwięk kół małego fiata listonosza na żwirze, szczekanie psów Bazzottiego, kiedy ten karmił je po powrocie z miasta, a także, o ile wiatr wiał w odpowiednim kierunku, radosne okrzyki dzieci wypadających w trakcie przerwy na klasztorne podwórze. Nie pamiętam kiedy ani dlaczego, ale mniej więcej o tej godzinie zarzucaliśmy na chwilę wszelką pracę, prostowaliśmy plecy, po to by dać chwilę wytchnienia umysłowi i rozkoszować się otaczającym nas pięknem: wzgórz, miasta, chmur, światła czy szybującego w powietrzu sokoła.

Nagle, bez ostrzeżenia, pewnego ranka nadeszła zima. Zimny wiatr nadszedł z północy w trakcie snu i zmienił ciepłe wilgotne nadmorskie powietrze w mgłę tak gęstą, że ukryła nawet żywopłot. Dźwięk dzwonów kościelnych był przytłumiony i odległy jak stare wspomnienia. Wreszcie północny wiatr, *tramontana*, przegnał mgłę i z każdą godziną przynosił ze sobą coraz więcej chłodu, aż w końcu nie dało się już pracować na polu. Rodzina Paoluccich skryła się między drzewami i zaczęła rąbać na zimę drewno na opał. Po obu stronach wijącego się strumienia rosły drzewa. Potok był najszerszy w miejscu śmierci byka, a najwęższy tam, gdzie kiedyś przekroczyliśmy strumień, poniżej ruiny z wieżą. W tym roku właśnie w tym miejscu Paolucci postanowili przerzedzić drzewa.

W Toskanii nie wycina się drzew – nawet własnych – bez pozwolenia leśniczego. Każdy zagajnik jest dokładnie zaznaczony na mapie okolicy i nie wolno go ruszać bez wyraźnego powodu, raz na dwanaście lat zezwala się na przerzedzanie drzewostanu. Przerzedzanie oznacza pozostawianie nienaruszonych drzew w odległości co najmniej pięciu metrów w każdym kierunku, dzięki czemu po wycince las ciągle wygląda jak las, tyle że jest oczyszczony i uporządkowany, przez co bardziej przypomina park. To surowe prawo pomogło zachować piękno Toskanii aż do dzisiejszego dnia, dzięki niemu nie zniknęły malutkie zagajniki rosnące między polami, wzdłuż strumieni i parowów oraz na zboczach wzgórz zbyt stromych, by nadawały się pod uprawę.

Paolucci prowadzili wyrąb przez cały wcześniejszy dzień, kiedy zdecydowałem się do nich dołączyć. Z samego rana ruszyłem w ich kierunku skrótem przez łąkę, naprowadzała mnie spirala dymu wznosząca się nad drzewami. Tamtego dnia *Nonna* także przyszła pomagać i cała trójka wycinała obumarłe drzewa i gałęzie; wysuszone dęby i topole leżące na ziemi. Franco pracował z piłą łańcuchową, najpierw ociosywał drzewa z konarów, a potem przecinał pnie, Rosanna trzymała *penatta* – krótkie, masywne i zakrzywione narzędzie przypominające maczetę – i odcinała mniejsze gałęzie. *Nonna* wybierała najlepsze sztuki i wiązała w pęki, a resztę wrzucała do ogniska. Ja nosiłem pocięte pnie drzewa – najcięższe z pomocą babci – i układałem je ściśle jeden obok drugiego na naczepie.

Do południa oznajmionego przez dzwony załadowaliśmy naczepę do połowy, a gałęzie w ognisku przemieniły się w górę popiołu, w samym środku leżała sterta żarzących się węgielków. Ponieważ z lasu do domu była dość daleka droga na piechotę czy nawet na wolnym traktorze, zjedliśmy obiad na miejscu. Przyniosłem trochę sera i zimnej pieczeni, ale Rosanna z uśmiechem nakazała mi zachować to na później, ponieważ jeśli pracuje się na powietrzu, to niezbędny jest ciepły posiłek, który natchnie wszystkich nową siłą.

Zaczęła rozgrzebywać stertę popiołu i wyciągnęła z niej mały garnuszek kipiący pod przykrywką, po chwili dookoła rozniósł się wspaniały zapach gotowanej cebuli. *Nonna* przyniosła z traktora drewnianą skrzynię na owoce i wyjęła z niej talerze, widelce, chleb, wino, blaszane kubki oraz kawałki cielęciny zawinięte w brązowy papier. Usiedliśmy na pniach drzewa dookoła ognia, a Rosanna zaczęła rozlewać parujący sos na talerze. Długie przezroczyste kawałki czegoś bliżej nierozpoznawalnego pływały w zabarwionej na czerwono od pomidorów i papryki oliwie, ułamałem kawałek chleba i nalałem kubek wina. Zajadałem się ze smakiem podaną potrawą, ale nie mogłem się domyślić, co pływa w oliwie. Rosanna roześmiała się i powiedziała *cipolle*. Cebula. Nigdy nie próbowałem czegoś smaczniejszego. Następnie upiekła nad ogniem kawałki cielęciny, po czym rzuciliśmy się na nie jak wygłodniałe wilki i kawałkami chleba dokładnie wytarliśmy talerze. Wreszcie wyciągnąłem się na pniakach, by dać chwilę wytchnienia moim zbolałem kościom, i patrzyłem na gałęzie kołyszące się na wietrze.

Po obiedzie w szybkim tempie wrzucaliśmy pniaki na naczepę. Krótko przed zmrokiem związaliśmy stertę drewna liną i ruszyliśmy za traktorem w kierunku domu. Kiedy tylko wyszliśmy z lasu, zimny wiatr sprawił, że zbliżyliśmy się bardziej do siebie i przyspieszyliśmy kroku, dzięki czemu kiedy tylko weszliśmy na wzgórze obok pierwszej ruiny, znowu zrobiło się nam ciepło. W oddali dostrzegłem światła w oknach naszego domu.

29

PORCA

Pewnego ranka zastaliśmy całą dolinę przyprószoną skrzącym się bielą szronem, jak gdyby została już przysypana śniegiem. Kiedy wstało słońce, cały świat zaczął lśnić, a promienie światła załamywały się w topniejących kulkach lodu. Cała okolica pogrążyła się w bezruchu. Było zbyt wcześnie, by zabrać się do zbierania oliwek, i zbyt wcześnie, by przycinać winorośle, ale zbyt późno, by obsiać pola pszenicą czy owsem, oraz zbyt późno i za zimno na zbieranie *funghi*.

Nasz stos drewna opałowego urósł wysoko. W budynku gospodarczym wisiały warkocze cebuli i czosnku, ziemniaki rozłożyliśmy na warstwie trzciny, a jabłka – malutkie i pełne skaz, ale niezwykle smakowite – jaśniały czerwienią w wymoszczonym słomą leżu ze starych drzwi ułożonych na dwóch kozłach. Kiście białych winogron zwisały z oddalonej od ściany tyczki, zostawione tak, by powoli wyschły i zmieniły się w słodkie rodzynki. Nasz młody gaj orzechowy obrodził trzema koszami małych i ciemnych orzechów, które ułożyliśmy blisko drzwi, by zapewnić im odpowiedni przewiew.

Kupiliśmy dwa gąsiory wina – jeden od Paoluccich, a jeden od Crocianich ze wzgórza – i z wielką pompą przygotowaliśmy się do przelania go do butelek. Kupiliśmy sto nowych butelek w *consorzio agrario*, sklepie z artykułami rolniczymi, oraz prawdziwy skarb, wspaniałą korkownicę, która w cudowny sposób zgniatała korek, a stożek na dźwigni wciskał go do szyjki. Odciągaliśmy wino z gąsiorów i napełnialiśmy butelki, korkowaliśmy je, rozlewaliśmy wino, wężyki wypadały nam z gąsiorów i znowu musieliśmy zasysać wino, by odciągać je dalej. W połowie zakręciło mi się w głowie i musiałem wyjść zaczerpnąć świeżego powietrza. O zmroku napełniliśmy i zakorkowaliśmy ostatnią butelkę, a nawet przykleiliśmy do nich małe etykiety z zapisaną nazwą i datą, następnie ułożyliśmy je w małej piwniczce na drewnianych półkach, które zbiłem z nieheblowanych desek. Był to widok niezwykle przyjemny dla oka.

Nasz ulubiony rzeźnik dał nam dobrą cenę na udziec szynki *prosciutto*, ładnej, chudej i *stagionata* – dojrzałej, twardej i suchej, bo pochodziła z zeszłorocznego uboju. Miejscowi nie lubili twardych wędlin – całe szczęście dla nas, ponieważ im *prosciutto* jest starsze, tym ma bogatszy smak. Jest co prawda trochę trudne do pogryzienia, ale doznania smakowe z pewnością to rekompensują. Maszerowałem dumny jak paw ulicami miasta, trzymając udziec pod ręką, potem powiesiłem go na drucie na środku piwnicy, umieszczając nad nim blaszany talerz mający za zadanie uchronić szynkę przed żądnymi przygód myszami.

Byliśmy gotowi na przyjęcie zimy.

Późnym rankiem szron stopniał i nie pozostawił po sobie zbyt wiele, bieliły się już tylko zagłębienia w ziemi, dlatego wyszedłem na zewnątrz porąbać trochę szczap na podpałkę. Zdążyłem się już trochę spocić, kiedy usłyszałem za plecami na drodze stukot kopyt. Uśmiechnięty Franco siedział na małym grubym kucu, którego kupił tydzień wcześniej na targu. Nogi zwisały mu z grzbietu zwierzęcia, a czubki stóp prawie dotykały ziemi, widać było, że świetnie się bawi. Wyglądał jak Sancho Pansa, tyle że w ręku trzymał kawałek chleba i kiełbasę.

– *Che ne pensi?* – Co o tym sądzisz?, zapytał z pełnymi ustami.

– *Stupendo* – odparłem. – Wyglądasz jak John Wayne. Umieram z zazdrości.

– Może też sobie takiego sprawisz? Będziemy jeździć razem – zaproponował.

– Może jutro.

– Jutro nie da rady – zaoponował. – Jutro ubijamy świnię.

Szron wrócił następnego ranka, był gruby i biały, a powietrze jeszcze bardziej orzeźwiające. Zapomniałem o świni. Siedziałem w kuchni przy palenisku w szlafroku, popijałem cappuccino i zmagałem się ze starą włoską gazetą, kiedy usłyszałem kwik świni. Dźwięk roznosił się echem po całej dolinie. Ubrałem się i wyszedłem na dwór, Candace zawołała tylko, żeby dać jej znać, kiedy kiełbasa będzie gotowa. Kiedy minąłem staw, dostrzegłem świnię biegnącą drogą i ciągnącą za sobą sznur. Zwierzę wpadło do stodoły, wyganiając ze środka stado kur. Pasquino w rzeźnickim fartuchu i Paolucci w kaloszach deptali jej po piętach. Po chwili wrócili na drogę, Franco prowadził świnię na postronku, Pasquino dreptał obok niego. Z powrotem na podwórzu Pasquino usiadł okrakiem na świni, by lepiej pochwycić sznur. Zwierzę wyrwało się do przodu i zaczęło kwiczeć. Na wpół biegnący i jadący na niej Pasquino odbijał się i podskakiwał na wszystkie strony, nie oszczędzał przekleństw i wydzierał się, na ile starczało mu tchu. Rozpoczęło się świńskie rodeo. Anna spowolniła nieco świniaka, blokując jego drogę łopatą, ale stojąca obok parującego kotła z wodą *Nonna* chwyciła starą miotłę i z hukiem przywaliła świni w zadek, przez co ofiara znowu zaczęła szybciej przebierać racicami. Pasquino ryczał, świnia kwiczała, a Anna zanosiła się głośnym śmiechem, zagłuszając ich oboje. Nagle znikąd pojawił się Bazzotti i zaczął piskliwym głosem wydawać wszystkim polecenia, ale nikt nie zwracał na niego uwagi, a Paolucci ze spokojem godnym filozofów zapalił papierosa. W końcu zmęczoną świnię zagoniono w róg podwórza, klnący Pasquino ciągle się jej trzymał. Usłyszałem strzał. Był przytłumiony, ale zwierzę padło na ziemię jak rażone piorunem z małą dziurką między oczami.

– *Porca*. – A to świnia, rzucił Paolucci.

Następnie sprawiono jej odpowiednią kąpiel i golenie.

Zanieśliśmy ją na drewnianą paletę, by nie ubrudziła się od błota, które za chwilę miało powstać na podwórku. Następnie *Nonna* zaczęła polewać ją wrzącą wodą, a Anna szorować szczotką. Pasquino wyciągnął starą brzytwę i pasek, powiesił go na zardzewiałym gwoździu wystającym z drzwi stajni i zaczął ostrzyć na nim brzytwę, następnie nucąc jakąś melodię, ukląkł i zaczął golić świnię ze szczeciny. Pracę rozpoczął od łopatek, wykonywał długie i płynne ruchy, a na koniec delikatne i ostrożne muśnięcia w okolicy uszu. Cały czas nucił. *Nonna* nie przestała polewać świni wrzącą i parującą wodą. Kiedy świnia została dokładnie wyczyszczona, różowa i bez jednego włoska, przerzuciliśmy ją na drewnianą drabinę, położyliśmy na grzbiecie, związaliśmy tylne nogi nad najwyższym szczeblem i wspólnymi siłami oparliśmy obciążoną drabinę o ścianę. Pasquino poszedł naostrzyć swój zestaw noży – samodzielnie wykonanych, ciężkich i grubych ostrzy z pięknymi rękojeściami z drewna oliwkowego – a ja wróciłem do domu po kalosze. Zapach dymu z płonącego drewna roznosił się wzdłuż drogi.

Kiedy wróciłem, świnia była już wybebeszona i oprawiona, *Nonna* wlewała jeszcze do środka gorącą wodę, by opłukać ją po raz ostatni. Anna siedziała w małym pokoju obok stajni i kroiła tłuszcz, by zagotować go w wielkim garnku na opalanym drewnem piecu, a Rosanna szorowała wnętrzności i zanurzała w gotującej wodzie, aby potem użyć ich jako flaków do kiełbasy. Pasquino nucił i kroił mięso, każdy ruch był inny, co chwila zmieniał noże, tymczasem Paolucci jako wzorowy gospodarz palił papierosa i popijał wino, kiedy inni od czasu do czasu wydawali mu krótkie polecenia.

Cały dzień minął na przygotowywaniu i nadziewaniu: kiełbas, salcesonów, salami, czterech udźców szynki *prosciutti* – tłuszcz został z nich dokładnie usunięty – kotletów, żeberek do upieczenia nad ogniem i najcenniejszej rzeczy ze wszystkich – *lombo* – delikatnego mięsa z grzbietu. Pracę przerwaliśmy tylko na obiad, szybki posiłek złożony z duszonych flaczków i świeżych skwarek. Potem wróciliśmy do małego ciepłego pokoju przy stajni.

Anna i Rosanna przygotowały *fegatelli* – gotowaną wątrobę pociętą na kawałki wielkości śliwek, następnie owinięte w gazę i olej na zimę. Przeniosłem jedna po drugiej cztery umyte parę razy i wysuszone ręcznikami szynki – *prosciutti* – na chłodny i przewiewny strych, ułożyłem na stole wyłożonym trzciną i poczekałem na przyjście babci, która miała je przyrządzić. Szła powoli, niosąc mały worek, za nią podążał Franco z garnkiem w ręku. *Nonna* odpoczęła chwilę przed rozpoczęciem pracy. Najpierw zaczęła rozprowadzać na szynce chłodny ocet zagotowany wcześniej z czosnkiem, gałązkami rozmarynu, ziarna-

234

mi pieprzu i odrobiną *pepperoncini* – malutkimi, wściekle ostrymi papryczkami. Każdą z szynek dokładnie i powoli kąpała w marynacie, następnie położyła na trzcinie i zaczęła je solić. Brała z worka duże porcje soli i rozprowadzała ją, zostawiając na powierzchni grubą białą warstwę wyglądającą jak szron. Przez następnych dwadzieścia pięć dni jej zadaniem było codzienne poranne sprawdzanie szynek, czy aby gdzieś wilgoć nie przedostała się przez warstwę soli, a jeśli tak, to w tych miejscach nakładała dodatkową warstwę. Dwudziestego piątego dnia sól mogła zostać zeskrobana, a szynki pokrywano mielonym czarnym pieprzem. Następnego dnia wieszano je pod sufitem i zostawiano w spokoju na co najmniej dwa miesiące, by dojrzały. Dopiero wtedy były gotowe do krojenia cienkich plastrów i rozkoszowania się ich smakiem. Wykracza ponad moją zdolność pojmowania, jak ktoś może wytrzymać dwa miesiące wpatrywania się w szynkę bez skubnięcia jej odrobinę.

Kiedy skończyliśmy sprzątać, zrobiło się ciemno i zjadliwie zimno. Zanieśliśmy *lombo*, salami oraz pęta kiełbasy do kuchni i powiesiliśmy je na belkach do wyschnięcia jak świąteczne chorągiewki. Następnie Rosanna zaczęła piec część świeżych kotletów, żeberek i kiełbasy. Kiedy tylko zapach rozniósł się dookoła, w drzwiach jak na zawołanie pojawiła się Candace z pytaniem na ustach:

– Czy kiełbasy są już gotowe?

Przyniosła ze sobą wielką tartę z pokrojonymi jabłkami i dżemem ze śliwek.

Rozpoczęła się uczta. Pasquino, który zawsze je i pije za dwóch, był w wyjątkowo dobrej formie.

– Jesz jak Bricco – zauważyła Anna.

– Nikt nie je jak Bricco – oświadczył Paolucci. Pasquino chciał dodać coś od siebie, ale miał usta pełne jedzenia, dlatego tylko skinął głową.

– Bricco mógłby zjeść konia z kopytami – powiedział Paolucci.

– I resztę jego rodziny – dorzuciła *Nonna*.

– Kim jest Bricco? – zapytałem.

– Bricco to taki wielki facet z Montisi, który jest kierowcą ciężarówki.

– Ale głównie zajmuje się jedzeniem – dodała Rosanna.

– I piciem – dodała Anna. – Pewnej nocy na *festa* w Pienza wypił siedemdziesiąt kieliszków wina.

– Albo siedemset – powiedział Paolucci.

– Co? Siedemset!? – krzyknęła Rosanna z niedowierzaniem.

Paolucci machnął ręką, nie chcąc wdawać się w szczegóły, i kontynuował wywód.

– Bricco jest wielki jak krowa. W trakcie drugiego śniadania w ciężarówce trzyma pod pachą kilogramowy bochenek chleba, dwulitrową butelkę wina między nogami, a pęto kiełbasy – takie jak zwisa tutaj z belki – ma zawinięte na szyi. Następnie bierze gryza chleba, gryza kiełbasy i długi łyk wina. W międzyczasie prowadzi samochód.

– Albo zagryza węgorza – wypalił nagle Pasquino. – Bierze długi bochenek chleba, kroi go wzdłuż na połowę i wsadza do środka całego ugotowanego węgorza, dłuższego niż mój...

– Nawet nie zaczynaj! – krzyknęła Anna.

– ...niż wałek do ciasta, bierze całego solonego dorsza, chwyta za ogon i uderza kilka razy *puttana* rybą w kamienną ścianę, łup, łup, by oczyścić ją z soli, wrzuca ją między pajdy chleba, by mogła dotrzymać towarzystwa węgorzowi, i może się zabierać do jedzenia.

– A pije tyle co dziesięciu ludzi – powiedział Paolucci. – Kiedyś w Pienza, kiedy już wypił te siedemset kieliszków...

– Jakie siedemset kieliszków!? – krzyknęła Rosanna.

– A co za różnica? *Madonna Serpente*! – ryknął w odpowiedzi Paolucci. – On pije, PIJE, *punto*! W każdym razie wróćmy do tamtego razu w Pienza. Jest trzecia nad ranem i widzę, jak czołga się przy swojej ciężarówce, wyciąga rękę i maca opony, zderzak, maskę i resztę karoserii. Co się dzieje, Bricco?, pytam. Źle się czujesz? Czuję się doskonale, odpowiada, szczerząc zęby. Ale nie mogę znaleźć drzwi. Jeżdżę tą ciężarówką od piętnastu lat, a teraz nie mogę znaleźć tych *cazzo* drzwi. I tak jesteś zbyt pijany, by pojechać do domu, mówię mu. A kto mówi o prowadzeniu?, odpowiada. Pomóż mi tylko znaleźć drzwi i dostać się do środka; cholerna ciężarówka sama zna drogę z powrotem. I pomyśleć, że Bricco nigdy w życiu nie miał wypadku.

– I jest grzeczny – powiedział Pasquino. – Kiedy widzi starszą panią, to zatrzymuje tę wielką ciężarówkę, wysiada, bierze jej torby i przeprowadza przez ulicę.

– Bricco di Montisi – wtrąca Paolucci.

– Siedemset kieliszków wina w ciągu jednej nocy – powtórzyła Rosanna.

Śmialiśmy się, jedliśmy i piliśmy, śmialiśmy się z historii o Bricco i z szaleńczej jazdy Pasquino na świni, jedliśmy i piliśmy, aż Pasquino ze skórzaną czapką z daszkiem na głowie oparł się o ścianę, głowa opadła mu na pierś i zaczął swoje tradycyjne pochrapywanie przyprawiające szyby o drżenie.

30
ŚNIEG

Nieznośne podmuchy *tramontana* z północy trwały przez dwa długie grudniowe dni. Wiatr wyginał cyprysy, zrywał ostatnie liście z drzew, przygniatał do ziemi sitowie, gwizdał w każdej szczelinie, zwiewał pióra kurom w złym kierunku, przez co musiały zbijać się w stadko razem z kaczkami, kotami i psami po zawietrznej stronie domu. Wiatr był zimny i bardzo nieprzyjemny, wiał w dzień i w nocy, wiał, kiedy jedliśmy i spaliśmy, wiał, kiedy próbowaliśmy rozmawiać i myśleć. W nocy kołatał wszystkim, czym tylko mógł: drzwiami, oknami, okiennicami, rynnami i nerwami. Uwięził nas w domu. Tęskniliśmy za miastem, ale wiedzieliśmy, że wąskie uliczki zmieniły się w tunele, w których w najlepsze hasał wiatr, dlatego dokładaliśmy tylko do ognia i czekaliśmy. W okolicy nic nie poruszało się z własnej woli. Wreszcie wiatr wywiał się gdzieś do Afryki, ale pozostawił po sobie zimno.

Następnego ranka czuliśmy się jak nowo narodzeni. Cała dolina jaśniała w cichym i pogodnym poranku, dzwony kościelne biły tak wyraźnie, jakby wisiały tuż za naszymi oknami. Poszliśmy do miasta. W domach Bazzottich i Paoluccich wszyscy uwijali się na zewnątrz, zamiatając i pieląc ogródek, Rosanna myła okna, jakby zamiast zimy właśnie nadeszła wiosna. Całe miasto wyległo na ulice. Uwolnieni od wiatru ludzie spacerowali, przystawali na chwilę i rozmawiali, drzwi sklepów otworzyły się na oścież, sklepikarze biegali w górę i w dół Il Corso dalej niż zazwyczaj. Dwójka z nich stała i kłóciła się nad donicą, wystawały z niej resztki złamanej przez porywisty wiatr łodygi. Mówiłem ci, żebyś ją przywiązał. Przecież to zrobiłem. Chyba do wykałaczki. Nie, nitką do ściany. Najlepszy byłby trzonek miotły, taki jak wystaje z twojego *culo*[55]. Dwóch wałęsających się sklepikarzy przyłączyło się do kolegów po fachu. *Che peccato!* Co za szkoda! To wiatr, to jego wina. Nagle z okna na drugim piętrze krzyknęła na nich kobieta. *Assassini!* Mordercy! Mężczyźni wybuchli śmiechem.

Po południu znowu zaczęło wiać, tym razem delikatniej i z południowego zachodu, skąd nadciągały gęste czarne chmury.

– Spadnie śnieg – powiedziała *Nonna*.

– Skąd wiesz? – zapytała Candace. – Bo gołębie gruchają?

– Nie – odparła babcia z uśmiechem. – Ponieważ jest zimno, a chmury są czarne.

Mając na względzie babciną prognozę pogody, zaczęliśmy wozić taczkami drewno na opał i zrzucaliśmy je tuż przy drzwiach kuchennych pod okapem dachu. Wtedy spadły pierwsze puchate płatki śniegu, zupełnie jak kotki opadające na wiosnę z topoli, i zaczęły jeden po drugim wypełniać bielą całą dolinę. Słońce wisiało nisko na zachodzie, promienie przedzierały się przez szczeliny w chmurach, rozjaśniając mury Montepulciano ostatnimi tęsknymi błyskami złotego światła. W końcu i to zniknęło za zasłoną śniegu. Byliśmy podekscytowani. Zebraliśmy cienką warstwę puchu z muru ogrodowego i zaczęliśmy rzucać się śnieżkami, potem zwieźliśmy jeszcze trochę drewna i wdrapaliśmy się na wzgórze, by rzucić okiem na bielący się dom i ogrody.

Śnieg najpierw przykrył *coppe* na dachu, zamocowane na ścianach domu lampy z kutego żelaza i drogę, następnie szczyty palików podtrzymujących winorośle, belki odsłoniętej altanki oraz zapomniany wózek ręczny sprzed domu. Stado szpaków przeleciało nam nad głowami, szukając schronienia w przygniecionej do ziemi trzcinie przy stawie. Ciężarna krowa Paolucciego wydała z siebie pełne wigoru ryknięcie, które zabrzmiało jednak trochę przytłumione w padającym śniegu. Zrobiliśmy więcej śnieżek, teraz nie sprawiało to najmniejszego kłopotu, wybieraliśmy sobie dalekie i bliskie cele,

[55] *Culo* (wł.) – tyłek.

trafiliśmy w słupy i drzewa, nie oszczędziliśmy naszego komina ani samych siebie. Robiło się coraz ciemniej. W nieokreślonej odległości za kurtyną padającego śniegu pojawiły się migające i słabe żółte światełka miasta, wyglądały jak pulsary drżące w innym świecie. Załadowaliśmy drewnem ostatnią taczkę, zatrzymaliśmy się w *cantina*, odkroiliśmy trochę szynki *prosciutto*, zabraliśmy butelkę wina do obiadu i ruszyliśmy w stronę domu, wtedy na schodach ogrodowych ponad nami wyrósł czyjś cień. Przed nami stanął szczerzący się Paolucci.

– *Che bello!* – Jak pięknie!, zawołałem, rozkładając ręce.

– *Porca miseria. Mi sento come un bambino.* – Psi los. Czuję się jak dzieciak – oświadczył. – Nie mogę usiedzieć w domu – dodał po chwili.

Pomógł mi ułożyć drewno pod okapem z dala od padającego śniegu, następnie usiedliśmy na jeszcze suchej wygiętej ławce przy drzwiach wejściowych i patrzeliśmy, jak śnieg przykrywa coraz grubszą warstwą cyprysy i krzewy *lentaggine*. Przyszła Candace, niosąc w rękach kubki z grzanym winem, w zimowym powietrzu rozniósł się zapach cynamonu. Zapadł zmrok. Śnieg nie przestawał padać. Popijaliśmy ciepłe słodko-kwaśne wino.

– Rosanna robi dzisiaj *ciambelline* – powiedział Paolucci. – Będą gotowe po kolacji. Może wpadniecie do nas na poczęstunek, póki jeszcze będą gorące?

Odparłem, że tak zrobimy, *assolutamente*[56].

– Uwielbiam *ciambelline* – oświadczyła Candace.

Paolucci opróżnił kubek, wstał, zapiął kołnierz i rzucił:

– *A più tardi*. – To na razie. I zatonął w śniegu i mroku szybko nadciągającej nocy.

– Czym, u diabła, są *ciambelline*? – zapytałem Candace.

– Umieram z ciekawości – odparła.

Zebraliśmy się do wyjścia po kolacji. Nałożyliśmy kamizelki, by uchronić się przed chłodem, na nie narzuciliśmy znoszone płasz-

---

[56] *Assolutamente* (wł.) – bez wątpienia, z pewnością.

cze wodoodporne, obwiązaliśmy się szalikami, włożyliśmy rękawice i kapelusze i ruszyliśmy. Padający śnieg świstał cicho między krzakami, a noc rozjaśniła się dziwacznym śnieżnym światłem. Długie liście *nespole*[57] wisiały oklapłe jak ośle uszy, a schody ogrodowe zaokrągliły się od zasp śnieżnych. Przeszliśmy obok *corbezzola* i drzewek oliwnych z obwisłymi gałęziami, ruszyliśmy w górę drogi, mijając winnicę z tyczkami przykrytymi małymi czapeczkami śniegu. Droga i rowy zrównały się poziomem. Ciągle sypało. Przechodząc przez pole, zostawialiśmy za sobą głębokie ślady, kierowaliśmy się na lewo, na widoczne światło dochodzące z kuchni Paoluccich. Kiedy otworzyliśmy drzwi, noc przez chwilę rozjaśniło światło bijące z wnętrza izby, płatki śniegu wirowały dookoła niczym motyle.

Cała rodzina Paoluccich zebrała się w kuchni. Ogień płonął w kominku, sękaty pień drewna oliwkowego iskrzył się i trzaskał w najlepsze. Carla siedziała na małej kanapie w rogu i wycinała koszulę z papierowego wzoru, Paolucci i *Nonna* siedzieli na małych ławeczkach ustawionych przed paleniskiem – Franco naprawiał sploty wykonanego z liny uchwytu jednego z koszyków do zbioru oliwek, a babcia dziergała skarpetki z wełny. Rosanna i Eleanora stały przy piecu opalanym drewnem. Wyławiały skwierczące i rumiane pierścienie z garnka wrzącego oleju.

– *Ciambelline* – powiedziała Candace podniesionym głosem. – Mówiłam ci, że uwielbiam *ciambelline*.

– Pączki – zawtórowałem.

– Wyszoruj gębę mydłem – oświadczyła Candace.

Usiedliśmy przy wielkim stole nakrytym sztywnym materiałem. Franco posłał Eleanorę po butelkę *vinsanto*, ta odparła mu, że jest zajęta, i poradziła mu, by sam się pofatygował. Mimo to wkrótce przyniosła bursztynowe wino. Na środku stołu kobiety postawiły wielką michę parujących, uwodzicielsko pachnących *ciambelline*. Następnie, trzymając gorącą rączkę przez fartuch, Rosanna przyniosła z pieca kuchennego mały garnek i z wyraźną dumą powoli wylała jego gęstą żółtą zawartość na *ciambelline*.

– Najlepsze są z gorącym miodem – powiedziała.

[57] *Nespole* (wł.) – nieszpułka.

Nic nie może smakować lepiej w zimną i śnieżną noc.

– *Domani si fa festa.* – Jutro jest święto, zauważyła *Nonna.*

– Jutro, jeśli przestanie sypać, możemy się przespacerować do ruin młyna i ściąć dwie choinki – oświadczył Paolucci.

– Może śnieg nigdy nie przestanie sypać – powiedziała Eleanora smętnie.

– Za dawnych dni nigdy nie przestawał – odparła *Nonna.*

– To prawda – poparł matkę Paolucci. – Raz sypało tak przez cztery dni i trzeba było wykopać w Il Corso rów na głębokość pasa, żeby ludzie mogli jakoś przedostać się w inne miejsca. Ale niektórzy byli zbyt leniwi, by wykopać ścieżkę do własnych drzwi, spuszczali z okien drabiny i schodzili po nich na śnieg.

– Przez tydzień nie mogliśmy stąd wyjechać – powiedziała Rosanna.

– *Che festa!* – To dopiero święta!, oświadczyła Carla.

Zasiedzieliśmy się u przyjaciół i wyszliśmy późno. Śnieżyca odrobinę osłabła; na tyle, byśmy mogli rozpoznać słabe światła miasta. Śnieg sięgał nam prawie do łydek, staliśmy na drodze i patrzeliśmy na migoczące między chmurami światło księżyca.

– Chodźmy do miasta – powiedziała Candace.

– Chyba oszalałaś – odparłem.

– A co to ma wspólnego z ceną ryżu w Chinach?

Nie miałem pojęcia, co miała na myśli, i zbyt dobrze się czułem, by zapytać, dlatego zamiast skręcić w stronę domu, zaczęliśmy przedzierać się przez świeży śnieg w stronę zabudowań.

Okolica wydawała się przystrojona jak na jakąś specjalną okazję: winorośle Paoluccich miały na sobie długie naszyjniki ze śniegu; cyprysy założyły wysokie, białe i spiczaste kapelusze; nagie gałęzie wiązów ozdabiały lodowe koronki; śnieg przykrył pługi i wozy na podwórku Anselmich, a ich miejsce zajęły cudowne kopce i zaspy.

Droga zaczęła wznosić się ostrzej, kiedy weszliśmy do lasu. Ciemne kształty wiekowych cyprysów rosnących na cmentarzu majaczyły na tle jasnej nocy. Kiedy weszliśmy dostatecznie wysoko, spojrzeliśmy za siebie ponad cyprysami i murem otaczającym cmentarz. Na grobach rozciągało się morze białych fal. Spod śniegu na każdym z grobów jaśniało delikatne i rozproszone różowe światło lampek elektrycznych. Rozległo się bicie dzwonu. Śnieg nie przestawał sypać.

– Nic dziwnego, że nikt nie buduje domów blisko cmentarza – wyszeptała Candace.

Skręciliśmy w stronę otwartej kapliczki, weszliśmy do środka i usiedliśmy na chwilę na wąskiej ławeczce, by złapać oddech. Wiatr poszeptywał i wzdychał między konarami drzew rosnących na cmentarzu. Ruszyliśmy dalej w górę. Krzaki były przygniecione do ziemi pod ciężarem śniegu, a rozwidlone gałęzie kołysały się sennie. Przez otwartą bramę zachodnią mogliśmy podziwiać miasto otulone puchową kołdrą. Kilka świateł migotało ponad zaśnieżonymi parapetami, lodowate gargulce przesiadywały na każdym kominie, iglicy i występie. Wzdłuż ulic utworzyły się pofałdowane wydmy śniegu wyrzeźbionego i wygładzonego przez wiatr.

Ostre linie Piazza Grande złagodzone zostały przez zaspy, a przysypane śniegiem szerokie schody prowadzące do katedry zniknęły i zmieniły się w łagodne zbocze. Za szybami małego baru ciągle się świeciło, przez okno wyglądał jakiś mężczyzna. Inny siedział przy stoliku, patrząc niewidzącym wzrokiem przed siebie. Weszliśmy do środka. *Buonasera, buonasera.* Złożyliśmy zamówienie i usiedliśmy obok drugiego okna, po chwili zaczęliśmy popijać gorącą czekoladę i brandy.

– *Che silenzio.* – Cóż za cisza, powiedział mężczyzna przy oknie.

– Nie to co za czasów, kiedy byliśmy młodzi – powiedział z uśmiechem drugi mężczyzna. – Wtedy to dopiero był hałas.

– Hałas to mało powiedziane – przytaknął ten pierwszy.

I zaczęli opowiadać o opadach śniegu dawnymi czasy, kiedy wieczorami na ulice wylegały krzyczące i śmiejące się dzieci; kiedy Pietro siadał na odwróconej masce cinquecento i jego pies woził go wokół miasta; Beppe zakładał wiklinowe kosze na nogi zamiast rakiet śnieżnych; o niekończących się bitwach na śnieżki na *piazza*; kiedy wznieśli górę ze śniegu, by podglądać zakonnice przez okna;

kiedy Vittorio został *Il Missile Umano*, po tym jak założył na siebie worek po nawozie i wystrzelił się głową do przodu ze schodów kościelnych; kiedy czyjaś *Mamma* otworzyła okiennice i krzyknęła: „Jutro jest szkoła", to wszyscy przerywali zabawę i wrzucali śnieżki do jej *soggiorno*.

– *Che tempi*. – Co za czasy, powiedział barman.

W końcu nadeszła chwila zamknięcia baru, zebraliśmy się i wyszliśmy na zewnątrz. *Buonanotte*.

Piazza był cichy i pusty. Powiewy wiatru zmieniały położenie zasp. Na głowach gryfa i lwa stojących na kamiennym murku uformowały się śniegowe czapy. Płatki śniegu ciągle wirowały w powietrzu. Kiedy się dobrze wsłuchaliśmy, z pustych arkad zaczęło dochodzić do nas niknące echo rozbawionych dzieci obrzucających się śnieżkami, przez gęstą zasłonę padającego śniegu zobaczyliśmy też odkrywcę z wiklinowymi koszami na nogach, psa ciągnącego maskę cinquecento oraz nieustraszonego *Missile Umano* skaczącego z kościelnych schodów.

Wybiła północ.

A śnieg sypał i sypał.

Epilog

Śnieg przetrwał zaledwie dwa dni, po czym powietrze ocipliło się i wróciliśmy do ogrodu. Zimowe dni mijały na długich spacerach po okolicy, wycieczkach do Florencji lub Rzymu albo podróżach nad morze i podziwianiu sztormowych fal rozbijających się o skalne wybrzeże. W zimne, ale bezwietrzne dni jeździliśmy na pogórze starego wulkanu do malutkiej wioski Bagno Vignoni wzniesionej nie wokół *piazza*, ale wielkiego parującego *vasca*, wyciosanego z kamienia wapiennego pięćset lat temu i zasilanego gorącymi źródłami. Pływaliśmy przy pobliskim grzmiącym wodospadzie, którego woda była prawie zbyt gorąca do wytrzymania i miała mleczny kolor od zawartych w niej minerałów. Stawaliśmy pod kaskadami, a dookoła, w zimowym otoczeniu, kłębiła się para.

Odwiedzaliśmy okoliczne górskie miasteczka oraz najbliższe nam Montepulciano, siadywaliśmy w kawiarniach, gawędziliśmy albo czytaliśmy prasę, jeśli pogoda była ładna, to zatrzymywaliśmy się w słońcu na Piazza Grande i przyglądaliśmy się życiu miasta. Odwiedzaliśmy Bazzottich, Inadlo oraz Nebbię i chadzaliśmy na poczęstunki do Piccardich, Gianniego i Moniki oraz naturalnie do Paoluccich.

Jedna po drugiej opróżnialiśmy butelki wina z naszej małej *cantina*, krok po kroku coraz więcej się dowiadywaliśmy o Toskanii – wzgórzach, słońcu, sztuce, jedzeniu i winie oraz, co najważniejsze, o zwykłych pełnych pasji i rozkochanych w życiu ludziach. Prawie wbrew sobie nauczyliśmy się żyć i cieszyć z życia tak, jak robią to Toskańczycy – *piano, piano, con calma*.

Codziennie, przez całą zimę, dotrzymywał nam towarzystwa bażant. Ptak włóczył się wokół domu, wydawał z siebie żałosne pianie, dziobał ziemię w ogrodzie, rośliny w wielkich donicach oraz kukurydzę i pszenicę, którą zostawialiśmy w pozbawionej liści altance. Pewnego ciepłego poranka usłyszeliśmy odgłos kukułki dobiegający z żywopłotu rosnącego za drzewami oliwnymi. Kilka dni później, o zachodzie słońca, z porzuconej rury odpływowej za domem wychyliła głowę lisica i zaczęła myszkować, za nią wypadło sześcioro rozbrykanych i wpadających na siebie futrzanych szczeniąt.

Nadeszła wiosna.

Spis treści